OS DEZ SEGREDOS DAS PESSOAS 100% SAUDÁVEIS

OS DEZ SEGREDOS DAS PESSOAS 100% SAUDÁVEIS

Patrick Holford

Tradução
Doralice Xavier

Rio de Janeiro | 2013

CIP-BRASIL. CATALOGAÇÃO NA FONTE
SINDICATO NACIONAL DOS EDITORES DE LIVROS, RJ.

H675d

Holford, Patrick
    Os dez segredos das pessoas 100% saudavéis / Patrick Holford;
tradução: Doralice Lima. — Rio de Janeiro : BestSeller, 2011.

    Tradução de: Ten secrets of 100 healthy people
    ISBN 978-85-7684-445-7

    1. Saúde. 2. Hábitos de saúde. 3. Cuidados pessoais com a saúde.
I. Título. II. Título: Os dez segredos das pessoas 100% saudáveis.

11-3127.

CDD: 613
CDU: 613

Texto revisado segundo o novo Acordo Ortográfico da Língua Portuguesa.

Título original norte-americano
TEN SECRETS OF 100% HEALTHY PEOPLE
Copyright © 2009 by Patrick Holford
Copyright da tradução © 2011 by Editora Best Seller Ltda.

Primeiramente publicado no Reino Unido em 2009 pela Piatkus

Capa: Sérgio Carvalho | Periscópio
Editoração eletrônica: FA Studio

Todos os direitos reservados. Proibida a reprodução,
no todo ou em parte, sem autorização prévia por escrito da editora,
sejam quais forem os meios empregados.

Direitos exclusivos de publicação em língua portuguesa para o Brasil
adquiridos pela
EDITORA BEST SELLER LTDA.
Rua Argentina, 171, parte, São Cristóvão
Rio de Janeiro, RJ — 20921-380
que se reserva a propriedade literária desta tradução

Impresso no Brasil

ISBN 978-85-7684-445-7

Seja um leitor preferencial Record.
Cadastre-se e receba informações sobre nossos lançamentos e nossas promoções.

Atendimento e venda direta ao leitor
mdireto@record.com.br ou (21) 2585-2002

SOBRE O AUTOR

Patrick Holford, bacharel em psicologia, diretor do Institute for Optimum Nutrition (ION), membro honorário da British Association for Applied Nutrition and Nutritional Therapy e do Nutrition Therapy Council, é importante pioneiro nas novas abordagens à saúde e à nutrição e considerado seu principal divulgador na Grã-Bretanha. Ele também é autor de mais de trinta livros, traduzidos para mais de vinte idiomas e com mais de 1 milhão de exemplares vendidos em todo o mundo.

Holford começou sua carreira acadêmica no campo da psicologia. Em 1984 fundou o ION, uma organização educacional beneficente independente, que tem como patrono o Dr. Linus Pauling, ganhador de dois prêmios Nobel. Nesses 25 anos o ION vem pesquisando e ajudando a definir o que significa estar idealmente nutrido, e se tornou um dos estabelecimentos educacionais mais respeitados na formação de terapeutas nutricionais. No ION, Patrick trabalhou numa pesquisa inovadora para mostrar que multivitaminas podem aumentar o QI infantil — tema de um documentário da série *Horizon*, da BBC, realizado na década de 1980. Patrick foi um dos primeiros a promover a importância do zinco, dos antioxidantes, das gorduras essenciais, das dietas de baixa carga glicêmica e do complexo B para baixar a homocisteína.

Ele é o diretor-executivo da fundação Food for the Brain e diretor do centro de tratamento dessa fundação.

É membro honorário da British Association for Applied Nutrition and Nutritional Therapy e também membro do Nutrition Therapy Council.

SUMÁRIO

Agradecimentos	9
Guia de abreviações, unidades de medida e referências	11
Introdução	13

Parte Um
VOCÊ É 100% SAUDÁVEL?

Capítulo 1 — Se você acordasse 100% saudável, como saberia que isso aconteceu?	31
Capítulo 2 — Mitos sobre a saúde que nos mantêm doentes	42
Capítulo 3 — Os hábitos das pessoas 100% saudáveis	48
Capítulo 4 — O mapa da Saúde 100%	59

Parte Dois
OS DEZ SEGREDOS

Segredo 1: Aperfeiçoe sua digestão — descubra quais são os melhores e os piores alimentos	75
Segredo 2: Equilibre o açúcar no sangue — a chave para ganhar energia e perder peso	96
Segredo 3: Fique conectado — como melhorar a mente e o humor e manter a química do corpo em harmonia	124
Segredo 4: Reforce os antioxidantes que combatem o envelhecimento — vinte alimentos que aumentam a expectativa de vida	146
Segredo 5: Coma gorduras essenciais — mantenha a mente e o corpo bem-lubrificados	169
Segredos 6: Mantenha-se hidratado — a água é o nutriente mais vital	192
Segredo 7: Mantenha-se em forma, forte e ágil	199

Segredo 8: Gere energia vital — o fator *chi*   210

Segredo 9: Liberte o presente do passado — desapegue-se
e aprenda com o passado   229

Segredo 10: Encontre seu propósito — veja mais além   246

Parte Três
SUAS METAS E ALVOS DE SAÚDE

Capítulo 1: A dieta perfeita para você   265

Capítulo 2: Seu programa pessoal de suplementos   274

Capítulo 3: Seu plano de ação para uma Saúde 100%   283

Capítulo 4: Ter controle sobre a saúde   290

Referências   294

Leituras recomendadas   309

Recursos   311

AGRADECIMENTOS

Este livro cobre uma ampla gama de áreas de conhecimento, pois aprendi muito com diversos especialistas de diferentes campos. Gostaria de agradecer em especial a Ruth Tongue pelo auxílio com o Segredo 7 (exercício); a Oscar Ichazo pela visão filosófica que me ajudou a formar minha compreensão da saúde além da ajuda com o Segredo 8 (geração de energia vital); a Tim Lawrence pela contribuição com o Segredo 9 (tirar o passado do presente); a Sally Kempton pela generosidade ao me permitir usar alguns dos exercícios incluídos neste livro e pela ajuda com o Segredo 10 (encontrar um propósito). Também tenho uma dívida de gratidão para com todos os pensadores sistêmicos que contribuem para mudar o paradigma da medicina, inclusive o falecido Dr. Linus Pauling e o Dr. Abram Hoffer, com quem aprendi tanto.

Também sou extremamente grato a Liz Efiong pelo trabalho incansável, principalmente nas referências; a Catharine Trustram Eve; a Drew Fobbester e sua equipe por todos os serões por conta dos dados de pesquisa; a meus editores Gill Bailey, Jillian Stewart e Jan Cutler, na "Little"; a Demina; a Parminder; a Steph e Priya; e a minha adorável esposa Gaby pelo apoio!

RESSALVA

Embora todos os nutrientes e alterações dietéticas propostos neste livro sejam comprovadamente seguros, àqueles que estiverem em busca de ajuda para problemas médicos específicos aconselhamos consultar um terapeuta nutricional, um nutricionista clínico, um médico ou um profissional de saúde equivalente. As recomendações deste livro visam somente educar e informar e não devem ser vistas como orientação médica. Nem o autor nem a editora têm responsabilidade legal se o leitor decidir automedicar-se.

Todos os suplementos devem ser mantidos fora do alcance de crianças.

GUIA DE ABREVIAÇÕES, UNIDADES DE MEDIDA E REFERÊNCIAS

Vitaminas

1 grama = 1.000 miligramas (mg) = 1.000.000 microgramas (mcg)

A unidade de medida da maioria das vitaminas é miligrama ou micrograma.

As vitaminas A, D e E costumavam ser medidas em unidades internacionais (ui), uma medida criada para padronizar as diversas formas dessas vitaminas, que têm potências diferentes.

6mcg de betacaroteno, o precursor vegetal da vitamina A, são convertidos, em média, a 1 mcg de retinol, a forma animal dessa vitamina. Portanto, 6mcg de betacaroteno é chamado 1mcgRE (RE significa o equivalente em retinol). Neste livro, o betacaroteno é medido em mcgRE.

1mcg de retinol (1mcgRE) = 3,3 ui de vitamina A
1mcgRE de betacaroteno = 6mcg de betacaroteno
100 ui de vitamina D = 2,5 mcg
100 ui de vitamina E = 67 mg
1 libra (lb) = 16 onças (oz)
2,2 libras = 1 quilograma (kg)
1 pint = 0,6 litro
1,76 pint = 1 litro
Neste livro, "calorias" significa quilocalorias (kcals)

Referências e leituras recomendadas

Ao longo do livro você encontrará referências numeradas. Elas dizem respeito aos artigos de pesquisa listados na seção de Referências, a partir da página 294, e destinam-se a leitores que queiram estudar o assunto em profundidade. É possível ver resumos da maioria dos estudos na PubMed, em www.nci.nlm.nih.gov/pubmed. Na página 309 você encontrará uma lista dos melhores livros que podem ser lidos para aprofundar os tópicos abordados. No site www.patrickholford.com você também encontrará muitos dos tópicos deste livro detalhados em artigos. Se quiser ficar em dia com tudo o que é novo e fascinante neste campo, recomendo assinar o boletim *100% Health*, de Patrick Holford; os detalhes estão no site www.patrickholford.com.

INTRODUÇÃO

Algumas pessoas quase nunca ficam doentes. Elas têm muita energia, atitude positiva, boa aparência e bem-estar. Não aumentam de peso, não perdem a memória e não precisam de grande quantidade de remédios. Quase nunca precisam ir ao médico; vivem vidas longas e saudáveis e morrem de causas naturais. Por quê? Qual é o segredo delas?

Este é o objetivo deste livro: descobrir o segredo das pessoas 100% saudáveis — e ajudar você a se tornar uma delas. Seja você jovem ou idoso, tenha boa saúde ou problemas crônicos, este livro vai ajudá-lo a alcançar e manter uma saúde ideal e desfrutar de mais energia e bem-estar. Para descobrir os segredos da saúde plena, em vez de estudar indivíduos doentes, estudei pessoas saudáveis em todo o mundo. Esses segredos não são ensinados na escola. Mesmo que você estude medicina, a saúde não faz parte do currículo. Ela é maldefinida e raramente medida. No máximo, aprende-se a levar uma pessoa doente de volta a uma condição de saúde média, normal ou precária. Neste livro, porém, você vai descobrir que está à sua disposição um nível de saúde muito melhor.

ONDE ESTAMOS HOJE

Sob qualquer ponto de vista, a humanidade moderna dificilmente poderia ser descrita como saudável. A penicilina foi descoberta há 70 anos e o Serviço Nacional de Saúde britânico (NHS) foi criado há 60 anos, na crença de que a assistência médica gratuita para todos poderia eliminar a maioria das doenças passíveis de prevenção. Hoje, o NHS custa mais de 100 bilhões de libras por ano, ultrapassando 1.500 libras anuais por habitante. Se o principal critério de sucesso fosse a prevenção de doenças, esse instituto poderia ser muito bem descrito como o negócio que cresce mais rápido na Grã-Bretanha, com um custo maior a cada ano. A situação é ainda pior em países como os Estados Unidos, que dependem do chamado "seguro de saúde" privado. Os custos do atendimento de saúde daquele país não só são crescentes, mas também estão fora do alcance de milhões de cidadãos que não são cobertos pelos serviços essenciais de assistência médica.

OS DEZ SEGREDOS DAS PESSOAS 100% SAUDÁVEIS

Não apenas bilhões, mas trilhões de libras foram gastos com a medicina moderna. O custo anual dos medicamentos supera 600 bilhões de dólares, contudo, apesar dos ditos avanços da medicina moderna, estamos no século XXI diante de uma epidemia de obesidade, diabetes, doenças cardíacas, depressão, demência e câncer, principalmente de mama e de próstata. Além disso, segundo a Organização Mundial de Saúde (OMS), o maior problema é a saúde mental. Na Grã-Bretanha, os custos com o tratamento de Alzheimer já superam a soma dos custos de tratamento do câncer e das doenças cardiovasculares. Nos Estados Unidos, a obesidade superou o tabagismo como causa principal de morte prematura; no âmbito global, a obesidade passou a ser um problema mais grave que o raquitismo e a desnutrição. É provável que você também venha a sofrer de uma dessas doenças totalmente evitáveis; sim, elas são evitáveis — uma verdade inegável, já que em alguns países elas simplesmente não existem.

Passei os últimos 30 anos ajudando os indivíduos a evitar todas as doenças passíveis de prevenção. Escrevi mais de trinta livros. entre eles o *Diga não ao câncer* e o *100% saúde*, para oferecer aos leitores maneiras práticas de recuperar a saúde. Esses livros têm como base os princípios da nutrição ideal, explicados em meu livro *The Optimum Nutrition Bible*, que vendeu mais de 1 milhão de exemplares e foi traduzido para todos os principais idiomas do mundo, do chinês ao árabe. Gostaria de contar a vocês como comecei, para que possam ver que os dez segredos da Saúde 100% são o clímax de uma quantidade expressiva de pesquisas realizadas ao longo de três décadas.

A ABORDAGEM DA NUTRIÇÃO IDEAL

Na década de 1980, descobri o trabalho do Dr. Linus Pauling, que recebeu dois prêmios Nobel. Ele era amigo de Albert Einstein e se baseou na teoria do salto quântico para transformar o mundo da química. Pauling é considerado por muitos o pai da química moderna. Aos 65 anos, ele começou a explorar o mundo da nutrição e logo se convenceu de que "a nutrição ideal é o futuro da medicina", ao afirmar que a maioria das doenças de que sofremos são consequência da ingestão insuficiente de nutrientes e que os processos de doença podem ser revertidos se ingerirmos uma quantidade muito maior de certos nutrientes, determinada pelas necessidades específicas de cada indivíduo. Como psicólogo,

INTRODUÇÃO

fiquei muito impressionado com os resultados alcançados pelo tratamento da doença mental usando essa abordagem da "nutrição ideal".

Em 1984 fundei o ION, com o Dr. Linus Pauling como patrono, para estudar o que realmente significa a expressão "nutrição ideal". No entanto, antes disso, é preciso definir o que é "saúde ideal" para adquirirmos um gabarito que nos permita avaliar a ingestão ideal de um nutriente. Definimos saúde não apenas como a ausência de doença, mas também como a presença de: saúde psicológica (QI alto, mente alerta, bom humor e motivação); saúde física (a capacidade de subir uma montanha) e saúde bioquímica (por exemplo, os níveis ideais de açúcar, homocisteína e colesterol no sangue). Queríamos descobrir qual seria a dieta perfeita. Para isso, elaboramos questionários que investigavam praticamente todos os aspectos da saúde.

A PESQUISA DA SAÚDE 100%

Na década de 1990, com o advento da internet, o questionário original evoluiu para se transformar no Questionário Sobre a Saúde 100%, que hoje pode ser respondido em meu site www.patrickholford.com*. À medida que é preenchido, esse questionário oferece perguntas sobre todos os aspectos da saúde: como o entrevistado se sente física e psicologicamente, se tem dores ou outros problemas, o que costuma comer e quais são seu estilo de vida e seus hábitos de exercício. No questionário também se pede resultados de exames como o de colesterol ou de homocisteína, quando disponíveis. Queremos ter uma visão abrangente de sua condição atual para que possamos mostrar como você poderia estar e o que deve fazer para chegar lá.

Até o momento, mais de 55 mil pessoas já responderam a esse questionário, o que torna nossa Pesquisa Sobre a Saúde 100% a maior pesquisa abrangente sobre saúde e alimentação na Grã-Bretanha e, possivelmente, no mundo. Isso nos permitiu examinar em detalhes como os indivíduos realmente se sentem e que fatores de nutrição e estilo de vida aumentam nossas chances de ser supersaudáveis, tanto física quanto psicologicamente. Neste livro você também descobrirá o que têm de especial aqueles que obtiveram pontuações de saúde mais altas, próximas de 100%. Qual é o segredo deles?

---

* Questionário disponível apenas em inglês [N. do E.]

OS DEZ SEGREDOS DAS PESSOAS 100% SAUDÁVEIS

No entanto, os dez segredos para ter Saúde 100% não se baseiam somente nessa pesquisa abrangente. Ela foi apenas uma forma de descobrir a resposta para o enigma da saúde. Quando tomamos qualquer decisão, conscientemente ou não, usamos três tipos diferentes de lógica. Levamos em conta as experiências de terceiros, dos amigos, de histórias que ouvimos ou de pesquisas que vimos — essa é a lógica da analogia, das comparações e das relações; e isso é o que a Pesquisa da Saúde 100% nos mostra: o que as pessoas saudáveis têm em comum. Por outro lado, nós também desejamos saber como as coisas funcionam — essa é a lógica da análise: isolamos os problemas para conhecer seu mecanismo e funcionamento. Na Parte Dois deste livro vou explicar, com base em comprovações científicas, por que cada segredo funciona. Finalmente, talvez a lógica mais importante, a experiência direta: se experimentarmos algo e der certo, esse é o argumento mais convincente. Veja um exemplo:

Você já foi informado sobre estudos segundo os quais quem toma grandes quantidades de vitamina C tem resfriados mais curtos e menos graves. Você também já encontrou gente que acredita na vitamina C e afirma que ela realmente funciona. *Isso* é a analogia. Você leu que os cientistas provaram o mecanismo pelo qual a vitamina C mata os vírus e melhora o sistema imunológico do corpo. *Isso* é a análise. Você teve um resfriado, tomou 1g de vitamina C (segundo a ciência, esta é a quantidade que funciona) e seis horas depois os sintomas de resfriado haviam desaparecido. *Isso* é a experiência. (Naturalmente, se você fez o que tanta gente faz e tomou uma dosagem menor, a experiência mostrou que isso não funciona.)

O QUE AS PESSOAS 100% SAUDÁVEIS TÊM EM COMUM (ANALOGIA)

A Pesquisa da Saúde 100% me permitiu ver de perto o que indivíduos muito saudáveis têm em comum. Isso é analogia. Em minha busca pela definição do segredo da Saúde 100% (ou pelo menos do segredo daqueles que chegam muito perto disso) investiguei os fatores associados ao o nível de máxima saúde — dieta, estilo de vida, exercícios e condição mental. Por exemplo, em nossa pesquisa descobrimos que aqueles com pontuação mais alta não fumam, tomam pelo menos cinco suplementos diários, têm uma alimentação com baixa "carga glicêmica", comem peixe pelo menos três vezes por semana e comem muito

INTRODUÇÃO

menos carne, além de se exercitarem durante três ou mais horas por semana; a metade deles faz alguma prática como yoga, que aumenta a "energia vital", o que explicarei mais tarde. Eles têm bons relacionamentos, são felizes, se sentem realizados e têm clareza sobre seu propósito na vida. A maioria deles se considera uma pessoa espiritual.

COMO FUNCIONA CADA SEGREDO (ANÁLISE)

No entanto, como fatores específicos de nutrição e estilo de vida podem manter a saúde física e mental? Qual é o mecanismo? Para descobrir essa peça do quebra-cabeça, estudei milhares de relatos de pesquisa e entrevistei alguns dos cientistas mais importantes do mundo, que pesquisaram exatamente o que ocorre nas células do cérebro e do corpo; por exemplo, o professor David Smith, da Oxford University, especialista no estudo da causa exata do envelhecimento cerebral e da razão por que três em dez indivíduos com mais de 80 anos sofrem de Alzheimer. A paixão desse cientista é descobrir como evitar isso, e ele tem certeza de que encontrou a resposta. Uma das mentes mais brilhantes no tema do envelhecimento e de sua prevenção é o professor Bruce Ames, da Universidade da Califórnia. Na década de 1980, ele trouxe os antioxidantes de volta à baila com sua teoria de que o principal motor do processo de envelhecimento é o dano oxidativo. No entanto, recentemente, Ames fez uma descoberta que em minha opinião é o segredo para reduzir radicalmente o processo de envelhecimento e garantir que não se tenha nenhuma das doenças relacionadas com o estilo de vida, como o câncer e as doenças cardiovasculares. Também estive algum tempo com o doutor Abram Hoffer, que foi um dos principais diretores de pesquisa psiquiátrica no Canadá, e pioneiro em muitas descobertas importantes na compreensão de como uma nutrição ideal pode maximizar a concentração, o humor e o entusiasmo pela vida. Eu queria descobrir os segredos desse cientista. Ele morreu recentemente, mas aos 90 anos ainda estava trabalhando ativamente no campo da saúde mental, com uma mente totalmente alerta até o fim.

UMA NOVA MANEIRA DE PENSAR

O que os cientistas costumam ter em comum é o "pensamento sistêmico": eles veem o conjunto e não apenas os detalhes. Deixem-me explicar. Costuma-se

OS DEZ SEGREDOS DAS PESSOAS 100% SAUDÁVEIS

dizer que o nascimento da ciência moderna e da medicina foi decorrência da Idade da Razão, nos séculos XVII e XVIII. Em parte, como reação à Europa medieval supersticiosa, entramos na era de Newton e de outros cientistas capazes de demonstrar com eloquência e por meio de experimentos "a causa e o efeito" dos fenômenos naturais. Por mais importante que tenha sido essa revolução científica, ela trazia, e ainda traz, uma desvantagem: Muitas partes essenciais da vida, como as emoções e a espiritualidade, não podem ser medidas de forma científica e se tornam cada vez menos importantes na cultura ocidental.

Acreditava-se (e ainda se acredita) que seria possível descobrir o segredo da saúde por meio de experiências precisas sobre, por exemplo, pequenos aspectos de nossa biologia. Essa abordagem é conhecida como reducionismo, por reduzir um sistema complexo a fragmentos que são examinados em detalhes, na crença de que é possível compreender o todo juntando as pequenas peças do quebra-cabeça. O intelecto humano triunfou e a ciência se tornou dominante, prevalecendo sobre a arte e sobre Deus; hoje existe uma crença cultural de que a ciência pode solucionar os males da humanidade. Se a medicina moderna representa esse tipo de ciência reducionista, ela claramente fracassou.

UMA ABORDAGEM MALSUCEDIDA

A aparente incapacidade da medicina moderna para derrotar o câncer (que hoje afeta uma em cada três pessoas em alguma etapa da vida), o diabetes (presente em um entre seis indivíduos com mais de 40 anos) e outras doenças debilitantes, passíveis de prevenção, como a demência, comprova o fato de que a abordagem reducionista, embora adequada no caso de máquinas ou problemas simples, não é boa para a compreensão de sistemas vivos complexos como nós.

O pensamento reducionista se tornou dominante na medicina moderna, culminando em estudos aleatórios controlados por placebo (RCT), em que se administra a um grupo uma pílula farmacologicamente neutra e a outro grupo o remédio de verdade. Isso é excelente para a indústria de medicamentos, mas é ruim para sua saúde, pois leva a medicina moderna a favorecer as drogas em vez de buscar a causa real da doença, ou seja, os fatores de alimentação e estilo de vida, que não se ajustam facilmente a RCTs. Na verdade, o custo médio de um RCT de alta qualidade chega a 7 milhões de dólares, fazendo desses testes uma brincadeira ao alcance somente da indústria farmacêutica e dos governos.

INTRODUÇÃO

UM NOVO CAMINHO PARA UMA SAÚDE 100%

Como você verá, essa não é a única ou a melhor maneira de fazer ciência. Está surgindo uma nova ciência "sistêmica" que nos dá uma percepção verdadeira sobre a maneira de reverter os atuais problemas de saúde e de chegar à Saúde 100%. Essa ciência começa por olhar o sistema inteiro, o todo — no caso, nós, os seres humanos — e os fatores fundamentais que determinam nosso estado de saúde, conforme pretendo mostrar neste livro, usando os resultados da Pesquisa da Saúde 100%. Os dez segredos da Saúde 100% representam os sistemas críticos sobre os quais você precisa atuar para ficar tão saudável quanto possível.

QUANDO A RESILIÊNCIA SE DESEQUILIBRA NA DIREÇÃO DA MÁ SAÚDE

No pensamento sistêmico, é fundamental o conceito de "resiliência", que podemos descrever como a quantidade de dinheiro que temos na conta-corrente da saúde.

Um motorista de táxi chamado John uma vez me perguntou: "Eu me sentia bem, então de repente passei a ter diabetes. O que aconteceu?" De acordo com o pensamento sistêmico, o estado anterior de saúde de John, aparentemente estável, mas sem dúvida um pouco flutuante de um dia para outro, poderia ser representado pela posição de uma bola na "bacia da saúde" vista no diagrama da página 20. O estado de saúde do motorista é sustentado por alguns critérios como a ingestão de açúcar e carboidratos refinados, o nível de estresse, o grau de "resistência à insulina" (um importante indicador da perda do controle da taxa de açúcar no sangue), a falta de atividade física e o consumo de álcool. Quando com o tempo um número suficiente dessas condições reduziu a zero a resiliência do motorista de táxi, a saúde dele "adernou" para um novo estado relativamente estável: a bacia chamada diabetes.

PARA RECUPERAR A SAÚDE

Outra descoberta da ciência sistêmica é a necessidade de mudanças muito mais extremas para se "adernar" de volta à saúde; por exemplo, todos precisamos de mais ou menos 50 mcg diários do mineral essencial cromo para manter estáveis os níveis de açúcar no sangue. (Esse mineral faz o hormônio insulina atuar da maneira correta.) No entanto, se você, tal como John, nosso motorista de táxi, tiver diabetes, precisará de 500 mcg diários — dez vezes a quantidade habitual — para reverter essa condição. O simples fato de manter uma dieta equilibrada pode prevenir a diabetes, mas não pode revertê-la — sim, a diabetes (tipo 2 — o tipo comum) pode ser revertida. Neste livro, respondendo aos questionários em cada capítulo, você descobrirá o que é necessário para "adernar" de volta a uma Saúde 100%.

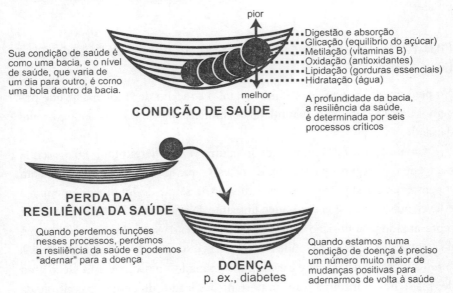

UM ESTILO DE VIDA POUCO SAUDÁVEL ALTERA O EQUILÍBRIO

Uma descoberta frequente nos estudos abrangentes de sistemas adaptativos complexos (como a economia, a ecologia ou a ecologia do corpo) é o fato de que, em geral, a saúde de um sistema é mantida por apenas alguns fatores críticos. Pequenas alterações nesses fatores podem levar o sistema para uma condição de má saúde, o equivalente a uma recessão. (Para mais informações, leia o livro *Resilience Thinking*, de Brian Walker e David Salt — Island Press.) Por exemplo, como se sabe muito bem agora, a economia mundial mergulhou

INTRODUÇÃO

na recessão em 2008/2009 porque os bancos emprestaram muito mais do que as reservas de que dispunham. Da mesma forma, se aumentamos falsamente nosso nível de energia por meio de café e açúcar, vamos ficar cada vez mais cansados e mergulhar na exaustão ao menor estresse, porque teremos perdido a "resiliência da energia". Vou mostrar-lhes como aumentar as reservas de energia, gerando energia natural.

Como você vai ver, a grande maioria das doenças e dos problemas de saúde que nos afetam é consequência da perda da resiliência ou adaptabilidade em um ou mais dos seis processos biológicos básicos e fundamentais. Os meios para trazer esses seis processos de volta ao equilíbrio são os seis primeiros segredos da Saúde 100%.

OS SEIS PROCESSOS DA NUTRIÇÃO

Conforme explicarei mais adiante, o que determina a saúde não é apenas o que comemos, mas também o que digerimos e absorvemos. A cada segundo, cada célula e cada reação química do corpo depende daquilo que comemos e de como esse alimento foi digerido e absorvido. Portanto, o primeiro segredo da Saúde 100% é otimizar a capacidade de digerir e absorver os nutrientes consumidos e, também, para começar, saber como se alimentar corretamente e tomar os suplementos adequados.

Os cinco próximos processos fundamentais são chamados de glicação, metilação, oxidação, lipidação e hidratação. Em linguagem leiga, esses termos estão associados: à forma como processamos os carboidratos (glicação); como as vitaminas do complexo B transformam o alimento em energia e agem como catalisadores por meio de um processo chamado metilação (a cada segundo ocorrem bilhões de reações de metilação no cérebro e no corpo); como fabricamos nossos próprios resíduos de queima, chamados oxidantes, e como usamos antioxidantes para desarmar esses resíduos (oxidação); como precisamos de gorduras essenciais que ajudam a célula a se comunicar e nos mantêm saudáveis física, mental e emocionalmente (lipidação); e o papel vital da água, o nutriente mais abundante do corpo (processo de hidratação).

Vou explicar exatamente como avaliar a função de cada um desses processos e como "sintonizá-los" para que você possa funcionar a plena carga e experimentar a Saúde 100%.

VOCÊ PODE TESTAR SUA SAÚDE

As provas de que esses processos são críticos para determinar a saúde estão diante dos olhos de todos. Como disse Einstein: "Os problemas que criamos não podem ser resolvidos com o mesmo tipo de racionalização usado para criá-los." Este livro mostra como pensar de uma maneira diferente sobre os verdadeiros fatores que determinam a saúde e como aperfeiçoar esses fatores. Por exemplo, uma maneira simples de avaliar a qualidade de sua metilação é um teste de sangue feito com uma espetada no dedo, que mede a quantidade de uma substância chamada homocisteína. O nível de homocisteína prevê o risco de um ataque cardíaco ou um derrame com muito mais eficácia que o nível de colesterol, além de ser melhor para prever o risco de demência, o resultado da gravidez e o risco de osteoporose. Na verdade, é uma das melhores formas de prever a saúde em geral e o risco de morte. Esse nível ainda pode ser facilmente revertido com certos alimentos e vitaminas B. Isso não é novidade — existem mais de 15 mil estudos publicados sobre a homocisteína —, mas a maioria dos indivíduos, e talvez você também, nunca ouviu falar dessa substância. No entanto, se você vive na Alemanha, já terá ouvido, porque naquele país se realiza 1 milhão de testes de homocisteína por ano. Mas se você vive no Reino Unido, fazer com que seu médico teste seu nível de homocisteína é como tentar extrair leite de uma pedra.

FINALMENTE UMA MELHORA DOS PROBLEMAS COMUNS DE SAÚDE

Outro exemplo de processo crítico é a glicação, que determina a capacidade de manter estáveis os níveis de açúcar no sangue. Quando perdemos o controle do açúcar no sangue, ocorre um conjunto de alterações no metabolismo conhecidas como "síndrome metabólica", que é, no corpo, o equivalente ao "aquecimento global". Essa síndrome é indicada pelo aumento do colesterol, aumento da insensibilidade ao hormônio insulina e aumento do nível no sangue da substância conhecida como hemoglobina glicosilada (a melhor medida do nível médio de açúcar no sangue) — que também pode ser facilmente testada em casa por meio de um kit. Sofrer da síndrome metabólica ou de uma alta da hemoglobina glicosilada prediz um risco de diabete, doenças cardíacas, aumento de peso (principalmente em torno da cintura, o que é indicador de doença cardíaca), depressão, perda da memória e câncer de mama. Essa condição pode ser facilmente revertida por meio de uma dieta com baixa carga glicêmica e do uso de suplementos específicos.

Na Parte Dois deste livro você descobrirá exatamente de que dieta e suplementos precisa para alcançar 100% de glicação, de metilação e de outros processos fundamentais, reduzindo o risco de todas essas doenças.

PARA REVERTER OS DANOS

Pense na perda da função de todos esses processos críticos como seu "aquecimento global" interno. É claro que não se pode reverter o aquecimento global interno simplesmente tomando um remédio. Isso é tão ridículo quanto tentar salvar o urso polar dando-lhe uma droga que diminua a temperatura corporal. É preciso mudar todo o ecossistema, no caso de seu corpo, mudando o que você põe em sua boca. Felizmente, é muito mais fácil fazer isso em nosso caso do que no caso do planeta. Considerando-se que, graças aos nutrientes da alimentação, mais da metade do corpo é substituída a cada ano, alguns meses bastam para mudar toda a ecologia do corpo.

Ao longo deste livro, por meio dos questionários em cada capítulo (ou pela internet, se preferir), você poderá descobrir como está sua situação no momento e aprender o que precisa fazer agora mesmo para levar rapidamente a sua saúde para um novo nível. Depois de responder, na Parte Dois, aos questionários relacionados com cada segredo, você poderá completar seu próprio Plano de Ação para uma Saúde 100%, na Parte Três.

MAIS QUE NUTRIÇÃO — OUTROS QUATRO SEGREDOS

Mencionei os seis primeiros segredos que envolvem basicamente a nutrição, portanto, quais são os outros quatro?

MANTER A FORMA

O primeiro segredo não nutricional é a atividade física. De acordo com a Pesquisa da Saúde 100%, a probabilidade de ter a saúde ideal é duas vezes maior se você praticar atividade física com frequência. A maioria dos que obtiveram pontuação máxima fazem exercícios durante três ou mais horas por semana.

OS DEZ SEGREDOS DAS PESSOAS 100% SAUDÁVEIS

Mas você não precisa correr uma maratona. Mesmo 15 minutos por dia do tipo certo de exercícios fazem uma grande diferença. Na Parte Dois você descobrirá os elementos críticos em qualquer programa de exercícios planejado para manter você 100% saudável.

OS BENEFÍCIOS DA ENERGIA VITAL

Chamei o próximo segredo de "Geração da energia vital". A importância de exercícios como tai chi e yoga, especificamente voltados para gerar energia vital, tornou-se evidente quando examinamos detalhadamente aqueles que obtiveram pontuação mais alta na Pesquisa da Saúde 100%. Literalmente, a metade deles abriu um espaço na própria vida para esses exercícios. Em minha procura pelo segredo da saúde logo ficou claro que existe algo chamado "energia vital" (conhecida no oriente como *chi* ou *ki*). A ciência moderna ainda precisa medir os efeitos de certos exercícios e maneiras de respirar que geram essa energia de transformação. Naturalmente, esse conhecimento é a espinha dorsal das abordagens da medicina e da longevidade no Oriente há centenas ou mesmo milhares de anos.

Para descobrir mais, entrevistei Oscar Ichazo, cuja vida foi dedicada ao estudo da natureza da mente e do espírito e das formas de ter a experiência mais completa possível de nosso potencial como seres humanos. Ichazo também é um especialista na ciência e na arte de gerar energia vital por meio da respiração, conhecida como pranayama. É, ainda, mestre Sword Form em cinco modalidades de artes marciais — nível mais alto que se pode alcançar — e especialista em yoga. Na Parte Dois você será informado sobre esses exercícios simples e fáceis, tão poderosos para rejuvenescer o corpo e elevar o espírito.

Há quem tenha dificuldade com conceitos como *chi* e com os últimos dois segredos que se relacionam com as emoções e o espírito. Isso acontece porque não se pode fazer experiências lineares controladas por placebo para medir o *chi* e o impacto dos pensamentos, sentimentos e conceitos mais amplos que dão significado à nossa vida. No entanto, isso não implica que essas coisas não sejam reais. Todos nós sabemos o quanto é real sentir-se apaixonado ou rejeitado, por exemplo. Mas esses sentimentos não podem ser medidos por um instrumento científico. Para explorá-los é preciso um tipo diferente de microscópio. Os verdadeiros mestres das emoções, da mente e do espírito exploraram esses territórios internos por meio da contemplação e da meditação; pela experiência própria — e não com microscópios.

TER SAÚDE EMOCIONAL

O nono segredo trata da saúde emocional sob o título "Liberte o presente do passado". Na Pesquisa da Saúde 100% as pessoas mais saudáveis também têm relacionamentos e emoções mais saudáveis. Elas são felizes *e* saudáveis — dois aspectos essenciais de minha definição de Saúde 100%. Mas como elas "ficam" felizes? Entre os diversos aspectos que explorei, fiquei especialmente impressionado com o trabalho do falecido Dr. Bob Hoffman.

Entrevistei Tim Laurence, que dirige o Processo Hoffman, um retiro de uma semana realizado na Grã-Bretanha e em outras partes do mundo que ajuda o participante a se livrar de padrões negativos de pensamento e comportamento ao remover, por assim dizer, o passado de dentro do presente. Participei desse processo e falei com muitas pessoas que obtiveram um imenso benefício da abordagem de Hoffman para a cura emocional. Na Parte Dois você poderá explorar seu próprio bem-estar emocional e aprender como identificar e se livrar de padrões emocionais negativos que todos herdamos e que não contribuem para a saúde e a felicidade em geral.

TER UM PROPÓSITO

O décimo segredo é sobre como encontrar seu objetivo e se conectar com o espírito ou um poder maior que nós mesmos. Mais uma vez, esses dois atributos são traços fundamentais daqueles com maior número de pontos na Pesquisa da Saúde 100%. Mais que qualquer outro, esse segredo não é fácil de quantificar, mas vou descrever algumas pesquisas muito interessantes que mediram as alterações na função cerebral de monges tibetanos. As descobertas são congruentes com o que verificamos na Pesquisa de Saúde 100%, segundo a qual a maioria dos campeões de pontuação tinha inclinações espirituais e/ou forte conexão com a natureza; eles também se sentiam realizados e eram dotados de um sentimento claro de que a vida tem um propósito. No entanto, como podemos encontrar nosso propósito e nos sentir felizes e realizados? Faz sentido que essa atitude seja fundamental para uma Saúde 100%. Mas como alcançá-la?

OS DEZ SEGREDOS DAS PESSOAS 100% SAUDÁVEIS

Entrevistei, entre outros, Sally Kempton, uma professora de meditação muito respeitada, treinada na Índia pelo falecido Swami Muktananda, um dos verdadeiros cientistas do ser, a essência do que somos. Kempton escreveu um livro inovador sobre meditação profunda intitulado *The Heart of Meditation*. Seguindo a tradição daquele que foi seu mestre, ela é uma especialista no trabalho com exercícios simples e visualizações que nos ajudam a ter clareza sobre nosso propósito e nos sentir mais conectados com ele.

EXPERIMENTE 100% DE SAÚDE

O mais importante é que eu queria vivenciar tudo isso por mim mesmo e compartilhar o que aprendi por meio da experiência direta, e não somente pela leitura de estudos em revistas científicas. Portanto, fui aprender técnicas para dominar a mente e as emoções, me livrar de padrões emocionais negativos e aprender a gerar energia vital graças a exercícios específicos de yoga e artes marciais. Não sou um mestre dessas disciplinas, apenas um estudante, mas ao longo do caminho aprendi algumas técnicas simples que julgo capazes de fazer uma grande diferença na maneira como você se sente, tal como fizeram comigo.

Esse é o objetivo deste livro: dar-lhe meios práticos e exequíveis de transformar sua saúde em todos os níveis, além de orientações para que possa estruturar em sua alimentação e estilo de vida os componentes críticos que conservarão sua saúde para os próximos anos. Nenhuma das minhas sugestões é difícil de seguir e quase todas produzem resultados imediatos, em poucos dias, ou, no máximo, dentro de um mês.

COMO FUNCIONA PARA MIM

Assim sendo, como vai minha saúde? Não é 100%, mas certamente passa de 90%. Quem me conhece sabe que trabalho muito, em geral 12 horas por dia. Apesar disso, aos 51 anos minha idade biológica é 27 anos, a julgar por todos os meus sinais vitais — colesterol, homocisteína, pressão sanguínea e assim por diante. Meu nível de homocisteína é 4,5, a média para uma criança de 6 anos. Meu peso praticamente não mudou desde que eu tinha 20 anos. Ainda consigo subir uma montanha. Não vou ao médico há anos e não preciso de remédios. Minha mente é tão ativa quanto sempre foi. Tenho muita energia, meu dia começa às 6 horas da manhã e, para usar a frase imortal de James Brown: "I feel good" [me sinto bem].

Contudo, esses resultados não são obtidos com horas de exercício diário (faço em média 15 minutos de atividade física por dia), dieta rigorosa (por exemplo, bebo ocasionalmente e gosto de chocolate) ou muitas horas de meditação ou exercícios que gerem *chi* (em média, faço 15 minutos diários desse exercício, e isso realmente faz diferença).

VOCÊ PODE SER SUPERSAUDÁVEL

Este livro é um guia objetivo sobre ser muito saudável e viver mais, sem doenças. Nada nele é complicado, embora às vezes seja difícil romper com os maus hábitos. Tudo nele foi experimentado e testado por milhares de pessoas, e funcionou. O que você precisa se perguntar é: estou pronto para ter mais energia, uma saúde melhor, uma mente mais aguçada e mais equilíbrio emocional? Estou pronto para fazer o necessário a fim de reverter os efeitos do tempo? Se a resposta for afirmativa, você precisará mudar alguns hábitos, não só na maneira como vive, mas também na forma como reage a seus pensamentos e sentimentos. Será preciso ter disciplina e um pouco de tempo. Você necessitará de 30 minutos por dia para todos os exercícios, mas ganhará pelo menos o dobro disso com o aumento de energia e a capacidade de operar em nível máximo. A maioria experimenta uma diferença em 30 dias, e o livro lhe dará um "plano de ação personalizado" de 30 dias. Se estiver pronto para transformar sua saúde, este é o livro para você.

Desejando-lhe a melhor saúde,
Patrick Holford

Parte Um

VOCÊ É 100% SAUDÁVEL?

Nesta parte do livro você descobrirá o real significado de ser 100% saudável. Verá onde está situado neste momento na escala de saúde e vai conhecer os fundamentos para realizar seu pleno potencial e o caminho para chegar lá.

Capítulo 1

SE VOCÊ ACORDASSE 100% SAUDÁVEL, COMO SABERIA QUE ISSO ACONTECEU?

Imagine que a fada da saúde o tocasse com a varinha mágica e você se tornasse 100% saudável. Como saberia que isso aconteceu? Como se sentiria? Alguém descreveu a própria saúde recém-descoberta como "Estar gloriosamente inconsciente do corpo — sem dores, má digestão ou cansaço. Não haver nada errado". Sem dores de cabeça, distensão abdominal, má digestão, TPM, ressecamento da pele, resfriado ou infecções. Isso certamente cobre grande parte do problema. Contudo, a saúde não é apenas ausência de doença, também é um estado positivo, uma abundância de vitalidade e bem-estar. Além da ausência de desconforto e dor, aqueles que seguem meus princípios da Saúde 100% com frequência relatam os seguintes benefícios:

- Vitalidade ao despertar
- Muita energia
- Mente aguçada
- Equilíbrio emocional
- Motivação
- Pele viçosa
- Facilidade para perder peso

Se é isso o que você deseja, está prestes a descobrir como obter. Passei os últimos 30 anos estudando a saúde, o que ela é e como alcançá-la, e descobri, por experiência própria e pela experiência de milhares de pessoas, a existência (para todos nós) da experiência tangível e atingível de um profundo sentimento de bem-estar. Ele é caracterizado por um nível consistente, visível e elevado de energia, equilíbrio emocional, mente alerta, desejo de manter a boa forma física e, ainda, a percepção direta do que é mais adequado ao corpo, do que é melhor para a saúde e das próprias necessidades a cada momento. "Nunca

OS DEZ SEGREDOS DAS PESSOAS 100% SAUDÁVEIS

pensei que pudesse me sentir tão bem" é um comentário que ouço com frequência daqueles que seguiram esses princípios para a Saúde 100%.

VOCÊ É O CIDADÃO MÉDIO?

No decorrer da última década mais de 55 mil pessoas seguiram meus princípios para a Saúde 100%, respondendo ao questionário do site www.patrickholford.com. Graças a essas respostas minha equipe da Saúde 100% pôde descobrir como os indivíduos realmente se sentem no século XXI, e como é possível se sentir muito melhor. Examinamos atentamente aqueles que se sentiam muito bem e aqueles que não se sentiam tão bem e descobrimos os segredos de ter saúde. No entanto, primeiro vamos observar como se sente uma pessoa "média". Os resultados exibidos no gráfico a seguir foram coletados na Pesquisa da Saúde 100% e indicam o percentual de entrevistados que relataram diversos problemas físicos corriqueiros.

Analise os sintomas no gráfico. Quantos deles você sente? O indivíduo médio se sente estressado, impaciente, cansado e com dificuldade para dormir, tem problemas digestivos e baixa imunidade; muitas mulheres sofrem de TPM e sintomas da menopausa e um grande número de pessoas apresenta uma quantidade de pequenos problemas de saúde. Isso lhe parece familiar?

Como uma criança escreveu em um teste: "O homem moderno é um macaco arrasado."* Isso resume a questão!

---

* Em vez de escrever palavra *naked* (nu), a criança escreveu a palavra homófona *knackered* (exausto, arrasado). [*N. da T.*]

VOCÊ É 100% SAUDÁVEL?

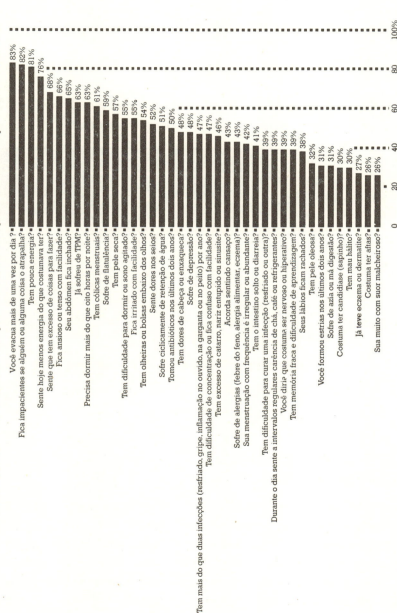

OS DEZ SEGREDOS DAS PESSOAS 100% SAUDÁVEIS

Quando analisamos os dados em detalhe, descobrimos que a maioria dos indivíduos funciona bem abaixo do seu potencial para fatores de saúde fundamentais como energia, capacidade de lidar com estresse, saúde hormonal, saúde mental e digestão.

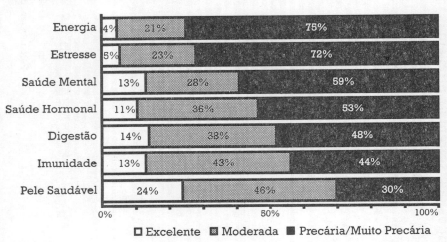

Pontuação nos fatores de saúde _ percentagem de indivíduos com saúde excelente, moderada e precária/muito precária

PARA TROCAR A CONDIÇÃO MÉDIA PELA SAUDÁVEL

A boa notícia é que não precisamos funcionar abaixo de nosso potencial. Como descobriram muitas dessas pessoas, alterações simples na nutrição e no estilo de vida podem nos levar a uma Saúde 100%. Nessa condição ficamos livres dos sintomas aqui relacionados, adquirimos a capacidade de manter o peso sob controle, ganhamos resiliência contra doenças infecciosas e também defesa contra as principais doenças fatais como os problemas cardíacos, o câncer, o diabetes e o mal de Alzheimer. Se fizer a coisa certa, você, provavelmente, não sofrerá de nenhuma dessas doenças, embora muitas vezes sejamos levados a acreditar que elas são uma questão de sorte e/ou genética e que não podemos fazer muita coisa para nos proteger. Isso é um mito. O papel dos genes na determinação da saúde é superestimado, como explicaremos no próximo capítulo; por exemplo, somente um em centenas de casos de Alzheimer é causado por fatores genéticos.

Você pode retardar o processo de envelhecimento e ter uma vida longa e saudável. Em seu nível mais profundo, a saúde não é apenas ausência de dor ou tensão, mas é alegria de viver. Uma apreciação real do significado de ter um corpo saudável com o qual desfrutar os inúmeros prazeres desse mundo, em vez de quase sempre sentir cansaço, ganhar peso e passar os últimos 20 anos de vida com dores e decrepitude progressivas.

QUANTO TEMPO ISSO VAI LEVAR?

O melhor é que você não precisa esperar meses ou anos para ver o resultado. A maioria experimenta melhoras na saúde em algumas semanas. Por exemplo, vejamos o caso de Karen S. Quando respondeu pela primeira vez o Questionário da Saúde 100%, seu resultado foi 36%.

A pontuação dela agora é 86%.

Para muitos, a jornada até a saúde começa com um aviso: surge um problema de saúde que pode variar de uma doença recorrente ou persistente até a exaustão constante, problemas digestivos ou ganho de peso. Um dia você se convence de que *tem que haver* uma maneira melhor de viver. Talvez você já esteja nesse ponto, mas muitos de nós se considera saudável. Dizemos que estamos "OK", "Bem", "Na boa". Essa seria certamente a descrição que Karen faria de si mesma.

ESTUDO DE CASO: KAREN S.

"Fiz o relatório online. Eu achava que era saudável, mas ele mostrou que eu não era. Sinto-me absolutamente fantástica. Ele mudou minha vida. Estou me sentindo melhor e tenho mais energia. É surpreendente."

Com 23 anos, Danielle L. se descrevia como "razoavelmente saudável" — só queria perder alguns quilos. Quando respondeu a meu Questionário da Saúde 100%, seu resultado foi 37%. Seis semanas depois ela declarou:

ESTUDO DE CASO: DANIELLE L.

"Agora estou cheia de entusiasmo. Toda manhã tenho muito mais energia para passar o dia. Minha digestão é perfeita. Tudo está funcionando bem, não sinto mais dores no estômago e sem o menor esforço perdi 3,2 kg."

A pontuação de saúde de Danielle saltou para 76%. Portanto, essa é uma grande melhora, e ela sente isso. É claro que a mudança trouxe um duplo benefício porque, cheia de energia, Danielle descobriu que realmente gostaria de fazer exercícios físicos. Se sentisse cansaço o tempo todo, *você* iria querer se exercitar? Além disso, ela informou que a menstruação ficou mais regular e seu humor, mais estável. Seu desejo inicial, perder 3,2 quilos, foi realizado sem esforço, sem uma dieta que controlasse as calorias — com uma perda de meio quilo por semana, a forma ideal de perder peso. Danielle está muito feliz com sua nova alimentação: "Estou comendo alimentos muito mais saudáveis. Eu vinha tentando reduzir os carboidratos. Vou continuar a comer dessa forma, está sendo fantástico." Danielle recuperou o controle da própria saúde e tem energia para viver sua vida atarefada. No entanto, a questão fundamental em qualquer mudança dietética é: ela pode ser mantida? Conheci muitas pessoas como Danielle que mudaram de vida graças a melhorias na alimentação. Lesley Natrins, por exemplo, me contou: "Não vejo isso como dieta. Agora já é meu estilo de vida." Ela perdeu 31,7 kg e ficou livre de todos os sintomas da menopausa. "Essa forma de se alimentar e viver se transforma num hábito porque nos sentimos muito bem!"

QUANTO FALTA PARA VOCÊ TER 100% DE SAÚDE?

Em nossa pesquisa com 55 mil pessoas, apenas 6% estavam na categoria de saúde "excelente"; 50% estavam na categoria "moderada" e 44% estavam nas categorias de saúde "precária/muito precária".

Portanto, quanto falta para você ter uma Saúde 100%? É fácil descobrir: entre no site www.patrickholford.com e faça o "check-up gratuito" ("free health check"). O questionário pode ser respondido em mais ou menos 20 minutos e contém perguntas sobre como você se sente, quais são seus problemas de saúde e como são sua dieta e seu estilo de vida. Você verá onde se enquadra numa escala que vai até 100%.

Em vez de indicar se você tem uma doença, a abordagem à Saúde 100% começa por medir a qualidade do seu funcionamento — se você está funcionando com todos os seis cilindros. (Cada "cilindro" representa um processo biológico básico, como irei explicar mais adiante.) Neste livro você encontrará pequenos questionários extraídos de meu Programa de Saúde 100%, para lhe dar uma avaliação instantânea de sua condição a respeito desses seis processos básicos. No entanto, para ter uma visão completa é preciso responder ao questionário do site.

PARA FICAR SAUDÁVEL JÁ

Meu objetivo é tanto lhe proporcionar uma transformação rápida de saúde quanto melhorar sua condição antes que surja alguma doença crônica. Essa abordagem está centrada na detecção precoce e na correção de

continua

OS DEZ SEGREDOS DAS PESSOAS 100% SAUDÁVEIS

desequilíbrios como meio de compreender, prevenir e reverter doenças. De certa forma, o questionário é uma medida de sua "resiliência" ou reserva de saúde. A doença é o que acontece quando deixamos de ter resiliência e a última gota — por exemplo, uma infecção ou um período de estresse — é o que nos empurra para um estado de doença. O que queremos é desenvolver uma reserva de saúde para não ficarmos doentes, de modo a experimentar a supersaúde com total capacidade de adaptação a períodos de estresse.

QUAL É O SALDO DE SUA CONTA-CORRENTE DE SAÚDE?

Imagine que você tenha nascido com uma reserva de saúde, uma certa quantia em sua conta-corrente de saúde. De acordo com o que comer, beber, respirar e pensar, gradualmente serão realizados saques nessa conta. Quando essa retirada for excessiva, a energia diminuirá, você terá dificuldade para sair da cama pela manhã e sofrerá de pequenos problemas de saúde como infecções frequentes, dores de cabeça, problemas digestivos ou fadiga. À medida que aumentarem os saques, surgirão as doenças e, finalmente, quando seu limite de retirada for excedido, você morrerá!

É claro que a medicina convencional só entra em ação no estágio da doença. Quando você está "horizontalmente" doente é papel do médico levá-lo de volta à vertical — em funcionamento, mas não necessariamente supersaudável. Na verdade, a indústria do atendimento de saúde tem pouca motivação para promover uma condição de completa saúde. Indivíduos saudáveis ou mortos não dão lucro. O dinheiro está no meio-termo: pessoas vivas (supostamente), com problemas de saúde persistentes. Talvez você me considere muito descrente, mas com um dispêndio anual global em medicamentos superior a 600 bilhões de dólares, o que representa apenas uma fração do custo total do sistema de saúde, fica difícil afirmar que a medicina moderna é um sucesso retumbante.

OS SISTEMAS DE SAÚDE MODERNOS

Quer o país tenha um sistema público de saúde, como a Grã-Bretanha, quer tenha um sistema privado de saúde, como os Estados Unidos, de acordo com o catedrático de medicina Dr. Emanuel Cheraskin esses sistemas são "o mau negócio que mais cresce". Mais da metade do dinheiro que se gasta em esquemas de "seguros de saúde" é consumida cobrindo as despesas de tratamento dos últimos 6 meses de vida. Isso não é prevenção nem atendimento de saúde no verdadeiro sentido da expressão — é a administração da doença.

QUANDO NÃO NOS SENTIMOS MUITO BEM

A maioria das pessoas vive verticalmente doente, ou seja, de pé, mas não se sentindo muito bem.

Supersaudável	Verticalmente doente	Horizontalmente doente
energia ilimitada	cansaço constante	fadiga crônica
com perspectiva na vida	cansado	exausto
mente alerta	baixa concentração	dores constantes
atitude positiva	variações de humor	depressão
com alegria de viver	exaurido pelo exercício	pessimista
em forma	fora de forma	incapaz de se exercitar
raramente/nunca doente	desanimado e doente com frequência	incapacitado pela doença
cheio de vida	facilmente exaurido	achando a vida difícil
corpo tonificado	flácido	achando que a vida está contra si
satisfeito	insatisfeito	desesperado

Observe as colunas anteriores. Onde você se situa? Muitos se enquadram na categoria "Verticalmente doente" — sem entusiasmo pela vida. Que tal ficar confortavelmente de forma consistente na categoria "Supersaudável" — cheio de energia mental e física? Esse é o objetivo deste livro.

Na realidade, quando você responder ao Questionário da Saúde 100%, no site, obterá uma pontuação que o enquadrará em uma das seguintes categorias de saúde:

OS DEZ SEGREDOS DAS PESSOAS 100% SAUDÁVEIS

Nível A: excelente	81-100%	Poucos sintomas de mal-estar
Nível B: moderada	61-80%	Número moderado de sintomas
Nível C: precária	41-60%	Muitos sintomas bastante graves
Nível D: muito precária	0-40%	Muitos sintomas muito graves

Como você verá no questionário eletrônico, a cor do "nível A" é o verde, ao passo que a cor do "nível D" é o vermelho. Minha meta é fazê-lo deslocar sua pontuação de saúde para a faixa verde, o "nível A", que é ótimo.

Em um estudo piloto, 29 participantes começaram com uma pontuação média de 63% e 3 meses depois mostravam uma pontuação média de 72%. Isso representa uma melhoria de 14%. Naturalmente, nem todo mundo obedeceu às recomendações de mudança. Mais ou menos um terço dos participantes mostrou alto nível de aderência a elas, realizando as alterações dietéticas e tomando os suplementos.

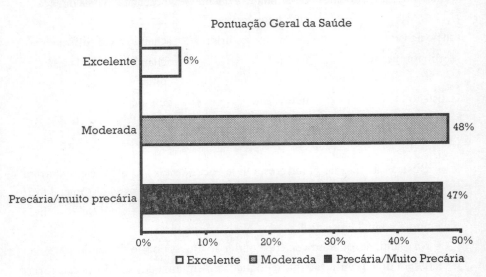

Pontuações da Saúde 100% – percentual de indivíduos com saúde excelente, moderada e precária/muito precária

*As pontuações de saúde "moderada" e "precária" foram arredondadas para simplificar a ilustração.

Para esses indivíduos, a média de melhoria foi 24%, o que para muitos significou atingir em 3 meses o nível de saúde "excelente". Se você seguir minhas recomendações, é provável que aconteça o mesmo.

A BUSCA DA SAÚDE É UMA VIAGEM

Em minha opinião, a saúde não é um estado estático, mas uma interminável viagem de aprendizagem sobre si mesmo com base nas doenças e desequilíbrios que sofri, uma descoberta constante de níveis mais elevados e claros de energia e da forma de lidar com as consequências inevitáveis do envelhecimento. No momento em que escrevo, aos 51 anos, posso dizer honestamente que, a não ser pela necessidade recente de óculos para leitura, muito pouco mudou. Na verdade, em muitos aspectos, minha saúde melhorou, enquanto a energia e a disposição permaneceram iguais. Ainda consigo subir montanhas, convalescer rapidamente das infecções e continuar livre de dores e da necessidade de remédios.

Porém, nada disso acontece de graça. Na verdade, se não mudar sua dieta e estilo de vida, você não permanecerá o mesmo à medida que envelhece — ficará pior. Não é verdade? Em geral, as pessoas de 40 ou 50 anos não se sentem tão bem quanto as de 20 ou 30. Portanto, é preciso ficar em dia com todas as descobertas novas e importantes sobre a saúde. Este livro o atualizará rapidamente para que você possa fazer alterações mínimas no estilo de vida, porém obter os maiores resultados em termos de saúde.

MUDAR A MANEIRA DE PENSAR

Não só a dieta e o estilo de vida precisam mudar, mas também a maneira de pensar. Antes de mostrar como a Pesquisa da Saúde 100% ajudou a definir o que é de fato a nutrição ideal e como transformar a saúde, preciso lhe dizer que são inerentes à nossa cultura alguns conceitos fundamentalmente errados sobre alimentação, nutrição, medicina e saúde. Esses conceitos falsos nos deixam vulneráveis, sem vontade de mudar e complacentes com questões críticas relacionadas a dieta e estilo de vida que precisamos mudar para que nos sintamos bem. Mais grave ainda é o fato de que esses conceitos nos fazem duvidar da possibilidade de transformar a saúde. Gostaria de tratar dessas questões e também explicar a base científica do meu método de melhoria da saúde e a razão por que acredito que ele será benéfico.

Capítulo 2

MITOS SOBRE A SAÚDE QUE NOS MANTÊM DOENTES

Se sua saúde fosse um concurso de loteria, lamento dizer que suas chances não seriam boas. Vejamos algumas estatísticas objetivas sobre o risco médio de ocorrer uma doença crônica ou potencialmente fatal durante sua vida se você vive num país desenvolvido como a Grã-Bretanha.

- Se você for mulher, existe a probabilidade de um em nove de sofrer com câncer de mama. Se for homem, o risco de sofrer com câncer de próstata é o mesmo. Contudo, esse risco está aumentando, em vez de diminuir. A previsão para o final desta década a é que a probabilidade de um homem sofrer de câncer de próstata se aproxime de um em cinco.
- Um em cada seis indivíduos morrem prematuramente de ataque cardíaco ou derrame.
- Praticamente uma pessoa em cada seis fica diabética depois dos 40 anos.
- Um indivíduo entre quatro passa os últimos 30 anos com dor artrítica. Somente na Grã-Bretanha, um entre cinco habitantes sofre de artrite, inclusive três quartos dos idosos acima de 60 anos. Na verdade, são realizadas 9 milhões de consultas médicas por ano para tratar dores articulares.
- Um em cada três indivíduos com mais de 70 anos tem problemas de memória e um em cada quatro, com mais de 80 anos, tem Alzheimer. Diariamente, o equivalente a quatro ônibus cheios de passageiros recebe o diagnóstico de demência; desses — três quartos serão diagnosticados com Alzheimer. Os gastos do Sistema de Saúde da Grã-Bretanha com esse problema já foi estimado em 17 bilhões de libras por ano[1] e já excedeu o custo total do tratamento de doenças cardíacas e câncer. Com uma população cada vez mais velha e uma incidência crescente de Alzheimer, sozinha essa doença pode levar à falência o sistema de saúde.
- Aos 50 anos, uma entre três pessoas sofre de obesidade e uma em cada duas tem sobrepeso. Nos Estados Unidos, a obesidade já superou o tabagismo

como a maior causa isolada de morte prematura evitável — e logo o mesmo acontecerá no Reino Unido.

A triste verdade é que o indivíduo médio passa a maior parte da vida numa condição de saúde abaixo da ideal, muito abaixo do seu verdadeiro potencial, e terá morte prematura após uma ou duas décadas de sofrimento. Se você não é uma dessas pessoas, provavelmente conhece alguém em sua família ou seu círculo imediato de amigos que sofre ou que morreu de um desses problemas.

ESSAS DOENÇAS SÃO IGUAIS EM TODO O MUNDO?

Para cada uma dessas doenças existe um país onde elas não estão presentes; por exemplo, para uma mulher chinesa, o risco de câncer de mama é um em 5 mil;[2] para um homem chinês, o risco de câncer de próstata é um em 59 mil;[3] para alguém com mais de 60 anos, o risco de Alzheimer é quatro vezes maior nos Estados Unidos do que na África.[4]

Só há duas explicações lógicas para uma variação tão expressiva da incidência de doenças de um país para outro. A primeira é que os habitantes de alguns países sejam geneticamente diferentes e isso os proteja. A segunda é que eles estejam fazendo ou comendo algo diferente, que os protege da doença. Vamos analisar essas hipóteses.

O GRANDE MITO GENÉTICO

Será que a resposta são os genes? Será que os chineses, por exemplo, têm genes diferentes que os protegem do câncer? A resposta é não. Quanto mais tempo um nativo da China passar no Ocidente, adotando um estilo de vida ocidental, maior será seu risco de ter câncer de mama ou de próstata. Um importante estudo examinou os registros médicos de 44.788 pares de gêmeos idênticos — ou seja, com os mesmos genes — e descobriu que o risco de ambos contrairem um dos 28 diferentes tipos de câncer era muito pequeno: entre 11% e 18%. Os pesquisadores concluíram que "o principal fator causal do câncer é o meio ambiente",[5] ou seja, o que comemos e como vivemos.

OS DEZ SEGREDOS DAS PESSOAS 100% SAUDÁVEIS

Da mesma forma, somente um em cem casos de Alzheimer é causado por fatores genéticos; e são casos de aparecimento muito precoce da doença que claramente ocorrem na mesma família. Se esse não for o seu caso, então sua probabilidade de ter Alzheimer não depende de seus genes, mas da alimentação e do estilo de vida.

A causa das principais doenças crônicas de que você e eu provavelmente viremos a sofrer não é a genética. No entanto, nós herdamos genes que nos dão diferentes qualidades e fraquezas biológicas; por exemplo, é possível herdar um gene que não funcione adequadamente e faça parte do processo vital da metilação. (Vou explicar tudo sobre esse assunto no Segredo 3.) Isso pode aumentar um pouco o risco de o portador do gene ter uma série de doenças se ele também adotar uma alimentação e um estilo de vida errados. Mas esse gene defeituoso não "causa" a doença.

A NUTRIÇÃO PODE SER A RESPOSTA?

Estão sendo gastos bilhões de dólares em pesquisas para descobrir como alterar esses genes defeituosos de modo a evitar algumas dessas doenças. Mas um estudo inovador descobriu que as deficiências genéticas comuns podem ser alteradas por meio de algo tão simples quanto um suplemento de vitaminas.

O estudo publicado na revista *Proceedings of the National Academy of Sciences*,[6] conduzido por Nicolas Marini, da Universidade da Califórnia, testou mais de 500 pessoas para identificar variações genéticas sutis que afetam uma enzima muito importante chamada MTHFR. Essa enzima é vital para a metilação, um processo que afeta praticamente tudo no corpo, desde a habilidade de lembrar e ser feliz até a capacidade de eliminar o excesso de gordura e o colesterol e de ter articulações saudáveis.

Pelo menos uma pessoa em cada dez tem variações nos genes que constroem essa enzima, o que guarda uma correlação com o aumento do risco de inúmeras doenças. O estudo descobriu em seus voluntários cinco tipos de mutações genéticas. Os genes contêm o mapa para construir a enzima, e esta depende de nutrientes específicos para funcionar adequadamente, portanto, os pesquisadores avaliaram se uma ingestão adicional de folato — a vitamina B presente nas folhas verdes e nos feijões — poderia normalizar o funcionamento das enzimas defeituosas. Entre as cinco mutações genéticas descobertas, quatro tiveram seu funcionamento restaurado pela ingestão de folato. Segundo Marini, "nossos estudos nos convenceram da existência de uma grande variação,

VOCÊ É 100% SAUDÁVEL?

na população, dessas enzimas, e muitas dessas alterações afetam o funcionamento do organismo, mas muitos desses casos respondem bem ao tratamento com vitaminas".

Portanto, mesmo que você herde certos genes que talvez aumentem o risco de doenças, é muito provável que possa eliminar esse risco com a dieta e o estilo de vida adequados.

SEU MÉDICO REALMENTE SABE DE TUDO?

Se a causa do seu risco de doenças não é o acaso nem a genética, então deve ser o "meio ambiente" — em outras palavras, algo que você faz ou deixa de fazer, mesmo involuntariamente. Será que as populações de certos países não sofrem muito de certas doenças por não serem pobres, não estarem sujeitas a estresse ou, quem sabe, por ter um atendimento médico melhor?

Em geral, pensamos que, se ficarmos doentes, serão os médicos a melhorar nossa condição. Pensamos que eles se especializaram em saúde, portanto, com todos os avanços da medicina moderna, têm que encontrar uma cura para nosso problema específico. Vamos analisar essa crença.

SERÁ QUE GASTAR MAIS COM PLANOS DE SAÚDE É A RESPOSTA?

Ao tentar estimar o benefício proporcionado pelo dinheiro que um país gasta em serviços médicos, os pesquisadores usam uma medida conhecida como DALE (disability adjusted life expectancy)* — em outras palavras, o número médio de anos "de vida com plena saúde" que alguém pode esperar viver.

A população da Grécia, por exemplo, tem uma média DALE de 72,5 anos, um dos mais altos nos países desenvolvidos. No entanto, em 2000, entre todos os países desenvolvidos, eles tiveram o menor gasto anual com o sistema de saúde: 964 dólares por habitante. No outro lado da escala, os norte-americanos tiveram o menor número de anos (70) para o maior custo anual: 3.724 dólares por habitante por ano. O Reino Unido gastou 1.193 dólares (100 dólares a mais que a Grécia) mas alcançou um uma média apenas 71,7 anos.[7]

---

* Expectativa de vida saudável. [*N. da T.*]

OS DEZ SEGREDOS DAS PESSOAS 100% SAUDÁVEIS

Da mesma forma, talvez você pense que quem vive em países que têm mais médicos por habitante irá viver mais, porém isso não acontece. Vejamos os Estados Unidos. O país conta com mais de 300 médicos por 100 mil habitantes e a população vive em média até 71,5 anos. No entanto, a Inglaterra, com uma expectativa de vida ligeiramente maior (72 anos), tem praticamente a metade desse número de médicos — apenas 160 por 100 mil habitantes. A Itália tem ainda mais médicos que os Estados Unidos (550), mas sua expectativa de vida é a mesma da Inglaterra. Seja qual for o ângulo pelo qual analisemos o problema, não existe relação estatística entre o número de médicos e a expectativa de vida da população, de acordo com Andrew Oswald, professor de economia da Warwick University, no Reino Unido.[8]

SAÚDE E SISTEMA DE SAÚDE

A razão pela qual não existe correlação entre os valores gastos no sistema de saúde (ou entre o número de médicos de um país) e a saúde da população, provavelmente, é o fato de que nem o sistema de saúde nem os médicos podem responder pelas verdadeiras causas da doença. Talvez isso ocorra porque em sua formação os médicos aprendem muito sobre formas de tratar as doenças, porém quase nada sobre como e o que é ter muita saúde.

Naturalmente, a pobreza é um fator muito importante e alguns elementos críticos na equação da saúde — dieta, tabagismo, alcoolismo e estresse — tendem a ser piores nas comunidades carentes. No entanto, o padrão das doenças que surgiram no século XXI é mais predominante nos países *ricos*, e não nos países *mais pobres* do mundo. Aparentemente, o estilo de vida e a alimentação do século XXI estão nos adoecendo. A Organização Mundial de Saúde diz que hoje o excesso de peso é um problema mundial mais grave que a desnutrição.

O CAMINHO À FRENTE

Portanto, se os problemas não são os genes, o dinheiro ou o acesso à medicina moderna, a notícia é boa, porque significa que sua saúde depende principalmente de fatores ambientais como a maneira de viver e a alimentação. Esses fatores você pode controlar e mudar.

Você está pronto para mudar? Considerando que aparentemente a causa de nossas doenças é a maneira como vivemos no século XXI, naquilo que é chamado de mundo afluente e civilizado, isso sugere que a forma de comer que vai nos deixar saudáveis será muito diferente da usual.

Em nossa Pesquisa da Saúde 100% nos propusemos a definir, por meio de comparação entre a alimentação e o estilo de vida daqueles que são saudáveis e aqueles que não o são, o que seriam a maneira de viver e a alimentação ideais.

Não é fácil mudar e na verdade nossa cultura como um todo resiste à mudança. A indústria de alimentos, a indústria farmacêutica e até mesmo a indústria médica lucram com nossa maneira atual de viver. Nós também resistimos a mudar. Adoramos a comida de lanchonete, os doces, as bebidas alcoólicas, os *cappuccinos* e a vida sedentária. Por essa razão, a maioria está muito feliz em continuar fazendo o que faz, com a esperança e a crença de que, em caso de doença, existe um remédio que nos fará melhorar. Essa é a ilusão da medicina moderna.

No entanto, a verdade é que a saúde depende, principalmente, de nós. Portanto, você tem duas opções:

- **Continuar como está**. Continuar a comer uma dieta mediana de indivíduo mediano, viver com uma saúde mediana e com uma chance para duas de contrair uma doença evitável e passar as duas últimas décadas da vida sentindo dor e acabar por morrer prematuramente.

Ou

- **Fazer algo diferente**. Comer, viver e pensar de outra maneira, buscando um modo de vida que promova a saúde e o bem-estar.

Capítulo 3

OS HÁBITOS DAS PESSOAS 100% SAUDÁVEIS

Muitas pesquisas procuram descobrir quais hábitos de dieta e estilo de vida aumentam o risco de doença partindo do princípio de que não ficaremos doentes se não fizermos determinadas coisas — por exemplo, fumar ou comer alimentos pouco saudáveis. Nossa Pesquisa da Saúde 100% nos deu oportunidade de examinar o outro lado da moeda: o que as pessoas saudáveis fazem e as pessoas de má saúde não fazem?

Usamos esse método de análise para investigar, por exemplo, qual seria a dieta perfeita. Essa questão já foi objeto de muitas discussões acaloradas. Alguns dizem que não devemos comer carne, outros dizem que para perder peso devemos ter uma dieta rica em proteínas e pobre em carboidratos. Alimentos consumidos regularmente, como leite e trigo, são bons ou maus? Qual a importância da água? Precisamos realmente de cinco porções de frutas e legumes por dia? As castanhas e sementes, ricas em gorduras, fazem bem ou fazem mal?

Pensei em explorar a questão não por meio de argumentos inteligentes ou de opiniões, mas simplesmente pelo exame da dieta de mais de 55 mil pessoas que responderam ao Questionário da Saúde 100%, e da comparação das respostas deles com suas pontuações de saúde.

Para isso, equiparei os mais saudáveis, da categoria de saúde "excelente" (cuja pontuação fica acima de 81%), com os menos saudáveis da categoria "precária/muito precária" (de pontuação abaixo de 60%), para ver se havia diferenças significativas de hábitos alimentares. Como você verá, os resultados são fascinantes.

NOVOS ALIMENTOS RUINS

Avaliei se o consumo de açúcar ou comidas açucaradas tinha alguma relação com o estado de saúde excelente ou precário. Examinei os resultados daqueles que comiam de uma, duas ou três ou mais porções de açúcar ou doces e descobri que, quanto mais açúcar um indivíduo consumir, maior será sua chance de ter a saúde prejudicada; quanto menos consumir, maior a chance de ter uma saúde excelente. Sua chance de ter uma saúde excelente é seis vezes maior se você comer menos do que uma porção de açúcar por dia. Por outro lado, sua chance de ter uma saúde precária é duas vezes maior se você comer três ou mais porções de açúcar ou alimentos açucarados por dia. Esse resultado tem uma significância estatística muito elevada.

Impacto dos alimentos açucarados na probabilidade de ter uma saúde precária ou excelente

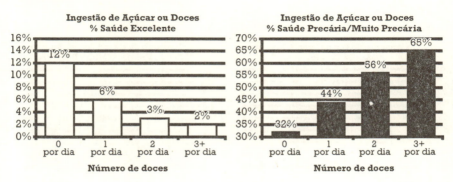

Um padrão semelhante e coerente foi obtido para o caso de bebidas cafeinadas (chá, café e refrigerantes de cola), assim como carne vermelha, derivados de trigo e laticínios (leite e queijo), alimentos refinados e sal, como mostraremos nos gráficos nas páginas 50-51. Embora esses alimentos sejam básicos na dieta ocidental, quanto maior for o consumo de trigo (rico em glúten) ou de laticínios, maior será a chance de se ter uma saúde precária.

OS DEZ SEGREDOS DAS PESSOAS 100% SAUDÁVEIS

Chá, Café e Refrigerante

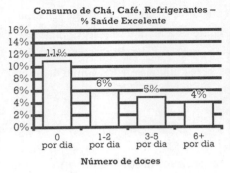

Carne Vermelha

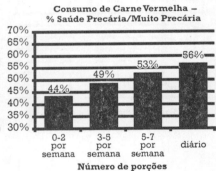

Derivados de Trigo

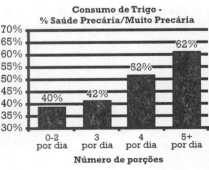

VOCÊ É 100% SAUDÁVEL?

Laticínios

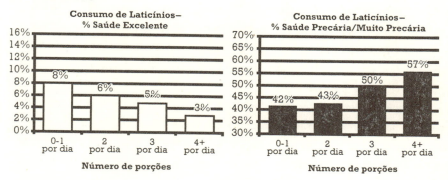

Alimentos Industrializados

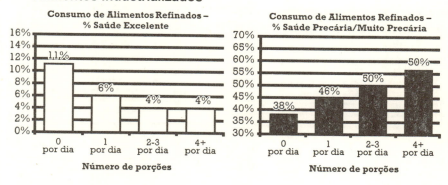

Consumo de Sal

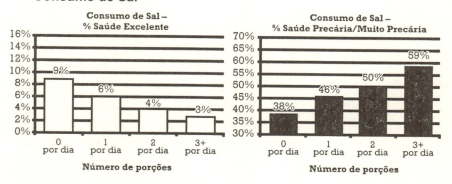

ALIMENTOS BENÉFICOS

Verificou-se um padrão inverso para frutas, legumes, verduras, castanhas, nozes, sementes e peixes gordurosos. Embora nossos resultados estejam de acordo com a campanha governamental das "cinco porções diárias", nossa pesquisa mostrou que os indivíduos mais saudáveis consomem oito ou mais porções diárias de frutas e legumes.

Os que comiam três pedaços ou mais de fruta por dia tinham o dobro da probabilidade de ter uma saúde excelente, em comparação com quem não come frutas. No que diz respeito aos peixes gordurosos, comer apenas uma porção por semana não parece afetar a pontuação de saúde, se comparado a ausência de consumo desse alimento. No entanto, consumir três ou mais porções de peixes gordurosos praticamente dobra a probabilidade de se ter uma saúde excelente.

Impacto do consumo de frutas, legumes, verduras, peixes gordurosos, castanhas, nozes e sementes na probabilidade de se ter saúde precária ou excelente

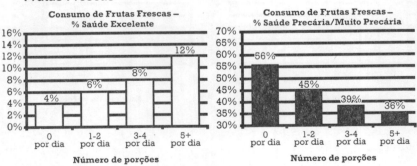

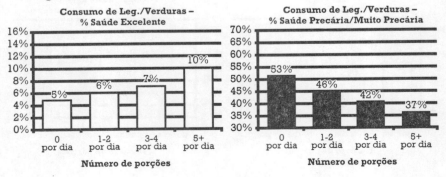

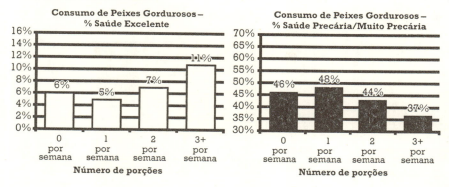

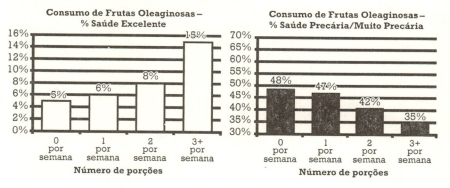

OS ALIMENTOS EM FOCO

Os alimentos mencionados estavam associados às pontuações de saúde excelente e precária, mas também tivemos oportunidade de examinar com mais atenção os alimentos associados a vários aspectos da saúde, como os níveis de energia e estresse, o equilíbrio hormonal, a saúde mental, a saúde digestiva e a imunidade. Como você poderá ver na tabela a seguir, é possível observar um padrão consistente de alimentos bons e de outros, prejudiciais. Quanto mais frutas, legumes, verduras, peixes gordurosos, sementes, nozes e água consumirmos, maiores as chances de termos uma saúde excelente. Por outro lado, quanto mais alimentos açucarados, bebidas cafeinadas, carne vermelha, trigo, laticínios, alimentos industrializados e sal consumirmos, piores são as probabilidades.

OS DEZ SEGREDOS DAS PESSOAS 100% SAUDÁVEIS

Alimentos benéficos e prejudiciais com relação a fatores-chave de saúde

	Saúde Geral	Energia/ Açúcar no Sangue	Digestão	Alergias Alimentares	Imunidade	Hormônios (Masc.)	Hormônios (Masc.)	Mente e Humor
Doces	XXX	XXX	XXX	XXX	XXX	XX	XXX	XXX
Sal	XXX	XXX	XX	XXX	XX	XXX	XXX	XXX
Alimentos Refinados	XXX	XXX	XX	XXX	XX		XXX	XX
Chá/Café	XXX	XXX	XX	XXX	XX	XXX	XX	XX
Trigo	XXX	XXX	XX	XXX	XX	XX	XX	XX
Açúcar	XXX	XXX	XX	XX	XX	XXX	XX	XX
Alimentos Processados	XXX	XXX	XX	XX	XX	XX	XXX	XX
Laticínios	XXX	XXX	XX	XXX	XX	X	XX	XX
Carne Vermelha	XX	X	X	X	XX	XX		XX
Álcool	X	X	X	X	X		XX	
Água	✓✓	✓✓✓	✓	✓✓	✓	✓	✓✓	✓
Peixes Gordurosos	✓✓	✓✓	✓	✓✓	✓	✓✓	✓	✓✓
Legumes Frescos	✓✓	✓✓✓	✓✓	✓✓✓	✓✓	✓✓	✓✓✓	✓✓
Frutas Frescas	✓✓✓	✓✓✓	✓✓	✓✓✓	✓✓	✓✓	✓✓✓	✓✓
Nozes/Sementes	✓✓✓	✓✓✓	✓✓	✓✓✓	✓✓	✓✓✓	✓✓	✓✓✓

Chave: A tabela mostra o impacto aparente do aumento de consumo de cada alimento sobre fatores básicos de saúde

X = impacto negativo moderado XX = impacto negativo forte XXX = impacto negativo muito forte
✓ = impacto positivo moderado ✓✓ = impacto positivo forte ✓✓✓ = impacto positivo muito forte

Todas as associações têm o nível mais alto de significância estatística (p<0,001)

O PODER DE CURA DA ÁGUA

Um dos melhores fatores para prever como vai a saúde é o consumo de água. Como veremos no Segredo 6, manter uma boa hidratação é um dos segredos das pessoas 100% saudáveis. Na pesquisa, aqueles que bebiam o equivalente a oito ou mais copos de água por dia tinham uma probabilidade duas vezes maior de ter excelente saúde.

Impacto da ingestão de água na probabilidade de ter saúde precária ou excelente

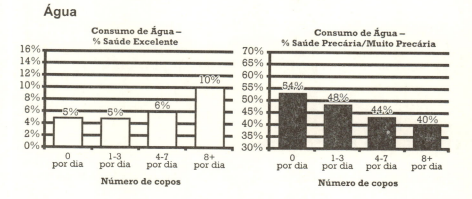

COMO SE ALIMENTAR PARA TER A SAÚDE IDEAL

Se o estilo de vida explica a saúde e o bem-estar das pessoas extremamente saudáveis, então parece apropriado fazer as seguintes recomendações simples para se ter uma saúde excelente:

1. Reduzir o consumo de trigo a no máximo uma porção diária (de pão, massas, pizza etc.).

2. Eliminar os doces ou fazer consumo muito restrito deles.

3. Evitar adicionar sal à comida, eliminar ou minimizar o consumo de salgadinhos e reduzir o consumo de alimentos processados e salgados.

4. Reduzir o consumo de laticínios a uma porção diária, no máximo.

5. Reduzir o consumo de alimentos refinados (pão branco, farinha branca, arroz branco etc.) a no máximo uma porção diária.

6. Aumentar o consumo de frutas, verduras e legumes frescos para um total de oito a dez porções diárias.

7. Eliminar a ingestão de chá e café ou limitá-la ao consumo muito restrito.

continua

OS DEZ SEGREDOS DAS PESSOAS 100% SAUDÁVEIS

8. Reduzir o consumo de carne vermelha a um máximo de duas porções semanais.

9. Aumentar o consumo de peixes gordurosos para três porções semanais.

10. Aumentar para três porções diárias o consumo de sementes, nozes e castanhas frescas e cruas.

11. Aumentar o consumo de água para oito copos diários.

UM RECUO NO TEMPO

Essas recomendações têm tudo a ver com nossa dieta quando começamos a evoluir, época em que os caçadores-coletores não comiam laticínios e consumiam uma quantidade muito pequena de grãos que contivessem glúten.

Na verdade, o aumento no consumo de carboidratos (em geral na forma de flocos de cereais, pão e massas), assim como de doces, é a razão mais provável para a persistente epidemia de obesidade e de muitas outras doenças crônicas.[9] Conforme veremos no Segredo 2, uma dieta de baixa carga glicêmica, com menos grãos e uma quantidade relativamente maior de proteínas de peixes ou feijões, nozes e sementes, é compatível com o controle de peso e a recuperação do equilíbrio do açúcar no sangue (como iremos explicar mais adiante).

O aumento do consumo de carne e, principalmente, de laticínios é a razão mais provável para a epidemia de câncer de mama e próstata, cuja incidência é incrivelmente baixa nas culturas cuja dieta exclui esses alimentos.

Também há cada vez mais provas de que cortar totalmente o consumo de gorduras é errado. Para começar, a evolução do nosso ancestral, a fase mais importante do desenvolvimento do *homo sapiens*, provavelmente foi impulsionada pela ingestão de frutos do mar encontrados nos brejos costeiros, nas terras pantanosas e nos litorais. Em segundo lugar, na atualidade, a crescente epidemia de depressão e agressividade foi associada a uma carência das gorduras ômega-3 dos peixes gordurosos. Além disso, uma carência de ômega-3 está fortemente associada a doenças cardíacas e doenças inflamatórias como a artrite, que é endêmica no mundo ocidental.

A AVALIAÇÃO DA SUA DIETA

Quantos pontos você soma por sua dieta geral? Responda ao questionário das páginas 268-269 e calcule sua pontuação. Se seus hábitos alimentares atuais reproduzem perfeitamente aqueles dos indivíduos mais saudáveis da pesquisa, você somará 100 pontos. Em qual dos seguintes níveis você se enquadra?

Nível A: entre 80 e 100 pontos — saudável
Nível B: entre 60 e 79 pontos — razoavelmente saudável
Nível C: entre 40 e 59 pontos — na média
Nível D: entre 20 e 39 pontos — nada bem

Se tiver feito meu Programa da Saúde 100% pela internet, você terá uma lista dos alimentos e bebidas que precisa consumir mais e dos alimentos e bebidas que precisa consumir menos. Caso contrário, simplesmente assinale as perguntas em que recebeu menos pontos. Esses serão os hábitos que precisa mudar. Na Parte 3 vou explicar como utilizar essas respostas para criar seu plano de ação.

DEFININDO A VIDA IDEAL

A saúde é mais do que apenas a dieta. Para ter mais detalhes sobre os hábitos potencialmente importantes das pessoas mais saudáveis conversamos com os duzentos primeiros colocados (que obtiveram pontos na faixa excelente), para conhecê-los melhor e perguntar-lhes a que atribuíam suas pontuações elevadas. Dos duzentos, 101 responderam à nossa pesquisa e confirmaram que ainda estavam saudáveis. Eis o que eles revelaram:

- Fatores que eles consideraram extremamente importantes para a saúde, por ordem de importância: estado mental (85%), nutrição (84%), exercícios (63%), relacionamento (58%), vida espiritual (44%) e hereditariedade ou sorte (9%).
- 85% tomavam suplementos; dois terços tomavam até quatro suplementos diferentes por dia e um terço tomava cinco ou mais suplementos por dia. Setenta por cento também suplementavam a vitamina C, porém, a maioria tomava de 500 mg a 3 g por dia.

OS DEZ SEGREDOS DAS PESSOAS 100% SAUDÁVEIS

- Em termos de atividade física, 92% consideraram-se moderadamente em forma, a maioria fazia 3 horas ou mais de exercícios por semana. A metade fazia algum tipo de exercício gerador de energia vital como tai chi, qigong (*chi kung*), yoga, psicocalistenia ou meditação.
- Em termos de relacionamentos, 80% eram casados e 85% consideravam seu principal relacionamento bom ou excelente.
- 93% consideraram importante passar algum tempo em contato com a natureza e em ambientes naturais.
- Quanto a questões espirituais, 83% acreditavam em Deus, um poder ou uma consciência mais elevada, e 81% consideravam-se pessoas espirituais. 48% vivenciaram uma experiência mística ou uma profunda experiência de unidade (nessas experiências, muitas vezes, existe um sentimento subjacente de que tudo é perfeito e também da existência de uma inteligência superior a nos guiar. Isso será explicado no Segredo10.) 59% Já haviam tomado parte em algum tipo de prática espiritual.
- 61% se descreveram como realizados, enquanto 73% se descreveram como felizes e 78% mostraram um sentimento claro de propósito ou direção na vida.

O fato que esse grupo de pessoas muito saudáveis compartilhe alguns hábitos, atitudes e atributos não prova que esses fatores, por si só, sejam a causa de boa saúde, mas é interessante ver o que as pessoas saudáveis fazem e o que elas julgam ser o segredo de sua boa condição. Isso, certamente, indica que é possível transformar a saúde mudando a dieta, o estilo de vida e a atitude diante da existência. Você verá que cada uma dessas áreas-chave está incluída nos meus dez Segredos da Saúde 100%.

Onde você se situa?

Capítulo 4

O MAPA DA SAÚDE 100%

Quando queremos ir de A até B, é bom contar com um mapa. O mesmo se aplica à saúde. Neste capítulo você descobrirá os dez segredos da Saúde 100%. Esses segredos são os pilares do bem-estar e formam os componentes fundamentais do que é necessário para realizarmos nosso potencial como seres humanos. Essencialmente, eles formam um mapa de nossa biologia (a palavra "bio-logia" significa "estudo da vida") e fornecem uma nova definição de saúde que transcende a mera "ausência de doença". Os dez segredos abrangem todos os aspectos da vida, inclusive os domínios físico, químico, psicológico e espiritual. Mas vamos começar pela bioquímica — a química da vida —, que é o domínio mais influenciado pela nutrição.

O CORPO EM CONSTANTE REJUVENESCIMENTO

O corpo humano é surpreendente e mais poderoso que os maiores computadores. Ele é muito mais que uma coleção de órgãos, pois se recria continuamente. Esse fato é quase impossível de se compreender porque, quando olhamos nosso rosto no espelho, ele parece o mesmo que vimos no ano passado — bem, quase o mesmo. No entanto, a pele se renova em 21 dias, enquanto a pele interior — o trato digestivo — se renova em 4 dias. Para dar um exemplo simples desse fenômeno, se comermos algo muito quente, queimando o interior da boca, a pele interior será restaurada em 4 dias. Até os ossos, quando quebrados, podem se reconstruir em seis semanas.

Seu corpo não só se regenera constantemente, mas também passa por reações bioquímicas a cada segundo para manter-se em operação — transformando alimento em energia, produzindo hormônios e outras moléculas de comunicação com os neurotransmissores e assim por diante. E tudo isso depende inteiramente de nutrientes: vitaminas, minerais, gorduras essenciais, proteínas, carboidratos, água e oxigênio. No capítulo anterior tivemos uma visão geral do tipo de alimentação compatível com uma saúde de alto nível.

OS DEZ SEGREDOS DAS PESSOAS 100% SAUDÁVEIS

No entanto, há uma forma muito mais poderosa de descobrir qual a nutrição necessária para elevar sua saúde ao nível da excelência: avaliar e melhorar o funcionamento de seis processos básicos dos quais depende cada aspecto da saúde, conforme ilustramos a seguir. Esses processos formam os seis primeiros segredos para alcançar uma Saúde 100% e serão explicados nas páginas 60-66, seguidos pelos quatro segredos restantes.

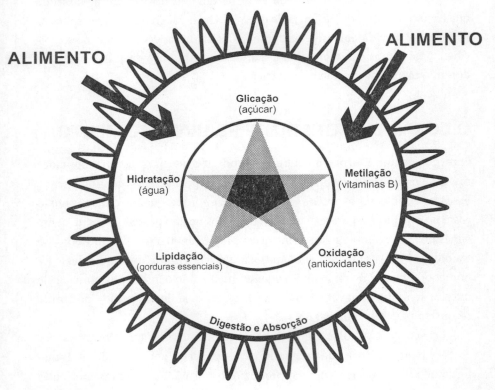

Os seis processos bioquímicos que mantêm a saúde

VOCÊ É 100% SAUDÁVEL?

SEGREDO UM: APERFEIÇOE SUA DIGESTÃO — DESCUBRA QUAIS SÃO OS MELHORES E OS PIORES ALIMENTOS

Todas as moléculas do corpo são, literalmente, produto daquilo que digerimos, portanto, a questão não é o que comemos, mas o que digerimos e absorvemos. Com exceção do oxigênio, todos os nutrientes de que o corpo necessita são obtidos por meio do trato digestivo, representado na ilustração anterior pela linha ondulada. Se examinássemos detalhadamente o trato digestivo, veríamos que ele é realmente isso: uma parede coberta de protuberâncias chamadas vilosidades, que se fossem retificadas cobririam uma área do tamanho de uma quadra de tênis, com uma espessura equivalente a um quarto da espessura de uma folha de papel. Essa é a barreira entre nós — isso é, entre as células do corpo — e o alimento que ingerimos.

Tudo o que comemos precisa ser fragmentado por meio de enzimas especiais e outras substâncias encontradas nos sucos do trato digestivo. Diariamente nós produzimos aproximadamente 10 litros de sucos digestivos que são fabricados por células e órgãos especializados e são lançados no trato digestivo. Quando a tarefa deles está completa, quase todos são reabsorvidos pelo corpo. As células do trato digestivo, que conduzem ativamente os nutrientes para dentro do corpo, são substituídas a cada 4 dias.

A DIGESTÃO E O SISTEMA IMUNOLÓGICO

O intestino também tem um sistema imunológico complexo. É um "exército" de células especializadas que verificam quais substâncias estão na "lista de convidados" e são autorizadas a entrar no corpo e quais não estão nessa lista e são "barradas". O sistema imunológico das vísceras entra em ação toda vez que comemos; porém, com frequência ele encontra alimentos de que não gosta. Essa é a razão pela qual, às vezes, depois de uma refeição, em vez de nos sentirmos melhor, nos sentimos mal. Quando a substância que não está na lista de convidados atravessa as defesas digestivas, o sistema imunológico passa a atacá-la, e essa é a base da alergia alimentar. Sentimos essa reação como um sintoma alérgico que às vezes afeta o próprio intestino.

Na Parte Dois vou explicar exatamente como afinar a digestão, melhorar a capacidade de absorção de nutrientes e identificar os alimentos para os quais você criou uma intolerância e, ainda, como reduzir essa sensibilidade.

SEGREDO DOIS: EQUILIBRE O AÇÚCAR NO SANGUE — A CHAVE PARA GANHAR ENERGIA E PERDER PESO

Como você descobrirá, uma das principais tarefas do trato digestivo é fornecer combustível para as células. Nós produzimos energia dentro de nossas células cerebrais, musculares, entre outras, ao transformar em energia a glicose que o corpo extrai dos alimentos que contêm carboidratos. O fluxo da glicose dentro da corrente sanguínea, que a leva até as células, é um ato importantíssimo de equilíbrio. Se houver excesso de glicose no sangue, o corpo é prejudicado. Se houver muito pouco, sentiremos cansaço, fome e irritação. Se houver excesso de glicose na corrente sanguínea, esse excesso é removido e enviado ao fígado, que a transforma em gordura a ser armazenada. Esse processo causa uma sobrecarga no fígado, e essa é a razão pela qual uma dieta rica em açúcar costuma levar à falência hepática. Tudo isso resulta em ganho de peso e perda de energia.

CINCO SINTOMAS DE PROBLEMAS DE PESO

Na Pesquisa da Saúde 100% descobrimos que os participantes relatavam cinco sintomas claramente indicadores de uma dificuldade para perder peso:

1. Cansaço ao acordar.
2. Incapacidade para começar o dia sem ingerir chá, café ou alguma coisa doce.
3. Necessidade de açúcar ou café ao final da refeição.
4. Sensação de baixa de energia à tarde.
5. Sensação de cansaço quase constante.

Esses são sinais clássicos da flutuação no equilíbrio do açúcar no sangue.

Nove entre dez pessoas com esses sintomas têm dificuldade para perder peso. Se isso o descreve, é muito provável que sua capacidade para equilibrar o açúcar do sangue seja menos que perfeita. Na Parte Dois apresento um questionário de verificação do equilíbrio do açúcar e mostro como aperfeiçoar esse equilíbrio por meio do consumo de alimentos de baixa carga glicêmica. Esses alimentos devem ser consumidos na hora certa e em combinações corretas, o que pode trazer resultados rápidos para a saúde física e mental e também para o controle do peso.

SEGREDO TRÊS: FIQUE CONECTADO — COMO MELHORAR A MENTE E O HUMOR E MANTER A QUÍMICA DO CORPO EM HARMONIA

Alguma vez você se perguntou como o corpo pode se adaptar tão rapidamente, produzindo adrenalina quando precisa de reações rápidas ou produzindo insulina para equilibrar o açúcar no sangue? Já se perguntou como as instruções contidas nos genes são ligadas e desligadas dependendo do que aconteça no corpo? Cada pensamento e emoção altera e são alterados pelo equilíbrio de compostos químicos de comunicação chamados neurotransmissores — como a serotonina, que controla o humor, a noradrenalina, que dá motivação, e a acetilcolina, que melhora a memória (adiante falarei mais sobre eles). Mas como o corpo mantém esses neurotransmissores em equilíbrio? Ele é muito inteligente, faz sempre o máximo para manter tudo em harmonia. Talvez o processo biológico mais importante que o ajuda a conseguir isso seja a metilação. Adicionando ou subtraindo pequenas moléculas chamadas grupos metílicos, o corpo pode refinar a própria química para manter o bem-estar. A cada período de segundos acontece um número estimado de 1 bilhão de reações de metilação. É impressionante.

AS VITAMINAS E NUTRIENTES NECESSÁRIOS À MENTE

Aquilo que chamo de metil-QI depende das vitaminas e de outros nutrientes extraídos dos alimentos, inclusive certos minerais e nutrientes metiladores nos quais você talvez nunca tenha ouvido falar (como a trimetilglicina e os fosfolipídios). É isso o que mantém a mente e a memória aguçadas e diminui a dor. Esse processo também diminui o risco de uma grande variedade de doenças, desde derrames até Alzheimer, além de reduzir a probabilidade de problemas na gravidez.

OS DEZ SEGREDOS DAS PESSOAS 100% SAUDÁVEIS

Na Parte Dois apresento um teste do metil-QI e mostro como melhorar sua pontuação nesse quesito, ajudando você e seu corpo a se tornarem mais conectados. As pessoas mais saudáveis, com menor risco de doenças ou morte prematura, têm o metil-QI mais elevado — e isso pode ser medido por meio de um exame de sangue que só precisa de uma espetadinha no dedo.

SEGREDO QUATRO: REFORCE OS ANTIOXIDANTES QUE COMBATEM O ENVELHECIMENTO — VINTE ALIMENTOS QUE AUMENTAM A EXPECTATIVA DE VIDA

Para produzir energia você não precisa apenas de um suprimento de glicose, também precisa de oxigênio. No entanto, o oxigênio é perigoso. Ele oxida o metal e pode oxidar você também. Na verdade, toda vez que transformamos comida em energia as fábricas de energia dentro das células criam oxidantes prejudiciais. Eles são como uma espécie de resíduo da combustão. Naturalmente, se você fuma ou come frituras, a situação fica pior. Por exemplo, uma simples tragada contém 1 trilhão de oxidantes. A capacidade de desarmar esses compostos por meio de antioxidantes é o próximo segredo da Saúde 100%.

Na Pesquisa da Saúde 100% os participantes mais saudáveis mostravam o nível mais alto de ingestão de antioxidantes dos alimentos.

Na verdade, um hábito constante nas populações mais longevas do mundo é a ingestão excepcionalmente elevada de antioxidantes.

Na Parte Dois vamos fazer um check-up dos antioxidantes e explicar algumas alterações dietéticas muito simples que fazem toda a diferença no que se refere a esses nutrientes. Você vai descobrir os vinte alimentos que podem prolongar sua vida em muitos anos, e também os alimentos que podem privá-lo de uma boa saúde.

VOCÊ É 100% SAUDÁVEL?

SEGREDO CINCO: COMA GORDURAS ESSENCIAIS — MANTENHA A MENTE E O CORPO BEM LUBRIFICADOS

Existe outro processo biológico básico que chamo de "lipidação". Um lipídio é uma gordura, e esse processo depende das gorduras essenciais e não dos carboidratos, antioxidantes e vitaminas B.

Nós costumávamos pensar que a única função da gordura era rechear e prover isolamento para o corpo e, ainda, funcionar como fonte de energia. No entanto, nos últimos 20 anos ficou cada vez mais evidente que moléculas inteligentes, chamadas prostaglandinas, produzidas diretamente a partir das gorduras essenciais de peixes e sementes, influenciam quase tudo o que acontece no corpo. As gorduras essenciais fazem o cérebro, o coração, as artérias e o sistema imunológico funcionarem melhor. Elas controlam a dor e a inflamação, melhoram o humor e previnem a perda de memória na idade avançada. Elas também nos fazem ter boa aparência — a pele é totalmente dependente das gorduras essenciais.

Em nossa Pesquisa da Saúde 100% os participantes mais saudáveis ingeriam mais gorduras essenciais.

Na Parte Dois vamos explicar exatamente como conseguir isso e por que as gorduras essenciais são tão importantes.

SEGREDO SEIS: MANTENHA-SE HIDRATADO — A ÁGUA É O NUTRIENTE MAIS VITAL

Ao ver os resultados da pesquisa talvez você tenha se surpreendido quando soube como beber muita água é importante para a saúde. Isso é algo em que não pensamos muito. Afinal, quando sentimos sede, bebemos líquidos. No entanto, é possível perceber que muito antes de sentirmos sede a falta de água já está prejudicando o corpo. Para ter uma Saúde 100% é preciso transformar em hábito o ato de beber água a intervalos regulares. À medida que envelhecemos, a percentagem de água do corpo gradualmente diminui. Tomar água suficiente e retê-la é um fator crítico para a saúde ideal, como veremos na Parte Dois.

SEIS SEGREDOS BIOQUÍMICOS

Os seis segredos mencionados são calcados no aperfeiçoamento da capacidade do corpo para executar os processos bioquímicos básicos (mostrados na ilustração da página 60), por meio da ingestão de seis famílias fundamentais de nutrientes. Esses processos são absolutamente fundamentais para garantir um alto nível de saúde. Como veremos na Parte Dois, praticamente toda doença crônica do século XXI pode ser compreendida como uma falha em um ou mais deles. Isso significa que a chave para reverter as doenças e recuperar a saúde consiste em refinar esses seis processos bioquímicos. Vou mostrar-lhe como ficar "afinado".

OS TRÊS DOMÍNIOS IMPORTANTES

Existem três elementos ou domínios fundamentais que nos tornam humanos:

Físico
Químico
Psicológico

O mapa de mente-corpo da Saúde 100%

Aquilo que concebemos como "corpo" abrange os domínios *químico* e *físico*. O físico é a matéria ou aquilo de que o corpo é composto — algo que tem uma estrutura e que pode ser tocado. O químico é um processo — a função que ocorre dentro do corpo. No entanto, nós somos mais que simplesmente os domínios físico e químico. Nós também temos pensamentos, sentimentos, medos e sonhos. A isso chamamos domínio psicológico. Enquanto muitos dos segredos envolvem os domínios físico e químico, os segredos oito, nove e dez examinam nossa necessidade de saúde emocional e espiritual — a necessidade vital de regenerar o espírito e ter um sentimento de propósito e conexão.

SEGREDO SETE: MANTENHA-SE EM FORMA, FORTE E ÁGIL

Assim como necessitamos de uma boa alimentação para ter equilíbrio químico, também precisamos do tipo certo de exercício para ter equilíbrio físico. O exercício ideal precisa trabalhar e promover três requisitos essenciais:

1. Manter-nos em forma e cheios de disposição, para evitar a perda da capacidade cardíaca e pulmonar.
2. Manter-nos fortes, para prevenir a perda de tônus muscular.
3. Manter-nos ágeis, para evitar a degeneração das articulações e da coluna.

Na Parte Dois apresento um teste simples de condicionamento físico e mostro maneiras fáceis de manter a forma investindo menos que 20 minutos por dia.

Em nossa pesquisa os participantes mais saudáveis faziam pelo menos 3 horas de exercícios por semana.

SEGREDO 8: GERE ENERGIA VITAL — O FATOR *CHI*

Parte de nosso domínio psicológico inclui aquilo que chamamos de espírito, consciência ou, ainda, vontade. Em certo sentido, esse elemento tem dois

OS DEZ SEGREDOS DAS PESSOAS 100% SAUDÁVEIS

aspectos: o sentimento do "eu", ou "ser", que nos dá um contexto mais amplo dentro do qual levamos a vida com significado e propósito; e nossa energia vital, a força vital ou vontade de viver, que se manifesta como a experiência de energia, dinamismo e entusiasmo.

Nos sistemas orientais, a energia vital é chamada de *chi*, *ki*, ou prana, e está associada com a respiração — o sopro da vida. A palavra grega *psykhe* também significa respirar ou inspirar. O sistema da medicina chinesa como um todo visa restaurar o fluxo dessa energia vital nos meridianos do corpo. A energia vital nos chega tanto pela alimentação quanto pela respiração. Existem alimentos, técnicas de respiração, posturas e movimentos específicos que ajudam a aumentar nossa vitalidade ou energia vital. Esses conceitos podem parecer muito elevados, mas se algum dia você praticou yoga, tai chi ou qigong, sabe que pode experimentar diretamente essa energia. A ciência ocidental até hoje não foi capaz de medir o *chi*, portanto, tem dificuldade com esse conceito, mas o fato de algo não poder ser medido não implica em sua inexistência. Por exemplo, quem já foi capaz de medir o amor? No entanto, quem poderá negar que ele é uma força poderosa em nossas vidas?

ENERGIA: A BASE DE TUDO

Em um nível mais básico, tudo é energia. Na física, considera-se que os átomos contêm pequenos pacotes de energia que criam as características específicas de cada elemento. As plantas absorvem energia do sol e a utilizam para combinar o hidrogênio e o oxigênio da água (H_2O) com o carbono do gás carbônico (CO_2) para fazer o carboidrato (CHO) que, ao ser ingerido, libera essa energia. Essa por sua vez dá vida a nossas células. Todo pensamento, sentimento, órgão ou processo químico vem dessa energia vital. No diagrama da página 66 podemos observar que a *energia vital* ocupa o espaço do centro e se manifesta nos aspectos físico, químico e psicológico da vida.

SEGREDO NOVE: LIBERTE O PRESENTE DO PASSADO — DESAPEGUE-SE E APRENDA COM O PASSADO

Talvez você já tenha ouvido a expressão "medicina mente-corpo". Ela se refere ao entendimento de que o corpo físico-químico e a mente psicológica não podem ser separados. Pergunte a um anatomista (físico), a um bioquímico (químico) e a um psicólogo (psicológico) onde a mente começa e o corpo termina e eles simplesmente não serão capazes de responder. A mente e o corpo são completamente interdependentes. Cada pensamento ou sentimento tem efeitos químicos e físicos correspondentes; por exemplo, se pensar na hipoteca da casa e tiver medo de não ser capaz de pagá-la, você poderá produzir mais adrenalina e seu coração baterá mais depressa. A mente o corpo são inseparáveis e integrais. Um não existe sem o outro.

DEIXAR A BAGAGEM PARA TRÁS

Para ter 100% de saúde é preciso ter saúde psicológica. Enquanto vivemos, inevitavelmente, passamos por traumas. Quando acontece alguma coisa que nos afeta profundamente — romper com o namorado, ou namorada, ouvir alguém declarar que você está fazendo papel de bobo —, isso gera uma emoção negativa que é armazenada juntamente com a lembrança daquele acontecimento. Acumulamos essas lembranças emocionalmente carregadas formando padrões negativos de percepção e comportamento que projetamos em nossas circunstâncias atuais. Por exemplo, se na escola você foi ridicularizado na aula de matemática, toda vez que precisa resolver algo vagamente matemático no trabalho você pensa: *Não sou bom nisso/Sou um fracasso*. Essa percepção faz com que você sinta aversão a quem lhe deu aquela tarefa. Esse mecanismo torna cada vez mais difícil experimentar cada momento como ele realmente é e reagir com espontaneidade.

Aprender a aprender com o passado e esquecê-lo, tornando-se mais presente, é parte vital da equação da saúde. Também é essencial para manter relacionamentos saudáveis. Embora isso não seja algo que tenhamos medido na Pesquisa da Saúde 100%, existem provas suficientes de que uma bagagem emocional negativa tem um efeito profundo sobre a saúde, conforme vou mostrar na Parte Dois.

SEGREDO DEZ: ENCONTRE SEU PROPÓSITO — VEJA MAIS ALÉM

O último segredo se refere ao sentimento do "eu" ou "ser", que nos fornece um contexto mais amplo de viver com significado, propósito e "conexão" com

OS DEZ SEGREDOS DAS PESSOAS 100% SAUDÁVEIS

os outros: a família, a comunidade e o meio ambiente. Esse é nosso domínio *espiritual*. Na ilustração da página 66 esse aspecto é o contexto no qual sustentamos todos os processos químicos, físicos e psicológicos. Ele é o recipiente de toda a nossa experiência como seres humanos.

Sem um sentimento de ligação e de propósito, nos sentimos solitários e desesperançados. A falta de esperança dirigida para dentro se manifesta como depressão: nada faz sentido, vivenciamos um vazio e temos pouco desejo de viver. Dirigida para fora, a falta de esperança se manifesta como raiva. A depressão, a raiva e a sensação de impotência, com as manifestações extremas desses estados — o suicídio e o assassinato —, estão em ascensão nas culturas chamadas civilizadas. Vista dessa maneira, a civilização do século XXI parece estar nos levando ao egocentrismo e à indiferença em relação aos outros. Mostrarei que alterações na nutrição podem ser parcialmente responsáveis, por exemplo, por nossos sentimentos de agressividade ou depressão, mas esse sentimento também resulta de nossa perda de um propósito ou significado mais elevado para a vida.

EM CONEXÃO

A meta de muitas formas de meditação e práticas espirituais é estabilizar um estado no qual, sem qualquer esforço, se esteja constantemente consciente dos pensamentos, sentimentos e sensações físicas. Isso às vezes é chamado de "consciência-testemunha", porque nesse estado o indivíduo fica menos apegado aos pensamentos, sentimentos e sensações físicas mutáveis que surgem no campo da consciência. Além de colocar a realidade em perspectiva, esse tipo de percepção expandida também dá lugar à consciência unificante de que, na essência, somos todos o mesmo: a humanidade é um só espírito ou consciência. Então, isto é o puro amor a que toda tradição e religião nos remete: a possibilidade de não nos vermos separados e isolados, mas conectados a nós mesmos, aos outros em nossas vidas e ao mundo natural que nos cerca.

O amor é um aspecto vital da Saúde 100%. Com o rápido surgimento das crises globais, a capacidade da humanidade para agir em conjunto na solução dos problemas que nos ameaçam já não é mais uma opção, mas uma necessidade urgente para a sobrevivência da espécie.

Hoje, no campo da psicologia cognitiva, essa consciência ou sentido do "eu" muitas vezes é visto como um processo que ocorre em toda a rede neural do cérebro. Isso dá sentido ao fato de que as pessoas carentes de certos nutrientes se sintam mais desconectadas, desesperançadas, zangadas e deprimidas, e que uma nutrição ideal faz com que nos sintamos mais felizes e "conectados".

Ocorrem discussões calorosas sobre a questão de ser ou não a consciência independente do corpo e capaz de sobreviver à morte, tal como preconizam muitas filosofias religiosas. No entanto, exista ou não vida após a morte, quando seguir os princípios da Parte Dois você descobrirá que existe mais vida para desfrutar antes da morte!

Na Parte Dois você aprenderá como fazer o próprio check-up e ajustar cada um dos dez fatores que mencionamos, de modo a se sentir melhor, parecer mais jovem, viver mais e ficar livre de doenças.

Parte Dois

OS DEZ SEGREDOS

A Saúde 100% tem dez segredos. Nesta parte você descobrirá exatamente como cada um desses importantes fatores ajuda a melhorar a maneira como nos sentimos, saberá quais deles são mais importantes para você e o que precisa mudar para transformar sua saúde.

Segredo 1

APERFEIÇOE SUA DIGESTÃO — DESCUBRA QUAIS SÃO OS MELHORES E OS PIORES ALIMENTOS

Você não é o que come: é o que digere e absorve. O projeto básico do corpo humano é um tubo: uma rosca com um buraco no meio. Como outros animais, passamos nossa vida física processando matéria orgânica e produzindo resíduos. O grau de habilidade na realização dessa operação determina o nível de energia e a longevidade, além de afetar o estado mental e a saúde física e digestiva.

No decorrer da vida, passam pelo trato digestivo nada menos que 100 toneladas de alimentos e 300 mil litros de sucos digestivos são produzidos pelo corpo para digerir os alimentos. Nossa "pele interior", um órgão com 9 metros de comprimento e uma superfície do tamanho de uma quadra de tênis, com um quarto da espessura de uma folha de papel, pode facilmente ser danificada por bebidas ou alimentos indevidos. Surpreendentemente, a maior parte dos bilhões de células que compõem essa barreira que nos separa de nosso mundo interior se renova a cada 4 dias. Todos os nutrientes de que precisamos para manter uma saúde perfeita são extraídos do que comemos e bebemos, e são absorvidos por meio desse incrível trato digestivo. Os intestinos têm células imunológicas que funcionam como os seguranças na porta do nosso corpo, além de ter bilhões de bactérias benéficas que fazem parte das defesas interiores.

EM BUSCA DE UMA DIGESTÃO SAUDÁVEL

O segredo para ter uma digestão e uma absorção saudáveis é comer os alimentos adequados e eliminar qualquer possibilidade de uma intolerância alimentar oculta, para fragmentar adequadamente os alimentos por meio das enzimas digestivas e absorvê-los. É preciso manter o intestino saudável e o sistema imunológico intestinal feliz. Vou explicar exatamente como fazer isso. Mas para

OS DEZ SEGREDOS DAS PESSOAS 100% SAUDÁVEIS

começar você deve responder ao seguinte teste sobre a digestão e descobrir que aspectos dos seus processos digestivos precisam ser reformulados.

Questionário: *confira sua digestão*

	Sim	Não
1. Você tem mau hálito?		
2. Sofre de azia, sente queimação no estômago ou faz uso regular de antiácidos ou remédios para indigestão?	☐	☐
3. Depois de comer, com frequência sofre de náusea, indigestão ou tem uma sensação desagradável de estômago muito cheio?	☐	☐
4. Depois das refeições costuma se sentir mal ou muito sonolento?	☐	☐
5. Frequentemente arrota ou expele gases?		
6. Frequentemente sente o abdômen distendido?	☐	☐
7. Com frequência tem fezes muito moles ou diarreia?	☐	☐
8. Tem prisão de ventre ou dificuldade para evacuar?	☐	☐
9. Evacua menos do que uma vez por dia?	☐	☐
10. Teve uma intoxicação ou infecção intestinal nos últimos 6 meses?	☐	☐
12. Tomou antibióticos nos últimos 6 meses?		
12. Mastiga mal os alimentos?	☐	☐
13. Come derivados de trigo (tais como pão, massas ou flocos de cereais) pelo menos duas vezes ao dia?	☐	☐

Conte um ponto para cada "sim". Pontuação total: ☐

Pontuação

0-2: Nível A

Parabéns! Você provavelmente não tem problema digestivo. No entanto, para a digestão ser perfeita, a pontuação ideal é zero. Se seu resultado foi maior que zero, ainda é possível melhorar. Siga os conselhos deste capítulo.

3-4: Nível B

Você está começando a mostrar sinais de problemas digestivos. Seguir os conselhos deste capítulo, juntamente com a dieta recomendada e o programa de suplementos da Parte Três, vai ajudá-lo a entrar nos trilhos.

5-7: Nível C

É muito provável que sua digestão precise de ajuda. Concentre-se em melhorar a dieta e tomar os suplementos necessários, indicados na Parte Três, para corrigir qualquer anomalia em seu trato digestivo.

8 ou mais: Nível D

É quase certo que sua digestão precise de ajuda. Concentre-se nos conselhos deste capítulo e nas orientações dietéticas da Parte Três; também tome os suplementos necessários, lá indicados, para ajudar sua digestão e corrigir qualquer dano em seu trato digestivo.

RESULTADOS DA PESQUISA DA SAÚDE 100%

- Os participantes com a digestão mais saudável responderam "não" a todas as perguntas do questionário "confira sua digestão".
- Quanto mais açúcar, sal, carne, trigo e alimentos refinados você comer, pior deverá ser sua pontuação digestiva.
- Quanto mais frutas frescas, sementes, nozes, castanhas, peixe e legumes você comer, e quanto mais água beber, melhor deverá ser sua pontuação digestiva.
- Dos participantes da pesquisa, 48% têm uma saúde digestiva deficiente. Somente 14% têm boa saúde digestiva.
- Os indivíduos que evacuam menos de uma vez por dia são 83%.
- Os problemas digestivos mais comuns são: alteração do ritmo intestinal, distensão abdominal, flatulência e dor de estômago.

O QUE ACONTECE QUANDO O INTESTINO NÃO ESTÁ SAUDÁVEL?

Tendemos a não dar atenção à digestão. Afinal, ela é uma coisa natural. No entanto, a eficiência com que você digere os alimentos faz toda a diferença entre sentir-se com energia ou cansado. Isso acontece porque extraímos energia

OS DEZ SEGREDOS DAS PESSOAS 100% SAUDÁVEIS

dos alimentos, e um dos principais objetivos da digestão é transformar a comida em combustível para as células do corpo. O sistema digestivo também fragmenta as proteínas dos alimentos para produzir aminoácidos, que são os blocos estruturais que o corpo usa para fazer novas células. O sistema digestivo consome grande quantidade de energia para fazer toda essa transformação e suprimento, além de ser a "guarda da fronteira", cuidando para que somente o que é bom passe adiante e rejeitando bactérias prejudiciais ou alimentos não digestíveis. As células que compõem a primeira camada do trato digestivo têm uma vida muito curta, de mais ou menos 4 dias. Se comer os alimentos adequados e os nutrientes que ajudam a construir um trato digestivo saudável, você poderá rapidamente se recuperar dos problemas digestivos.

VOCÊ TEM UM INTESTINO PERMEÁVEL?

Se você sofrer de indigestão, distensão abdominal, dor abdominal ou sentir sonolência após as refeições, ou, ainda, costumar ter náusea, diarreia ou constipação, é muito provável que tenha aquilo que é chamado de disbiose. Isso significa ter uma quantidade insuficiente de bactérias benéficas no intestino e provavelmente, ter a parede intestinal mais permeável, que permite a passagem de mais proteínas dos alimentos. Isso pode causar intolerância alimentar (ver a ilustração a seguir).

AJUSTE SUA DIGESTÃO

Você pode melhorar sua digestão seguindo quatro passos simples:

1. Ajude a digestão comendo os alimentos corretos, mastigando bem a comida e tomando enzimas digestivas.

2. Descubra se está comendo ou bebendo alguma coisa que lhe cause alergia — e evite esse alimento.

3. Cure o trato digestivo tomando um aminoácido fantástico chamado glutamina, para que somente o que é bom passe adiante.

4. Torne a inocular os intestinos com probióticos — as bactérias benéficas.

Quando temos poucas bactérias benéficas e o trato digestivo fica mais permeável, e quando a digestão não é muito boa, as proteínas dos alimentos podem cair na corrente sanguínea, causando reações alérgicas. Evitar os alimentos

OS DEZ SEGREDOS

Digestão e Absorção

Grandes partículas de alimentos são digeridas pelas enzimas, transformando-se em aminoácidos e açúcares simples

Bactérias benéficas (probióticos) protegem a parede intestinal

Aminoácidos e açúcares simples conseguem atravessar a parede intestinal

Indigestão e Má Absorção

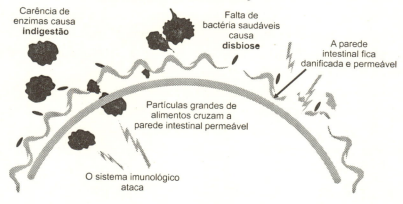

Carência de enzimas causa **indigestão**

Falta de bactéria saudáveis causa **disbiose**

A parede intestinal fica danificada e permeável

Partículas grandes de alimentos cruzam a parede intestinal permeável

O sistema imunológico ataca

Três Chaves Para Restaurar a Saúde Intestinal

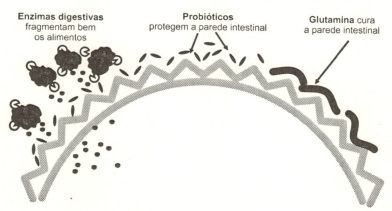

Enzimas digestivas fragmentam bem os alimentos

Probióticos protegem a parede intestinal

Glutamina cura a parede intestinal

OS DEZ SEGREDOS DAS PESSOAS 100% SAUDÁVEIS

prejudiciais, tratar o intestino com glutamina, melhorar a digestão com enzimas digestivas e reinocular o intestino com probióticos restaura a saúde intestinal.

ALIMENTOS MAIS FAVORÁVEIS À DIGESTÃO

Na pesquisa sobre a saúde descobrimos que aqueles que comiam frutas frescas, sementes, frutas oleaginosas, peixe e legumes tinham a digestão mais saudável. Muitos alimentos contêm enzimas que ajudam a digestão, mas isso só acontece se a comida for consumida crua ou pouco cozida e for bem mastigada. No passado, era muito comum ter infecções causadas por alimentos; então, muitas culturas aprenderam a cozinhar demais a comida, em geral fritando-a a altas temperaturas. Embora isso seja bom para matar germes, não é bom para a digestão, porque os alimentos fritos contêm mais oxidantes prejudiciais (ver o Segredo 4), que podem danificar o trato digestivo. Portanto, quando for possível, é melhor comer crus os alimentos "vivos" como as frutas e os legumes. Caso sejam fervidos ou cozidos no vapor, é melhor que fiquem *al dente* — não fiquem macios demais, ainda fiquem resistentes.

Começar a refeição com alguma coisa crua é uma boa forma de ajudar a digestão. Isso também pode dizer ao sistema digestivo que o que está a caminho é bom para a saúde, evitando que o sistema imune do intestino entre na modalidade de alerta vermelho (vamos falar mais sobre isso na página 90).

ALIMENTOS NUTRITIVOS QUE PODEM SER DIFÍCEIS DE DIGERIR

Alguns alimentos, embora essencialmente bons, são de difícil digestão para algumas pessoas. Isso inclui os feijões, a lentilha e o grão-de-bico, além dos vegetais crucíferos: repolho, couve-flor, brócolis, couve-de-bruxelas e couve. Se esses alimentos fazem você ficar inchado ou com gases, talvez lhe falte uma enzima que ajuda a digeri-los e você possa precisar de uma assistência adicional (ver mais na página 83).

Para serem propagadas, as sementes costumam ter uma casca que não pode ser digerida. A maioria das "sementes" alimentícias — como as nozes ou os feijões, que germinam quando plantados — é cercada por uma fruta suculenta. Os animais comem a fruta e depositam a certa distância da árvore original um adubo rico em nutrientes com a semente ou noz intacta, propagando dessa forma a espécie vegetal. Como precisa passar pelo trato digestivo do animal, em geral a semente contém substâncias que impedem sua digestão, chamadas inibidores da protease. Se o feijão ou a lentilha forem cozidos da forma correta, lavados uma ou duas vezes durante o processo de cozimento, esses inibidores da digestão são fragmentados. Os chineses aprenderam a fermentar o feijão de soja para obter o mesmo resultado. Mesmo algo tão simples quanto moer as sementes pode torná-las mais fáceis de digerir. Todos esses alimentos são muito nutritivos, porque qualquer semente precisa conter todos os nutrientes necessários para o próprio crescimento.

A IMPORTÂNCIA DA MASTIGAÇÃO

Mastigar bem os alimentos faz muita diferença. As enzimas da saliva ajudam a digerir os carboidratos, portanto, mastigue a comida até que as partículas estejam bem-trituradas. Afinal, o estômago não tem dentes.

COMER PROTEÍNA E CARBOIDRATO JUNTOS

Um dos mitos mais populares afirma que não se pode digerir refeições que contenham proteína e também carboidrato. Isso não é verdade. A verdade é que a proteína é digerida no estômago, um processo que leva uma ou duas horas, enquanto o carboidrato é digerido mais adiante, no intestino delgado. Portanto, se você comer uma refeição rica em proteínas e depois comer uma salada de frutas, a fruta pode ficar retida no estômago e começar a fermentar. Sendo assim, em geral, é melhor comer as frutas como lanche, fora das refeições.

DICAS PARA UMA DIGESTÃO SAUDÁVEL

- Não coma quando se sentir estressado.
- Mastigue bem os alimentos.
- Comece a refeição com um alimento cru ou cozido no vapor.
- Coma alimentos "integrais", que contêm naturalmente os nutrientes necessários para a própria digestão.
- Coma frutas "carnudas", que fermentam com facilidade (como melão, pêssego ou frutas silvestres), no lanche e não como sobremesa de uma refeição rica em proteínas.

OS DEZ SEGREDOS DAS PESSOAS 100% SAUDÁVEIS

OS ALIMENTOS MAIS PREJUDICIAIS PARA A DIGESTÃO

Na Pesquisa da Saúde 100% os cinco alimentos mais fortemente relacionados com sintomas de problemas digestivos foram o açúcar, o sal, a carne, o trigo e os alimentos refinados, que quase sempre são feitos de trigo. Por outro lado, o peixe não foi associado com problemas digestivos.

Embora faça parte da dieta habitual, o trigo contém uma proteína chamada gliadina (uma espécie de glúten, proteína encontrada nos grãos como o trigo, o centeio e a cevada), que faz mal ao intestino de muitas pessoas. Em três pessoas que fazem teste de intolerância alimentar, aproximadamente uma produz anticorpos que atacam a gliadina. Dessas, 90% apresentam reação ao trigo, enquanto 15% apresentam reação à cevada e 2% têm intolerância ao centeio. Um número menor mostra reação à aveia. O sistema imunológico da maioria das pessoas reage à gliadina quando ela cai na corrente sanguínea, portanto, quanto menos dessa substância você ingerir, melhor será sua digestão e menor a probabilidade de ser afetado por ela. O tipo mais agudo de reação é chamado de doença celíaca, que afeta uma pessoa em cem,[10] embora nove entre dez não sejam diagnosticados. A doença celíaca é uma alergia aguda ao glúten contido no trigo, no centeio, na cevada e na aveia, embora 80% dos que sofrem dessa doença sejam alérgicos apenas à gliadina, que não está presente na aveia.[11]

Meu conselho é passar um mês sem comer carne, açúcar, sal e trigo e seguir a orientação da dieta perfeita apresentada no Capítulo I da Parte Três.

AJUSTE SUA DIGESTÃO

Uma causa comum de problemas digestivos é apenas a incapacidade de digerir adequadamente o que se come. Diariamente produzimos uma quantidade espantosa de sucos digestivos que entram no trato digestivo para fragmentar os alimentos. A indigestão pode ser consequência de comer os alimentos errados ou de não produzir o equilíbrio correto de enzimas digestivas ou ácidos gástricos. Comer alguma coisa que se aproxime da dieta perfeita é o primeiro passo para melhorar a digestão.

PARA CORRIGIR A AZIA E A ACIDEZ

Para digerir as proteínas o estômago produz um ácido gástrico chamado cloridrato de betaína. A produção excessiva de ácidos gástricos geralmente está associada com alergias alimentares ocultas (ver página 84) ou, possivelmente, com uma ingestão exagerada de carne, porque os alimentos muito proteicos estimulam os ácidos gástricos. Quando ingere um alimento que não lhe faz bem — por exemplo, leite de vaca —, um bebê pode vomitar. O estômago e o esôfago (que é o tubo que vai da garganta até o estômago) sofrem espasmos. Esses espasmos contínuos podem empurrar parte do revestimento do estômago (onde são fabricados os ácidos gástricos) para dentro da abertura do esôfago. O resultado é a azia. A solução convencional é suprimir a produção de ácidos gástricos por meio de drogas chamadas inibidores da bomba de prótons (IBPs). Isso não é nada bom, pois se você não produzir ácido gástrico, não será capaz de digerir adequadamente as proteínas. Na maioria dos casos, o problema é resolvido por meio de um período experimental sem comer carne ou laticínios, da eliminação de outras possíveis alergias alimentares (ver na página 85 um teste para identificá-las) e do uso de um suplemento de enzimas digestivas.

CORRIGINDO A INDIGESTÃO E A DISTENSÃO ABDOMINAL

A causa mais comum de indigestão e distensão abdominal é uma digestão imperfeita dos alimentos. Mas como é possível saber se não estamos produzindo as enzimas digestivas corretas? Um dos testes mais simples e baratos, que também é uma possível solução, é tomar em toda refeição um suplemento que contenha todas as enzimas digestivas essenciais. Se isso trouxer alívio imediato, você saberá que seu problema é indigestão. Essas enzimas são: protease, que decompõe a proteína em aminoácidos; amilase, que transforma os carboidratos em glicose; e lipase, que decompõe a gordura em ácidos graxos assimiláveis. Elas, literalmente, ajudam a digerir a comida.

Algumas pessoas têm problema para digerir leite, caso em que é necessária uma enzima digestiva que contenha lactase.

OS DEZ SEGREDOS DAS PESSOAS 100% SAUDÁVEIS

- Se você fica inchado depois de comer lentilha ou algum feijão, como os derivados de soja, escolha uma enzima digestiva que contenha alfa-galactosidase.
- Se tiver dificuldade para digerir crucíferas, como o repolho e o brócolis, você precisa de uma enzima digestiva que contenha glucoamilase, também conhecida como amiloglucosidase.

As melhores enzimas digestivas contêm todas essas (ver a seção de suplementos em Recursos). Talvez você não precise delas para sempre, mas é muito bom tomá-las durante um mês ou durante o primeiro mês após eliminar as alergias alimentares, e sempre que comer alimentos que tenha dificuldade para digerir.

O QUE VOCÊ COME LHE FAZ MAL?

Se você teve uma alta pontuação no questionário de avaliação da digestão e experimentou tomar enzimas digestivas mas elas não resolveram seu problema, é muito provável que esteja sofrendo de uma alergia ou intolerância alimentar oculta. A Allergy UK, importante organização sem fins lucrativos, estima que até 45% da população do Reino Unido sofrem de algum grau de intolerância alimentar.

Uma alergia convencional em geral denota que o corpo está produzindo uma espécie de anticorpo "IgE" (imunoglobulina tipo "E") sempre que é ingerida uma substância que provoca alergia; essa alergia causa sintomas num prazo que varia de alguns minutos a uma hora. Esse tipo de reação alérgica costuma envolver o sistema digestivo (provocando vômitos), o sistema respiratório (causando um ataque de asma) ou a pele (com o aparecimento de dermatite). No entanto, muitas das intolerâncias alimentares que envolvem um tipo diferente de anticorpo chamado "IgG" (imunoglobulina tipo "G") nem sempre causam sintomas imediatos. Às vezes, ocorrem alergias ou intolerâncias ocultas ou tardias. As intolerâncias alimentares baseadas no IgG podem causar uma gama de problemas de saúde que incluem a síndrome do intestino irritável (SII) e outros problemas digestivos, enxaqueca, fadiga, eczema, asma, artrite e fadiga crônica. Muita gente se habitua a esses e outros sintomas desagradáveis durante anos, e poucos obtêm resultados com uma consulta ao médico.

OS DEZ SEGREDOS

Paula Moffitt, uma mãe de três filhos que vive em Humberside, é um exemplo disso.

ESTUDO DE CASO: PAULA

"Meus sintomas de intolerância alimentar do tipo SII me deixavam tão mal que durante 7 anos não saí de casa a não ser para ir ao médico ou ao hospital. Nunca via os amigos e trabalhar estava fora de cogitação.

Segui todos os tratamentos recomendados e passei por diversos procedimentos médicos invasivos — nada disso ajudou. Por fim, desisti de ir ao médico e ao hospital. A essa altura, estava tão mal que cheguei a pensar em suicídio.

Foi aí que vi na televisão um médico recomendando o teste para intolerância alimentar da YorkTest. Resolvi ficar sem dinheiro e gastei meus últimos recursos no teste. O resultado mostrou que alimentos como trigo, peru e amora silvestre estavam me deixando doente. Algumas semanas depois de parar de comê-los minha saúde melhorou espantosamente e fui capaz de sair de casa. Senti-me como se estivesse saindo da prisão."

Talvez seus sintomas não sejam tão graves quanto os de Paula, mas a história dela mostra como é fácil comer, sem saber, um alimento que o corpo rejeita. Embora alguns alimentos como trigo, leite, clara de ovo e levedo usualmente surjam como causadores de alergias alimentares, a história de Paula mostra que nem sempre os culpados são aqueles de quem você suspeita. Conheci pessoas que fizeram o teste e descobriram ter intolerância a cenoura, pastinaca, feijão-fradinho e, em um caso, abacaxi. Elas tiveram um alívio completo quando cortaram esses alimentos de sua dieta.

COMO LOCALIZAR O PROBLEMA

Esses alimentos não são necessariamente "ruins", mas lhe farão mal se você tiver por eles uma alergia alimentar baseada no IgG. Mas como descobrir se isso acontece? Você pode localizar o que lhe causa alergia por meio de um exame de sangue feito com um simples kit de teste caseiro para medir suas alergias alimentares do tipo IgG (ver Recursos). Você receberá um relatório que mostra a que alimentos tem reação e com que intensidade. Um folheto de exemplo de intolerâncias alimentares mostra um indivíduo com uma reação muito forte

OS DEZ SEGREDOS DAS PESSOAS 100% SAUDÁVEIS

(+3) a leite e clara de ovo, uma reação menos intensa (+2) a gema de ovo e glúten (gliadina), uma reação suave (+1) a amêndoas, milho e levedo e uma sugestão de reação a trigo e cerejas. Se evitar todos os alimentos com reação +3 e +2 e consumir raramente e em pequenas quantidades os alimentos +1, aquele indivíduo reduzirá significativamente a carga alérgica.

DEIXE SEU SISTEMA ESQUECER A INTOLERÂNCIA

Ao evitar os alérgenos alimentares aos quais tem intolerância você dá ao sistema digestivo chance de se ajustar. Se evitar rigorosamente os alimentos IgG-reativos durante quatro meses, o sistema imunológico poderá esquecer que eles já causaram irritação. Isso acontece porque os anticorpos IgG criados para atacar aquele alimento específico morrem. Portanto, ao ser feita uma "rotatividade" daquele alimento — consumi-lo a intervalos maiores que 4 dias —, o sistema imunológico terá menos probabilidade de promover uma intolerância. Isso é aconselhável no caso das reações de baixo nível; em nosso exemplo, trigo e cereja. Você receberá todos esses conselhos no relatório que vem com o teste do IgG — pelo menos naqueles dos melhores laboratórios.

No canto inferior direito do relatório de exemplo se pode observar uma "referência de intolerância alimentar". O ideal é que essa pontuação seja 100, o que significa ter completa tolerância aos alimentos. Se você fizer um teste como esse e depois responder a meu Questionário da Saúde 100% o resultado do exame será solicitado. À medida que seguir minhas dicas para refinar a digestão, é provável que sua pontuação se aproxime de 100%.

QUAL É O SEU GRAU DE SENSIBILIDADE?

Nem todo mundo tem intolerância alimentar, mas se sua pontuação no questionário a seguir for alta, é muito provável que você tenha.

OS DEZ SEGREDOS

	MAIOR REAÇÃO → SEM REAÇÃO				
	4	3	2	1	0
Leite de Vaca		●			
Clara de Ovo		●			
Gema de Ovo			●		
Glúten (Gliadina)			●		
Amêndoa				●	
Milho				●	
Levedo				●	
Cereja				●	
Trigo				●	
Damasco					●
Maçã					●
Aspargo					●
Berinjela					●
Abacate					●
Banana					●
Cevada					●
Carne Vermelha					●
Amora Brava					●
Groselha Preta					●
Castanha do Pará					●
Trigo Sarraceno					●
Alfarroba					●
Cenoura					●
Castanha de Caju					●
Aipo					●
Frango					●
Pimenta Chilli					●
Canela/Cravo					●
Semente de Cacau					●
Coco					●
Café					●
Noz de Cola					●
Coentro/Cominho/Aneto					●
Oxicoco					●
Crustáceos					●
Pepino					●
Pato					●
Alho					●
Gengibre					●
Uva					●
Grapefruit					●
Vagem Verde					●
Avelã					●
Lúpulo					●
Feijão Fradinho					●
Kiwi					●
Carneiro					●

	MAIOR REAÇÃO → SEM REAÇÃO				
	4	3	2	1	0
Limão Siciliano					●
Lentilha					●
Alface					●
Limão					●
Melão					●
Painço					●
Hortelã					●
Frutos do Mar					●
Cogumelo					●
Maionese com Mostarda					●
Semente de Mostarda					●
Noz-Moscada/Pimenta Preta					●
Aveia					●
Peixes Gordurosos					●
Azeitona					●
Cebola					●
Laranja					●
Salsa					●
Ervilha Seca					●
Pêssego					●
Amendoim					●
Pera					●
Pimenta Malagueta/Páprica					●
Abacaxi					●
Linguado					●
Ameixa					●
Carne de porco					●
Batata					●
Framboesa					●
Arroz					●
Centeio					●
Salmão/Truta					●
Gergelim					●
Soja					●
Espinafre					●
Morango					●
Vagem					●
Semente de Girassol					●
Chá					●
Tomate					●
Atum					●
Peru					●
Baunilha					●
Nozes					●
Peixes Brancos					●

OS DEZ SEGREDOS DAS PESSOAS 100% SAUDÁVEIS

Questionário: confira sua sensibilidade alimentar

	Sim	Não
1. Você sofre de alergia?	☐	☐
2. Sofre de síndrome do intestino irritado?	☐	☐
3. É capaz de aumentar de peso em algumas horas?	☐	☐
4. Às vezes sente dor de estômago ou inchaço depois de comer?	☐	☐
5. Às vezes sente muita sonolência e cansaço depois de comer?	☐	☐
6. Sofre de rinite alérgica sazonal?	☐	☐
7. Costuma ter excesso de catarro, nariz entupido ou sinusite?	☐	☐
8. Costuma ter prurido, coceira, eczema ou dermatite?	☐	☐
9. Sofre de asma ou dificuldade para respirar?	☐	☐
10. Tem dores de cabeça ou enxaqueca?	☐	☐
11. Às vezes fica deprimido ou tem dificuldade de raciocínio sem razão aparente?	☐	☐
12. Sofre de dores articulares intermitentes ou de artrite?	☐	☐
13. Sofre de colite, diverticulite ou doença de Crohn?	☐	☐
14. Sente outras dores intermitentes?	☐	☐
15. Sente-se melhor quando viaja em férias e tem uma dieta completamente diferente?	☐	☐
16. Costuma tomar analgésicos quase toda semana?	☐	☐

Conte um ponto para cada "Sim". Pontuação total: ☐

Pontuação

5 ou mais
Vale a pena pesquisar a possibilidade de uma alergia alimentar, seja excluindo de sua dieta os alimentos suspeitos durante um período experimental ou fazendo um teste de intolerância alimentar IgG (ver Recursos).

OS DEZ SEGREDOS

INTOLERÂNCIA AOS ALIMENTOS — COMPROVAÇÃO CIENTÍFICA

Alguns ditos especialistas em saúde não acreditam na intolerância alimentar (ou seja, nas alergias IgG), mas a cada ano aumentam as comprovações de que essas alergias existem. Em uma pesquisa, mais de 5 mil participantes fizeram um teste para intolerância alimentar IgG e evitaram os alimentos suspeitos; mais de três entre quatro pesquisados relataram uma melhora notável na saúde, sendo que 68% perceberam os benefícios nas três primeiras semanas da dieta. Daqueles que tinham três ou mais sintomas relacionados com a alergia, 81% dos que eliminaram rigorosamente os alérgenos alimentares identificados relataram uma melhora notável em sua condição geral; 92% perceberam um retorno dos sintomas quando voltaram a comer os alimentos prejudiciais.[12] Portanto, há grande chance de que isso funcione para você.

Se quiser saber mais sobre as comprovações científicas das alergias e intolerâncias alimentares, consulte www.patrickholford.com/foodallergyevidence. Você verá alguns estudos excelentes (em inglês), como o que foi realizado em 2004 pelo Hospital Universitário de South Manchester, no Reino Unido, envolvendo 150 pacientes com síndrome do cólon irritado. Os pacientes fizeram o YorkTest para alergias alimentares baseadas no IgG. Em seguida, seus médicos receberam resultados de testes verdadeiros ou falsos, sem que o paciente ou o médico soubessem qual era o caso, e os pacientes seguiram o que julgavam ser uma dieta livre de alérgenos. Apenas os que seguiram a dieta verdadeiramente isenta de alérgenos tiveram uma melhora perceptível; quanto mais fiéis à dieta eles foram, melhores os resultados. No entanto, para os que estavam na dieta falsa, o grau de aderência não fez diferença. Quando comparados a pacientes para quem foi prescrito o remédio mais comum para essa condição de saúde (o Tegaserode), aqueles que seguiram a dieta sem alérgenos tiveram uma chance sete vezes maior de melhorar.[13]

MUITAS ALERGIAS ALIMENTARES NÃO SÃO PERMANENTES

A boa notícia é que a maioria das alergias alimentares não dura a vida toda. Se o alimento causador do problema for evitado durante 4 meses e o intestino for tratado (ver a próxima página), você poderá perder a sensibilidade alimentar,

OS DEZ SEGREDOS DAS PESSOAS 100% SAUDÁVEIS

como mencionamos. No entanto, existe um alergia mais grave e instantânea, mediada pela "IgE", que é permanente, porém menos comum. É provável que você saiba se tem esse tipo de alergia, porque os sintomas aparecem uma hora após a ingestão do alimento. As alergias agudas a amendoim, por exemplo, geralmente são baseadas na IgE.

COMO EVITAR E DEPOIS REINTRODUZIR ALIMENTOS

Uma vez descoberto o que lhe causa alergia e ficado 4 meses evitando rigorosamente esses alimentos, você pode começar a reintroduzi-los na dieta, um de cada vez: depois de retomar o primeiro causador de alergia, espere 48 horas para ver se os sintomas reaparecem; se isso não acontecer, você poderá reintroduzir o próximo.

Também é possível diminuir a probabilidade de ter uma alergia fazendo uma "rotação" de alimentos — o que significa comê-los a intervalos de pelo menos 4 dias. Esse é um método muito bom quando se tem uma história de reação a certo alimento como trigo ou leite. Se tiver reação, considere que a alergia persiste. No entanto, antes disso, é melhor "curar" o intestino (ver a próxima página).

Se quiser saber mais sobre alergias, leia o livro *Hidden Food Allergies*, de Patrick Holford e Dr. James Braly.

FAÇA UMA PLÁSTICA NO TRATO DIGESTIVO

Mesmo que você não tenha uma intolerância alimentar, sua "pele interior" trabalha muito para digerir e processar as montanhas de comida que você come; consequentemente, ela fica facilmente danificada. Os vilões mais comuns são as bebidas alcoólicas, os antibióticos, as bebidas cafeinadas, as frituras e os analgésicos. Esses últimos podem, literalmente, ulcerar o trato digestivo. Mais de 2 mil pessoas morrem anualmente em consequência de lesões no trato digestivo causadas por analgésicos; o cidadão britânico médio toma mais de 300 por ano! O resultado é que o intestino fica mais permeável. Normalmente, as proteínas são transformadas em aminoácidos antes de caírem na corrente sanguínea, mas quando o intestino fica mais permeável, proteínas não digeridas também passam e são atacadas pelo sistema imunológico. Essa é a causa da maioria das alergias alimentares.

GLUTAMINA — O MELHOR AMIGO DO SISTEMA DIGESTIVO

Existem oito aminoácidos "essenciais" que o corpo usa para criar a proteína da qual é constituído. A glutamina não é um deles. Contudo, apesar disso, é o aminoácido mais abundante no corpo humano. Encontra-se muita glutamina no leite materno — cinco vezes mais que qualquer outro aminoácido — e grandes quantidades podem ser encontradas nos alimentos. Por exemplo, um tomate grande tem mais ou menos 75 mg de glutamina, ao passo que contém menos de 10 mg da maioria dos outros aminoácidos. Portanto, por que o corpo precisa de toda essa glutamina e o que faz com ela? Ela é essencial para o trato digestivo, mas também é muito benéfica para o sistema imunológico e o cérebro.

Embora a maioria dos órgãos do corpo extraia energia da glicose, o trato digestivo é diferente. É uma interface vasta e muito ativa entre o corpo e o mundo exterior. Ele precisa de muito combustível para trabalhar adequadamente todos os dias, e é movido a glutamina — deixando para o cérebro, o coração e o restante do corpo a glicose indispensável para geração de energia.

O PODER DE CURA DA GLUTAMINA

Além de ser o combustível do intestino, esse aminoácido também é um agente de cura. As células endoteliais que compõem o revestimento interno do trato digestivo são repostas a cada 4 dias e constituem a linha de defesa mais importante contra as alergias alimentares e as infecções. Como "pele interior", o intestino sofre muitas agressões, como as causadas pelas bebidas alcoólicas e pelos analgésicos. No Japão, no caso de pacientes que tomam anti-inflamatórios (AINE) não esteroides para dor e inflamação é prática corrente administrar uma dose de 2 mg de glutamina 30 minutos antes do anti-inflamatório, para evitar sangramento e ulceração do estômago. Atualmente, muitos cirurgiões prescrevem glutamina para os pacientes após uma cirurgia, principalmente porque esse aminoácido trata o sistema digestivo e estimula o sistema imunológico — inclusive células imunológicas vitais como os linfócitos e os macrófagos. Essas células funcionam melhor quando recebem a dose ideal de glutamina.

OS DEZ SEGREDOS DAS PESSOAS 100% SAUDÁVEIS

SUPLEMENTOS PARA A SAÚDE DIGESTIVA

Minha principal dica para a saúde digestiva (além de evitar os alimentos que causam alergia) é tomar glutamina durante um mês, de preferência junto com enzimas digestivas e um suplemento de probióticos. Alguns suplementos trazem esses três elementos (ver Recursos). Para uma cura rápida após uma infecção, um ciclo de antibióticos ou o consumo excessivo de bebidas alcoólicas, recomendo de 4 mil ou 8 mg de glutamina por dia — o equivalente a uma ou duas colheres de chá cheias de glutamina em pó. (As cápsulas geralmente contêm 500 mg, portanto você deverá tomar de oito a 16!) Isso dará a seu intestino toda a glutamina necessária para curá-lo e rejuvenescê-lo. O melhor é tomar o suplemento misturado em um copo de água, à noite, ao deitar-se, ou no início da manhã, quando o estômago estiver vazio. O calor destrói a glutamina, portanto, não misture o aminoácido com uma bebida quente. Tome-a diariamente durante um mês, se estiver começando uma dieta sem alérgenos, passado por algum tipo de infecção, bebido demais ou tomado antibióticos. Eu mantenho um pote de glutamina à mão o tempo todo.

BACTÉRIAS BENÉFICAS — RECUPERANDO O EQUILÍBRIO

O interior do corpo tem mais bactérias do que células vivas. Essas bactérias prosperam em um trato digestivo saudável, mas morrem em um trato digestivo prejudicado. Portanto, quando você melhorar a digestão, fará uma grande diferença "reinocular" o trato digestivo com as cepas corretas de bactérias, as chamadas *acidophilus* e *bifidus* das "cepas humanas" — que dão resultados muito melhores que as cepas dos laticínios, normalmente encontradas no iogurte. Se você come iogurte, é melhor escolher as marcas de que fermentam o iogurte com as bactérias *acidophilus* e *bifidus*.

As bactérias benéficas são boas para o trato digestivo, mas também para o sistema imunológico e a saúde em geral. Se você tomou antibióticos para curar uma infecção, é vital reinocular o intestino, não só porque os antibióticos matam as bactérias benéficas,[14] e o intestino pode levar meses para se recuperar, mas também porque as bactérias amigáveis evitam que você tenha diarreia.[15]

UM ECOSSISTEMA INTERNO

As bactérias são vitais para a saúde intestinal e muita comunicação ocorre entre a parede intestinal e as bactérias que vivem nela. De acordo com o professor Fergus Shanahan, do Alimentary Pharmabiotic Centre, da University of Cork, "Ele [o ecossistema intestinal] tem receptores e informações que entram e saem e precisam ser integrados e organizados, portanto [esse ecossistema], também tem memória e capacidade de aprender". Tal como ocorre com outros sentidos, se não for preparado adequadamente no início da vida e não receber o estímulo necessário, o ecossistema não vai funcionar muito bem. O professor Shanahan vai além: "Quando um bebê nasce, as bactérias benéficas da mãe precisam colonizar seu intestino, um processo que pode ser prejudicado nas cesarianas. Então, sem o estímulo de algum tipo de infecção, o desenvolvimento da resposta imunológica é fraco e o resultado pode ser a inflamação crônica que vemos na SII."

Na verdade, o efeito do desequilíbrio da flora intestinal pode ser ainda mais desastroso. Pesquisas recentes mostram que acontece no trato intestinal um equivalente biológico ao aquecimento global. Assim como nosso consumo de energia está aquecendo o planeta, a mudança na alimentação e nas práticas obstétricas, o aumento da esterilidade dos lares e o uso irrestrito de antibióticos se combinaram para alterar drasticamente a constituição das bactérias intestinais — provavelmente contribuindo para o grande aumento recente de alergias e doenças autoimunes.[16]

AS CEPAS DO ESTRESSE

O estresse também pode mudar o equilíbrio da flora intestinal, favorecendo agentes patogênicos como *E. coli* e estreptococos, em prejuízo dos lactobacilos e bifidobactérias, que crescem mais devagar.[17] Portanto, por exemplo, se você nasceu de cesariana e não foi amamentado ou se tomou alguns ciclos de antibióticos no início da vida e depois passou por algum estresse intenso, é muito provável que seja beneficiado pelos probióticos para reprogramar o sistema imune intestinal para se tornar mais saudável.

A AJUDA DOS PROBIÓTICOS

Um estudo recente mostrou que o simples fato de tomar os probióticos comuns pode na verdade produzir uma vasta gama de efeitos bioquímicos positivos no

OS DEZ SEGREDOS DAS PESSOAS 100% SAUDÁVEIS

fígado, no sangue e na urina.[18] O autor do estudo, o Dr. Jeremy Nicholson, do Imperial College, em Londres, afirma: "Descobrimos que as bactérias benéficas podem mudar a dinâmica de toda a população microbiana do intestino." Em estudos com animais verificou-se que os probióticos também podem protelar o aparecimento do câncer de cólon, de acordo com o professor Ian Rowland, da Reading University: "Há boas indicações de que os probióticos podem reduzir os elementos tóxicos no intestino de ratos, e provas muito convincentes de que eles reduzem a probabilidade de que as células pré-cancerosas dos ratos se tornem cancerosas. Em humanos, porém, ainda não temos um estudo amplo, controlado por placebo, para mostrar que esses microrganismos de fato reduzem o risco de câncer."

NUTRA SUAS BACTÉRIAS COM PREBIÓTICOS

Ao obter um equilíbrio bacteriano correto no intestino, dê às bactérias o tipo adequado de alimento para manter esse equilíbrio.[19] O que precisamos comer para equilibrar as duas espécies bacterianas mais benéficas — os *Lactobacillus acidophilus* e as *Bifidobacteria* — é uma alimentação rica nas fibras que só são encontradas nas frutas, nos legumes, em verduras e grãos frescos e não processados, de acordo com a dieta perfeita, encontrada na Parte Três.[20] Essas fibras, em geral, são os carboidratos mais difíceis de digerir, conhecidos como prebióticos. Os mais populares e mais amplamente testados são os oligossacarídeos. Eles também surgem na forma de suplementos, chamados de fruto-oligossacarídeos (FOS). Outro prebiótico é o "amido resistente", que, ao contrário do que acontece com o amido normal, atravessa o estômago e só pode ser digerido no intestino. Outros alimentos favoritos das bactérias incluem os flavonoides e as lignanas, encontrados nos legumes, nas leguminosas (lentilha, feijão e grão-de-bico) e nas sementes. As bifidobactérias particularmente apreciam os FOS. Alimentos ricos em prebióticos incluem a chicória, o girassol-batateiro ou tupinambo e a soja.

Se quiser dar um grande impulso em suas bactérias benéficas, é melhor tomar um probiótico que também contenha FOS. Dessa forma você estará aumentando sua população e dando a ela uma dose adicional de alimento. Alguns suplementos de probióticos também contêm enzimas digestivas e glutamina,

OS DEZ SEGREDOS

cobrindo as três bases. Tomar uma cápsula ou pó durante 30 dias é o bastante para fazer a flora interna florescer. Não é preciso tomá-los todo dia.

O seguinte plano de 30 dias é como uma spa para as entranhas. Como disse uma vez um professor de gastroenterologia de Harvard: "Ter um estômago forte e um bom conjunto de intestinos é mais importante para a felicidade humana que uma grande quantidade de massa cerebral."

SEU PLANO DE AÇÃO DE 30 DIAS PARA UMA DIGESTÃO SAUDÁVEL

Se sua pontuação no check-up da digestão ficou acima de 5, eis um Plano de Ação para renovar a digestão e a absorção em 30 dias. Caso contrário, o mais importante a fazer é comer o mais próximo possível da dieta perfeita (ver a Parte Três).

- Evite ou reduza o consumo de trigo, leite e levedo (presente na cerveja, mas não nas bebidas destiladas; no pão, mas não nas massas) ou, idealmente, faça um teste de alergias com um exame de sangue realizado com uma espetada no dedo e o uso de um kit de teste caseiro (ver Recursos).

- Tome uma colher de chá cheia de glutamina em pó à noite, ao deitar-se, para melhorar a integridade do trato digestivo.

- Tome enzimas digestivas com as principais refeições.

- Reinocule as bactérias benéficas do intestino tomando uma cápsula com um pó de cepa humana de *acidophilus* e *Bifidobacteria*. É possível comprar uma combinação de enzimas digestivas e probióticos (ver a seção de suplementos em Recursos).

- Coma grande quantidade de legumes, verduras, frutas e peixes e evite as frituras e o trigo; beba menos álcool e café. Comece cada refeição principal por uma salada ou uma comida crua.

- Mastigue bem os alimentos e não coma quando estiver estressado.

- Beba diariamente oito copos de água. Isso é realmente necessário. A desidratação é a causa mais comum de constipação.

(Veja no Capítulo 2 da Parte Três um programa de suplementos fácil de seguir.)

Segredo 2

EQUILIBRE O AÇÚCAR NO SANGUE — A CHAVE PARA GANHAR ENERGIA E PERDER PESO

Você se sente cansado? Na década de 1970 nos diziam que "uma barra de chocolate por dia ajuda a trabalhar, descansar e se divertir", porque se pensava que o principal combustível para o corpo era o açúcar. Esse simples fato deu origem ao que talvez tenha sido o mito mais prejudicial na história da saúde: a ideia de que o açúcar dá energia. Com o aumento do consumo mundial de açúcar refinado e carboidratos refinados, a incidência de sobrepeso e obesidade dispararam, ao mesmo tempo em que os níveis de energia dos indivíduos caíam drasticamente. Na esteira da epidemia de obesidade, a incidência de diabetes, doenças cardíacas, síndrome de ovários policísticos, câncer de mama, perda de memória e muitas outras doenças relacionadas ao açúcar continua a aumentar. Mais que qualquer outro fator — até mesmo o consumo excessivo de gordura ou calorias —, a perda do controle do açúcar no sangue é o que agrava os problemas atuais de saúde, comuns ou crônicos, inclusive o aumento de peso. Contudo, o poder do lobby do açúcar e as campanhas bem-elaboradas conseguiram manter quase todos iludidos, impedindo os governos de agir. Por exemplo, no Reino Unido a ingestão de sal é restrita, mas a ingestão de açúcar não é. Nos Estados Unidos, onde nos últimos 30 anos o consumo de gordura diminuiu sistematicamente, o consumo de açúcar aumentou e a obesidade acaba de superar o tabagismo como a principal causa evitável de morte prematura.

ACERTANDO OS PONTEIROS

O corpo depende de um nível estável e constante de açúcar no sangue. Quando conseguimos equilibrar a taxa de açúcar, passamos a nos sentir cheios de energia, paramos de desejar açúcar e estimulantes e perdemos peso rapidamente

— *mantendo* essa perda. O mais importante é que passamos a ter um humor mais estável, com menos ansiedade, depressão e agressividade, uma memória melhor e mais capacidade de concentração, além de diminuirmos drastica-mente o risco de doenças relacionadas à taxa de açúcar no sangue, que vão do diabetes às cardiopatias. Manter uma taxa equilibrada de açúcar no sangue é o segundo segredo essencial das pessoas 100% saudáveis.

Neste capítulo você vai descobrir como recuperar rapidamente o contro-le sobre o açúcar no sangue e restaurar a saúde por meio de cinco alterações dietéticas simples. Essas alterações nos permitem controlar o peso e melhorar muito a saúde em inúmeros aspectos. Porém, para começar, vamos dar uma olhada em seus indícios e sintomas com o teste do açúcar no sangue a seguir.

Questionário: confira seu açúcar no sangue

	Sim	Não
1. É raro sentir-se alerta 15 minutos depois de acordar?	☐	☐
2. Você precisa de chá, café, um cigarro ou alguma coisa doce para começar o dia?	☐	☐
3. Sente desejo de comer chocolate, doces, pão, flocos de cereais ou massas?	☐	☐
4. Costuma com frequência sentir baixa de energia durante o dia ou após as refeições?	☐	☐
5. Precisa de alguma coisa doce ou estimulante depois das refeições?	☐	☐
6. Tem muitas alterações de humor ou dificuldade de con-centração?	☐	☐
7. Fica tonto ou irritado se passa mais do que seis horas sem comer?	☐	☐
8. Às vezes tem uma reação exagerada ao estresse?	☐	☐
9. Sente menos energia hoje do que no passado?	☐	☐
10. Sente-se cansado demais para fazer exercícios?	☐	☐

OS DEZ SEGREDOS DAS PESSOAS 100% SAUDÁVEIS

11. Está ganhando peso e tem dificuldade para perdê-lo, embora não esteja perceptivelmente comendo mais ou se exercitando menos?

Conte 1 ponto para cada "sim". Pontuação total:

Pontuação

0-2: Nível A

Parabéns! Seu equilíbrio do açúcar no sangue provavelmente é bom. Se tiver uma ou duas respostas afirmativas, provavelmente precisa apenas fazer pequenos ajustes na dieta e no estilo de vida atual, sem necessidade de alterações radicais, para melhorar a saúde. Portanto, leia este capítulo e siga as recomendações que ainda não tenha adotado.

3-4: Nível B

Você está começando a mostrar sinais de deficiência no equilíbrio do açúcar no sangue e, sem dúvida, sofre as consequências. Se não cuidar das causas subjacentes agora, continuará a lutar para manter níveis de energia estáveis e provavelmente começará a ganhar peso, se isso já não estiver acontecendo. Concentre-se em melhorar sua dieta e siga os conselhos sobre suplementos encontrados na Parte Três.

5-7: Nível C

É quase certo que você já tenha problemas de equilíbrio do açúcar no sangue, sinta desejo por determinados alimentos, além de passar por oscilações no nível de energia e dificuldade para manter o peso. Se seguir os conselhos deste capítulo, juntamente com o programa de dieta e suplementação da Parte Três, logo deverá começar a ver uma melhora em seus sintomas.

8 ou mais: Nível D

O equilíbrio do açúcar em seu sangue está descontrolado — mas você pode reverter os sintomas se seguir os conselhos deste capítulo. Seu maior desafio será cortar os alimentos doces e os estimulantes. Quando suprimi-los de sua dieta, você será recompensado com mais energia e um peso mais estável. O programa de suplementos da Parte Três o ajudará nessa tarefa.

OS DEZ SEGREDOS

RESULTADOS DA PESQUISA DA SAÚDE 100%

- 75% dos pesquisados têm níveis de energia baixos ou muito baixos. Apenas 4% mostraram níveis ótimos de energia.
- 81% dos pesquisados relataram sentir falta de energia com frequência.
- 43% acordam cansados. 63% sentem que precisam de mais de oito horas de sono.
- Os cinco sintomas que mais indicarn dificuldade para perder peso são:

  1. Acordar cansado.
  2. Não conseguir passar sem chá, café ou algo doce.
  3. Precisar comer um doce ou tomar café depois da refeição.
  4. Sentir que a energia diminui à tarde.
  5. Sentir cansaço constante.

- 39% têm necessidade de bebidas cafeinadas (chá, café, refrigerantes de cola).
- Os que apresentaram os piores níveis de energia consomem mais bebidas cafeinadas, açúcar e alimentos refinados. Aqueles com mais alto nível de estresse consomem mais bebidas cafeinadas e açúcar.
- Comer apenas uma guloseima doce por dia já reduz à metade a probabilidade de ter uma saúde ideal.

O AÇÚCAR NO SANGUE FUGIU AO CONTROLE?

Quando a taxa de açúcar no sangue está baixa, sentimos cansaço e fome. Se nos abastecermos com carboidratos que repõem rapidamente a energia e têm alta carga glicêmica (doces ou alimentos refinados), faremos a taxa de açúcar no sangue subir muito rapidamente. O corpo não precisa de tanto açúcar, portanto, armazena o excesso como gordura. Então, o nível de açúcar no sangue torna a cair, provocando cansaço, desânimo, irritação, fome e, principalmente, o desejo por algo doce ou estimulante, como uma bebida cafeinada. É assim que entramos no círculo vicioso do nível oscilante de açúcar no sangue, que leva ao cansaço, aumento de peso e desejo por carboidratos.

OS DEZ SEGREDOS DAS PESSOAS 100% SAUDÁVEIS

Os sintomas de baixa do açúcar no sangue incluem fadiga, falta de concentração, irritabilidade, nervosismo, depressão, transpiração, dores de cabeça, problemas digestivos e desejo por açúcar e estimulantes. Estima-se que três em dez pessoas tenham deficiência na capacidade de manter estável o nível de açúcar no sangue. Se isso acontece a você, com o passar dos anos a consequência será tornar-se cada vez mais gordo e letárgico. No entanto, se conseguir controlar o nível de açúcar, terá o peso equilibrado e energia constante.

SINTOMAS RELACIONADOS COM O AUMENTO NO CONSUMO DE AÇÚCAR

- Ganho de peso.
- Apatia e falta de motivação.
- Dificuldade de concentração e confusão mental.
- Pouca energia pela manhã.

O SEGREDO DA ESTABILIDADE DO AÇÚCAR NO SANGUE

Os carboidratos de liberação rápida são como combustível para foguetes. Eles liberam a glicose de uma vez. Eles dão uma injeção rápida de energia com uma queima igualmente rápida. Portanto, num nível básico, se quisermos equilibrar o açúcar no sangue, precisamos comer menos alimentos de liberação rápida de energia (bolos, biscoitos, doces e qualquer coisa feita com farinha branca) e comer mais alimentos de liberação lenta (carboidratos de grãos integrais, frutas frescas e hortaliças).

No entanto, a melhor maneira de estabilizar a taxa de açúcar no sangue é controlar a carga glicêmica — ou **CG**, para simplificar — da alimentação. Isso não depende somente da quantidade e do tipo de carboidratos consumidos, mas também do que se come com eles. Talvez você tenha ouvido falar do "índice glicêmico", ou conheça a conexão entre restringir o consumo de carboidratos e perder peso, segundo o trabalho pioneiro do falecido Dr. Atkins. A carga glicêmica leva esses conceitos mais adiante ao criar uma forma cientificamente superior de controlar o açúcar no sangue. Os resultados valem a pena:

OS DEZ SEGREDOS

ESTUDO DE CASO: Kyra

Quando Kyra respondeu pela primeira vez ao Questionário da Saúde 100%, sua pontuação foi 50%, tanto na saúde geral quanto no equilíbrio do açúcar no sangue. Ela sofria de diabetes e tomava medicação para o problema. Dois meses depois, Kyra obteve 75% na saúde geral e 88% no equilíbrio do açúcar no sangue, dispensando a medicação para diabetes. Na verdade, todos os seus exames de sangue foram normais.

"Perdi 19 quilos sem sentir fome. Tenho muito mais energia e não preciso mais de remédios. É fácil ser fiel a essa dieta, e a comida é deliciosa."

SUA INSULINA TRABALHA A SEU FAVOR?

Antes de entrar em detalhes sobre a dieta de baixa carga glicêmica é importante compreender as armadilhas do ganho de peso, do diabetes e de outras complicações evitáveis. No capítulo anterior vimos como as enzimas digestivas transformam os açúcares complexos em açúcares simples, dos quais o mais importante é a glicose. A glicose é um combustível de alta octanagem e muito corrosiva. Ela danifica as artérias, os rins, os olhos, as células sanguíneas e cerebrais. Esse processo se chama glicosilação, e é a maior causa de todos os sintomas associados com o diabetes.

Por essa razão, assim que o nível de açúcar no sangue começa a subir, o corpo lança na circulação um hormônio chamado insulina, cujo papel é retirar do sangue, o mais depressa possível, o excesso de glicose — consequente da refeição ou do lanche que acabamos de comer. Quando estamos com fome, parte desse açúcar cumpre seu papel: fornece energia. No entanto, o excesso precisa ser armazenado. Esse trabalho é realizado pelo fígado, que converte o açúcar excedente em gordura, para os tempos de vacas magras. O problema é que no século XXI, para a maioria dos habitantes do mundo ocidental, esses tempos de escassez não acontecem. Consequentemente, o próprio mecanismo projetado para nos salvar a vida nos tempos difíceis acaba por nos matar.

QUANDO O FÍGADO JÁ NÃO DÁ CONTA

O fígado precisa trabalhar muito para converter o excesso de açúcar em gordura, e um pouco dessa gordura acaba ficando no próprio órgão, criando um

OS DEZ SEGREDOS DAS PESSOAS 100% SAUDÁVEIS

fígado gorduroso. Na Grã-Bretanha, aproximadamente 4 mil pessoas morrem por ano em consequência de problemas hepáticos. A segunda causa mais comum desses problemas, depois do álcool, é o excesso de açúcar e de carboidratos refinados. É possível avaliar a função hepática usando um simples kit de teste caseiro — ver Recursos — ou pedindo ao médico que faça esse teste, se estiver preocupado com a questão.

SOBRECARGA DE AÇÚCAR NO SANGUE

Quanto mais frequente for o aumento do nível de açúcar no sangue, mais insulina o corpo precisa produzir. Com o tempo, as células dos vasos sanguíneos que deveriam responder à insulina e remover o açúcar do sangue ficam cada vez menos sensíveis ao hormônio. Isso se chama "resistência à insulina" e é um sinal de aviso de um risco mais alto de diabetes. De acordo com o professor Gerald Reavan, da Stanford University, na Califórnia, um em cada quatro obesos tem resistência à insulina. "A resistência à insulina está presente na maioria dos pacientes que têm pouca tolerância à glicose ou sofrem de diabetes mellitus e, ainda, em aproximadamente 25% dos indivíduos não obesos com tolerância normal à glicose oral."

Como consequência da insensibilidade progressiva à insulina, o corpo precisa fabricar quantidades cada vez maiores do hormônio para alcançar o mesmo resultado. Então, os níveis de açúcar no sangue ficam elevados demais por muito tempo e, em seguida, baixos demais. A consequência é o aumento de peso quando os níveis estão muito altos e a sensação de cansaço excessivo e fome quando estão muito baixos. Parece-lhe familiar? Uma das melhores maneiras de saber se você está sofrendo desse "efeito ioiô" é um teste realizado com uma espetadinha no dedo para medir algo chamado hemoglobina glicosilada (também conhecida como HbA1c); em termos simples, trata-se de hemácias cobertas de açúcar. Quanto maior for a frequência com que o nível de açúcar no sangue fica muito elevado, mais glóbulos vermelhos do sangue ficarão cobertos de açúcar ou glicosilados. Isso é um exemplo dos malefícios causados pelo açúcar.

OS DEZ SEGREDOS

SÍNDROME METABÓLICA — VOCÊ ESTÁ SOFRENDO DE AQUECIMENTO GLOBAL?

Tanto a resistência à insulina quanto o aumento na hemoglobina glicosilada são indicadores da síndrome metabólica. Esses fenômenos podem ser vistos como nosso próprio aquecimento global interno. A síndrome metabólica está fortemente associada a quase todos os maiores problemas de saúde do século XXI: depressão, perda de memória, problemas cardíacos, diabetes, obesidade. Por exemplo, mulheres com síndrome metabólica têm uma probabilidade duas vezes maior de ter a cognição prejudicada na idade avançada;[21] quanto mais gordo for o homem, pior fica sua memória com mais idade;[22] a resistência à insulina aumenta o risco de doenças cardíacas, diabetes e demência;[23] o câncer de mama e a síndrome de ovários policísticos estão fortemente relacionados com a síndrome metabólica, problemas de açúcar no sangue e excesso de peso. De acordo com o Dr. Walter Willett, da Harvard School of Public Health, a obesidade se relaciona a 14% das mortes por câncer em homens e por 20% em mulheres, enquanto o tabagismo está ligado a 30% de cada.[24] Se você tiver qualquer um desses problemas, é possível que seu metabolismo esteja "superaquecido".

Tal como precisamos cortar as emissões de carbono do meio ambiente, é preciso cortar a ingestão de açúcar simples, alimentos refinados e frituras, assim como o excesso de bebidas estimulantes e alcoólicas — também é preciso aumentar o nível de atividade física e reduzir o estresse. Limitar-se a prescrever medicamentos para tratar desses problemas não atinge a verdadeira causa, subjacente aos problemas de saúde mais comuns de nossos dias. A cada dia surgem mais comprovações que esses problemas são consequência do estilo de vida do século XXI. Uma dieta de baixa carga glicêmica é perfeita para este século, porque evita e reverte os sintomas das doenças associadas com a síndrome metabólica.

"Aquecimento global" metabólico

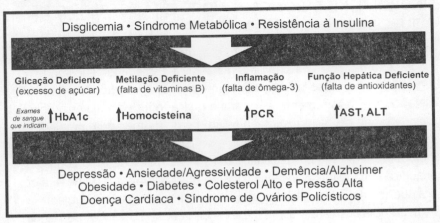

A maioria dos problemas de saúde do século XXI pode ser associada à síndrome metabólica, ao equilíbrio deficiente do açúcar no sangue (disglicemia) e à resistência à insulina. Os marcadores bioquímicos desse "aquecimento global" interno incluem: aumento da hemoglobina glicosilada; níveis mais altos de homocisteína (ver Segredo 3); aumento da proteína C reativa ou PCR (ver Segredo 5) — que indica inflamação; e deficiência da função hepática.

SIGNIFICADO DOS VALORES DOS EXAMES

O teste de hemoglobina glicosilada é muito melhor que um simples exame da taxa de glicose, pois é uma medida do controle do açúcar no sangue ao longo do tempo, em vez de mostrar apenas um valor instantâneo. É possível medir a hemoglobina glicosilada usando um kit caseiro chamado GLCheck (ver Recursos). É melhor ter um nível inferior a 5% para um controle ideal do açúcar no sangue ou pelo menos inferior a 6,5. Quando o nível está entre 7% e 8%, o risco de sofrer de diabetes e hipertensão é significativo, portanto, aconselho procurar um médico para cuidar disso. A maioria dos diabéticos tem um nível superior a 6,5%. É uma boa informação e você poderá mapear seu progresso à medida que segue a dieta de baixa carga glicêmica.

Para falar de dados reais, quando Kyra recebeu o diagnóstico de diabetes, o valor dela era 7,8%. Seis semanas depois de começar a seguir a dieta de baixa CG ela obteve 6,2%, e um ano depois obteve 5,2%.

OS DEZ SEGREDOS

CONTROLE O AÇÚCAR NO SANGUE COM A DIETA DE BAIXA CG

Quero que você se focalize no conteúdo de carboidratos dos alimentos, porque os outros dois tipos principais de alimento — a gordura e a proteína — não exercem qualquer efeito perceptível sobre o açúcar no sangue. Na verdade, recomendo que você coma um pouco de gordura e proteína com o carboidrato, pois isso vai ajudá-lo a retardar mais o efeito deste sobre o açúcar no sangue, baixando a carga glicêmica da refeição.

AS REGRAS DO EQUILÍBRIO

Para equilibrar o açúcar no sangue existem apenas quatro regras:

Regra 1 Para perder peso coma 40 CGs por dia; para mantê-lo, coma 60.

Regra 2 Coma carboidratos com proteínas.

Regra 3 Coma pouco, não se empanturre.

Regra 4 Reduza os estimulantes.

A terceira regra trata sobre comer pouco e com frequência. Portanto, sempre coma o desjejum, o almoço e o jantar e faça lanches no meio da manhã e no meio da tarde. Dessa forma seu corpo receberá um suprimento constante e regular de combustível, fazendo com que você sinta menos desejo de comer.

A quarta regra é especialmente importante se você tem o hábito de tomar café com alguma coisa que contenha carboidratos, como um croissant. De acordo com a pesquisa da Universidade de Guelph, no Canadá, no que diz respeito ao açúcar no sangue, essa combinação é mortal. Os participantes do estudo receberam um alimento com carboidratos, como um croissant, um bolinho ou uma torrada, juntamente com um café normal ou café sem cafeína. Naqueles que tomaram o café normal com carboidratos, o nível de açúcar no sangue triplicou, enquanto a sensibilidade à insulina caiu à metade.

Gostaria de lhe mostrar um dia típico, começando com o café da manhã, para que você tenha uma boa ideia da aplicação dessas regras em sua vida diária. Mas, antes disso, vale a pena compreender o que significa carga glicêmica e seu nível em cada alimento.

OS DEZ SEGREDOS DAS PESSOAS 100% SAUDÁVEIS

PARA ENTENDER A CARGA GLICÊMICA

A carga glicêmica combina o índice glicêmico com a medição do consumo de carboidratos, e constitui um meio cientificamente superior de controlar o açúcar no sangue. Para simplificar, o índice glicêmico (IG) de um alimento mostra se o carboidrato dele é de liberação rápida ou lenta. É uma medida de "qualidade". No entanto, esse índice não informa quanto do alimento é carboidrato. Contar pontos ou gramas de carboidratos permite saber quanto carboidrato o alimento tem, mas não o que aquele carboidrato específico causa na taxa de açúcar no sangue. É uma medida de "quantidade". A carga glicêmica (CG) de um alimento é a "quantidade" multiplicada pela "qualidade." É a melhor maneira de dizer quanto peso você ganhará se optar por aquele alimento.

A seguir mostraremos alguns exemplos de carboidratos de alta e baixa CG, para que você compreenda que tipo de comida escolher. Idealmente, você deve comer 5 CGs em um lanche e 7-10 CGs na porção de carboidratos de uma refeição principal. Os alimentos de baixa CG aparecem em **negrito** e os de alta CG aparecem em itálico:

Alimento	Porção	CG
FRUTAS		
Mirtilos	**1 embalagem grande (600 g)**	**5**
Maçã	**1, pequena (100 g)**	**5**
Grapefruit (Toranja)	**1 pequena**	**5**
Damasco	**4 damascos**	**5**
Uva	**10 uvas**	**5**
Abacaxi	**1 fatia fina**	**5**
Banana	*1 pequena*	*10*
Passas	*20 passas*	*10*
Tâmara	*2 tâmaras*	*10*
LEGUMES COM AMIDO		
Abóbora/abobrinha	**1 porção grande (185 g)**	**7**
cenoura	**1 grande (158 g)**	**7**
Beterraba	**2 pequenas**	**5**
Batata cozida	*3 batatas pequenas (60 g)*	*5*

Alimento	Porção	CG
Batata-doce	*1 batata-doce (120 g)*	*10*
Batata assada	*1 batata assada (120 g)*	*10*
Batatas fritas	*10 batatas fritas*	*10*
GRÃOS, PÃES, CEREAIS		
Quinoa (cozida)	**65 g (2/3 de xícara)**	**5**
Cevadinha (cozida)	**75 g**	**5**
Arroz basmati integral (cozido)	**1 porção pequena (70 g)**	**5**
Arroz branco (cozido)	*1/2 porção (66 g)*	*10*
Cuscuz marroquino (hidratado)	*1/2 porção (66 g)*	*10*
Biscoitos de aveia integral	**2-3 biscoitos**	**5**
Pão de centeio tipo escandinavo	**1 fatia fina**	**5**
Pão integral	**1 fatia fina**	**5**
Pão francês	**1/4 de pão**	**5**
Bolo de flocos de arroz	**1 bolo**	**5**
Macarrão branco (cozido)	*1 porção pequena (78 g)*	*10*
FEIJÕES E LENTILHA		
Soja	**3 1/2 latas**	**5**
Feijão-mulatinho	**1 lata**	**5**
Lentilha	**1 porção grande (200 g, cozida)**	**7**
Feijão-fradinho	**1 porção grande (150 g cozido)**	**7**
Grão-de-bico	**1 porção grande (150 g cozido)**	**7**
Feijão assado	**1 porção grande (150 g)**	**7**

O QUE COMER NO CAFÉ DA MANHÃ

Não deixe de tomar o café da manhã. É a refeição mais importante do dia. Quando acorda com o nível de açúcar no sangue baixo e uma firme decisão de perder peso, muita gente comete o erro fatal de tentar não comer nada pelo maior tempo possível. A menos que a pessoa se escore num estimulante líquido (café ou chá), na nicotina ou em açúcar instantâneo em forma de um pedaço de

OS DEZ SEGREDOS DAS PESSOAS 100% SAUDÁVEIS

torrada ou croissant, essa resolução fica progressivamente mais fraca à medida que o nível de açúcar no sangue diminui cada vez mais, até se tornarem cada vez menores as chances de fazer uma escolha adequada de alimento. Dessa forma, o indivíduo cede à pressão e acaba por devorar comidas de alta carga glicêmica. Você se reconheceu?

Essa é a razão por que é preciso comer no café da manhã. A única dúvida é o que comer e em que quantidade. Temos quatro opções básicas que dão o equilíbrio correto de carboidrato e proteína:

Carboidratos		Proteína
cereal	+	sementes/iogurte/leite
frutas	+	iogurte/sementes
pão/torrada	+	ovo
pão/torrada	+	peixe (p.ex., arenque defumado ou sardinha)

Agora, quanto devemos comer de cereal, frutas, torrada etc.? Vamos começar com o desjejum baseado em cereal, adoçado com frutas, em vez de açúcar.

OS MELHORES DESJEJUNS À BASE DE CEREAIS

Um bom desjejum baseado em cereais precisa incluir um cereal de baixa CG, uma fruta de baixa CG como adoçante e uma fonte de proteína e gorduras essenciais, com a meta de não ultrapassar os 10 pontos de CG.

Na tabela a seguir você verá que quantidade de sete cereais equivale a 5 pontos. Como poderá ver, o maior "valor" do ponto de vista do apetite é o da aveia em flocos, seja como mingau, seja comida crua, tal como flocos de milho. Basicamente, você pode comer quanto quiser, já que duas porções enchem qualquer estômago. (Uma porção tem 30 g, ou o equivalente a um daqueles pacotes pequenos que recebemos quando hospedados em um hotel.)

Cereal	5 pontos de CG
Aveia em flocos	2 porções
Cereal matinal	1 porção
Muesli sem açúcar	1 porção pequena
Muesli	1/2 porção
Flocos de trigo com passas	1/2 porção

Cereal	**5 pontos de CG**
Biscoito de cereais	1 biscoito
Flocos de milho	1/2 porção

Na coluna da direita, a seguir, você poderá ver quanto poderá comer de seis frutas para conseguir 5 pontos de CG.

Fruta	**5 pontos de CG**
Morango	1 embalagem grande
Pera	1
Grapefruit (toranja)	1
Maçã	1 pequena
Pêssego	1 pequeno
Banana	menos que a metade

Portanto, o melhor que você pode fazer é comer um mingau de aveia sem açúcar, com todos os morangos que aguentar. Como alternativa, você pode comer uma tigela de cereal matinal e uma grapefruit, ou uma tigela de muesli sem açúcar com uma maçã pequena ralada.

No que diz respeito à proteína, encontra-se um pouco no leite (ou no leite de soja). O leite de arroz tem uma carga glicêmica bastante alta, é melhor evitá-lo. Mas o iogurte (sem açúcar) tem muita proteína. Portanto, coma uma colher de sopa de iogurte com o cereal para ajudar a estabilizar o açúcar no sangue.

Outra fonte de proteínas que também contém inúmeras vitaminas, minerais, gorduras essenciais e fibra são as sementes. Também recomendo que você coma uma colher de sopa de sementes moídas com o cereal. Isso realmente dá sabor e, por conter as gorduras essenciais necessárias, evita que você deseje fontes menos aconselháveis de gordura.

OS MELHORES DESJEJUNS COM IOGURTE

Se você gosta de iogurte, pode dispensar completamente os cereais e comê-lo com frutas e sementes. Vamos ver como. Na tabela a seguir você verá quanto iogurte poderá comer para se limitar a 5 pontos de CG. (Um copo pequeno de iogurte tem mais ou menos 150 g.)

OS DEZ SEGREDOS DAS PESSOAS 100% SAUDÁVEIS

Iogurte	**5 pontos de CG**
Iogurte natural	2 copos pequenos (330 g)
Iogurte desnatado	2 copos pequenos (330 g)
Iogurte semidesnatado	
com frutas e açúcar	menos que um copo pequeno (100 g)

Portanto, desde que escolha um iogurte que não contenha açúcar, você poderá comer dois copos pequenos, adoçados com qualquer fruta de sua preferência, entre as relacionadas anteriormente, e mais uma colher de sopa de sementes moídas.

OS MELHORES DESJEJUNS COM OVOS

Embora seja verdade que mais da metade das calorias do ovo vem da gordura, o tipo de gordura depende da ração dada à galinha. A maioria dos ovos é produzida por galinhas de granja. Se você soubesse como essas aves são pouco saudáveis, não comeria os ovos delas, cheios de gordura saturada. Contudo, há alguns ovos de galinhas caipiras alimentadas com rações ricas em ômega-3 — tais como sementes de linhaça. Os ovos dessas aves são muito melhores para a saúde. Recomendo a quem quiser perder peso não comer mais do que quatro ovos por semana; e mesmo que não queira, não passe de sete por semana — e somente os de galinha caipira. Coma dois ovos pequenos ou um ovo grande. Eles devem ser escaldados, cozidos ou mexidos, mas não devem ser fritos, porque a alta temperatura destrói as gorduras essenciais.

Os ovos são pura proteína e gorduras, portanto, que carboidratos devemos comer com eles? Se seu desjejum for somente isso, você pode usar toda a cota de 10 CG em uma das seguintes opções:

Pão	**10 pontos de CG**
Biscoito de aveia	5 1/2 biscoitos
Pão de centeio tipo escandinavo	2 fatias finas
Pão de centeio fermentado	2 fatias finas
Pão de centeio integral (levedado)	1 fatia
Pão branco com fibra (levedado)	menos que uma fatia

Como você pode ver, os alimentos que mais "valorizam" sua alimentação são os biscoitos de aveia, favoritos dos escoceses, o pão de centeio do tipo escandinavo ou o pão fermentado de centeio, preparado sem levedo. Esses são pães de verdade, diferentes daqueles pães brancos, leves, fofos, que nos acostumamos a comer, cheios de realçadores de sabor, açúcares e compostos químicos. Portanto, mesmo que de início seja um choque, experimente esses pães, que são mais nutritivos, têm mais fibra natural e são assados lentamente (no caso do pão escandinavo) ou fermentados sem adição de levedo (como o pão de centeio fermentado), o que mantém a CG baixa.

O QUE COMER NOS LANCHES

Muitas dietas preferem abolir os lanches, que podem ser a perdição de muita gente. Quem tem sensibilidade ao açúcar costuma procurar uma guloseima para compensar as alterações nos níveis de açúcar no sangue e nas reações hormonais. A maioria das guloseimas comerciais tem um teor absurdamente alto de açúcar ou de gordura. Uma barra de chocolate recheado com amêndoas e caramelo, por exemplo, tem quase 2/3 de açúcar e o restante é, principalmente, gordura. Até mesmo algumas barras de cereais são enganosamente pouco saudáveis, feitas com açúcares refinados e grandes quantidades de gordura hidrogenada.

Na Pesquisa da Saúde 100% aqueles que não consumiam comidinhas doces mostraram uma probabilidade seis vezes maior de ter a saúde ideal, em comparação com os que consumiam grandes quantidades (três ou mais porções por dia).

Contudo, a pesquisa mostra claramente que comer menos quantidade com maior frequência é mais saudável do que se empanturrar (fazendo uma ou duas grandes refeições por dia).[25] Uma vantagem da primeira atitude é manter estável a taxa de açúcar no sangue. Por essa razão, recomendo fazer um lanche no meio da manhã e outro no meio da tarde. O lanche ideal é aquele que não ultrapassa 5 pontos de CG e também tem proteína. O lanche mais descomplicado é uma fruta. Vejamos o que você deve comer no lanche dentro dos 5 pontos de CG.

OS DEZ SEGREDOS DAS PESSOAS 100% SAUDÁVEIS

Fruta	5 pontos de CG
Morango	1 embalagem grande
Ameixa	4
Cereja	1 embalagem pequena
Pera	1
Grapefruit (Toranja)	1
Laranja	1
Maçã	1 pequena (cabe na palma da mão)
Pêssego	1 pequeno
Melão/melancia	1 fatia

OS MELHORES LANCHES

Frutas silvestres, ameixas e cerejas são os lanches que têm maior "valor". As frutas silvestres incluem a framboesa, o mirtilo, a amora e qualquer outra que você possa encontrar na safra. Elas têm baixa carga glicêmica, porque o principal açúcar que contêm é a xilose. Esse açúcar tem aproximadamente a metade da carga glicêmica da frutose, o principal açúcar da maçã e da pera. A frutose, por sua vez, tem metade da CG da glicose ou dextrose, o principal açúcar da uva, tâmara e banana. Você pode baixar ainda mais a carga glicêmica dessas frutas se comê-las com cinco amêndoas ou duas colheres de chá de sementes de abóbora — ambas ricas em proteína.

Outra opção de lanche seria algum tipo de pão com uma pasta de base proteica. Queijo cottage, hummus (pasta de grão-de-bico) e manteiga de amendoim são bons exemplos. O hummus tem CG muito baixa e é delicioso com biscoito de aveia, pão de centeio ou cenoura crua (uma cenoura grande tem menos que 5 CG). Se você comprar manteiga de amendoim sem açúcar, uma fatia de algum dos pães mencionados a seguir com hummus ou manteiga de amendoim irá fornecer o tipo certo de carboidrato de baixa CG com alguma proteína para manter constante o nível de açúcar no sangue.

Portanto, aqui está uma seleção de lanches com 5 CG à sua escolha:

Um pedaço de fruta com cinco amêndoas ou duas colheres de chá de sementes de abóbora
Um pedaço de pão ou dois biscoitos de aveia com metade de um pote pequeno de queijo cottage (150 g)

Um pedaço de pão/dois biscoitos de aveia e metade de um pote pequeno de hummus (150 g)
Um pedaço de pão/dois biscoitos de aveia com manteiga de amendoim
Legumes crus (cenoura, pimentão, pepino ou aipo) e hummus
Legumes crus (cenoura, pimentão, pepino ou aipo) e queijo cottage
Um pote pequeno de iogurte (150 g) sem açúcar com frutas silvestres
Queijo cottage com frutas silvestres

O QUE COMER NO ALMOÇO E NO JANTAR

A maneira mais fácil de equilibrar as refeições principais é imaginar a comida em um prato. Metade do prato deverá consistir de legumes e verduras de CG muito baixa, que estão relacionados na página 115 e responderão por no máximo 4 pontos de CG.

O prato da dieta perfeita

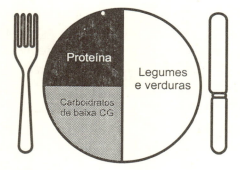

A outra metade do prato está dividida em duas partes, uma para alimentos de base proteica como carne, peixe ou tofu, e a outra para vegetais mais "amiláceos" que responderão por 6 a 7 pontos de CG. Portanto, um quarto no conteúdo do seu prato é rico em proteínas, um quarto é rico em carboidratos e metade se compõe de legumes e verduras de CG muito baixa. Você logo pegará o jeito. É muito simples.

LEGUMES E CEREAIS COM AMIDO

Em termos gerais, a porção de legumes "amiláceos" ricos em carboidratos deve ter aproximadamente o mesmo peso, ou tamanho, da porção do alimento rico em proteínas. Se você estiver comendo frango, que é bastante denso e pesado, com arroz, que é leve, a porção de arroz deve ser um pouco maior que o pedaço de frango, para que os dois tenham aproximadamente o mesmo peso.

No entanto, vamos ver quanto você pode comer de cada um dos diferentes alimentos com amido para ficar dentro dos 10 pontos por refeição, deixando 3 pontos para os "legumes sem limite" que completam a outra metade do seu prato.

Legumes e cereais com amido	7 pontos de CG
Abóbora/abobrinha	1 porção grande (185 g)
Cenoura	1 grande (158 g)
Nabo sueco (rutabaga)	1 porção grande (150 g)
Quinoa (cozida)	1 porção grande (120 g)
Beterraba	1 porção grande (112 g)
Farinha de aveia	1 porção (116 g)
Cevadinha (cozida)	1 porção pequena (95 g)
Macarrão de trigo integral (cozido)	meia porção (85 g)
Macarrão branco (cozido)	1/3 de porção (66 g)
Arroz basmati integral (cozido)	1 porção pequena (70 g)
Arroz branco (cozido)	1/3 de porção (46 g)
Cuscuz marroquino (hidratado)	1/3 de porção (46 g)
Fava	1 porção (31 g)
Milho verde	metade de uma espiga (60 g)
Batata cozida	3 batatas pequenas (74 g)
Batata assada	meia (59 g)
Batatas fritas	uma porção pequena (47 g)
Batata-doce	meia (61 g)

Como se pode ver, temos alguns campeões óbvios. Por exemplo, o macarrão integral, o espaguete e o arroz basmati integral são muito melhores que o macarrão e o arroz brancos. (Existem marcas de massas e também tipos de arroz de carga glicêmica especialmente baixa que permitem aumentar o tamanho da porção e são muito saborosos. Podem ser encontrados no Totally Nourish — ver Recursos). O nabo sueco, a cenoura e a abobrinha são muito melhores do que a batata. A batata cozida é melhor que a batata assada e esta é melhor do que a frita.

FEIJÕES E LENTILHAS

Os melhores alimentos para equilibrar o açúcar no sangue e fornecer a mistura correta de proteína e carboidratos são os feijões e a lentilha. Na verdade, é a combinação da proteína e do carboidrato do feijão com a lentilha o que mantém baixa a CG dessas leguminosas. Eles também são alimentos tradicionais que deixaram de ser consumidos em muitos dos países mais obesos do mundo. Portanto, qualquer refeição que contenha feijão e lentilhas como fonte tanto de proteína quanto de carboidrato pode ser generosa nas porções porque você estará consumido proteína e carboidrato no mesmo alimento.

Contudo, quando comer esses alimentos como fonte de proteína, combine-os com apenas a *metade* do tamanho da porção do alimento rico em carboidrato. Por exemplo, se estiver preparando arroz com lentilhas, você deve comer uma xícara de lentilha cozida com meia xícara de arroz cozido, porque o feijão e a lentilha também trazem uma quantidade significativa de carboidratos. Isso é quanto você precisa comer para ficar dentro dos 7 pontos, se não estiver comendo outro legume com amido.

Feijões e lentilha	7 pontos de CG
Soja	2 latas
Feijão-mulatinho	3/4 de lata
Lentilha	3/4 de lata
Feijão assado	1/2 lata
Feijão-manteiga	1/2 lata
Ervilha seca	1/2 lata
Feijão-fradinho	1/2 lata
Grão-de-bico	1/2 lata

LEGUMES E VERDURAS SEM LIMITE

Agora é hora de falar sobre o outro lado do prato. Ele é preenchido pelo que chamo de "legumes e verduras sem limite". Naturalmente, há limite até mesmo para legumes e verduras, mas os que vou citar têm menos de 2 pontos por porção. Nesse contexto, uma porção é bem pequena: por exemplo, uma xícara cheia de ervilhas ou uma cenoura grande. Em geral, as folhas verdes têm carga glicêmica muito baixa, portanto, coma-as à vontade. Quero que você coma duas porções desses legumes e verduras, uma porção dos legumes com amido

OS DEZ SEGREDOS DAS PESSOAS 100% SAUDÁVEIS

e uma porção do alimento com proteína e sinta-se satisfeito ao final de cada refeição.

Legumes e verduras sem limite

Aspargo	Brócolis	Cebola
Erva-doce	Alface	Aipo
Feijão-da-espanha	Tomate	Petit-pois
Berinjela	Couve-de-bruxelas	Abobrinha
Alho	Ervilha verde	Pimentão
Espinafre	Agrião	Pepino
Broto de feijão	Repolho	Rabanete
Couve	Cogumelo	Endívia
Cebolinha	Couve-flor	Rúcula

SOBREMESAS E BEBIDAS

Desde que sua alimentação básica tenha baixa CG, você pode comer seu bolo sem ganhar peso ou perder energia. Só é preciso comer o tipo certo de bolo!

Em meus livros *The Low-GL Diet Bible* e *The Holford Low-GL Diet Cookbook* autorizo aqueles que desejam perder peso a consumir mais 5 CGs em drinques e guloseimas. (Quem não tem problema de peso não precisa ser tão rígido.) Isso significa poder se permitir uma sobremesa na segunda-feira, uma taça de vinho na terça, um coquetel e uma sobremesa na quarta e nada na quinta-feira. É só isso. Nesses livros criamos diversos tipos de sobremesa de baixa carga glicêmica. Os apreciadores de alta gastronomia também podem encontrar receitas de sobremesas deliciosas no livro *Food Glorious Food,* que tem a coautoria de nossa maga da culinária Fiona McDonald Joyce.

Para manter o açúcar no sangue sob controle é preciso ter muito cuidado com o que se bebe. As estimativas indicam que dois terços do aumento do açúcar na alimentação moderna vêm das bebidas — inclusive sucos de frutas naturais. É muito mais fácil beber um copo de suco de uva, por exemplo, do que comer um punhado de uvas. No outro extremo da escala, uma garrafa de 2 litros de refrigerante de cola contém, aproximadamente, 45 colheres de chá de açúcar! A tabela a seguir mostra o que se pode beber com 5 CGs:

OS DEZ SEGREDOS

Bebida	5 CG
Suco de tomate	600 ml
Suco de cenoura	1 copo pequeno
Suco de grapefruit sem açúcar	1 copo pequeno
Suco de cereja concentrado	1 copo pequeno, diluído meio a meio com água
Suco de maçã sem açúcar	1 copo pequeno, diluído meio a meio com água
Suco de laranja sem açúcar	1 copo pequeno, diluído meio a meio com água ou suco de 1 laranja
Suco de abacaxi	1/2 copo pequeno, diluído meio a meio com água
Suco de amora	1/2 copo pequeno, diluído meio a meio com água
Suco de uva	2,5 cm de líquido

Observação: um copo pequeno = 175 ml

Uma boa regra geral é tomar no máximo um copo de suco por dia, diluído o suficiente para não ter mais do que 5 CGs diários. Logo, você deve tomar, por exemplo, um copo de suco de cenoura ou um copo de suco de maçã ou concentrado de cereja diluídos. Como verá no Segredo 4, o concentrado de cereja CherryActive é um campeão dos antioxidantes, portanto, provavelmente, é a melhor escolha (detalhes em Recursos).

Lembre-se: banana e uva são de liberação rápida de açúcar, maçã e pera são de liberação média (principalmente de frutose), enquanto cereja, frutas vermelhas e ameixa são de liberação lenta (principalmente de xilose). Portanto, por exemplo, se decidir tomar uma vitamina não escolha uma que tenha como ingredientes principais a banana ou a uva. Acima de tudo, mantenha distância de todas as bebidas gasosas, açucaradas e cafeinadas e das bebidas destiladas que contenham açúcar.

Bebidas alcoólicas

E as bebidas alcoólicas? Muitos livros já foram escritos para exaltar os méritos e denunciar os riscos do álcool. Do ponto de vista da carga glicêmica e do açúcar no sangue, pequenas quantidades de bebidas "secas", como o vinho seco ou o

OS DEZ SEGREDOS DAS PESSOAS 100% SAUDÁVEIS

champanhe, ou de bebidas destiladas como o uísque, não são problema. Os complementos como a água tônica e os refrigerantes são mais problemáticos. A cerveja tem alta carga glicêmica, portanto, mais uma vez, é melhor escolher uma pilsener, lager ou bock. Meu conselho é tomar um drinque ocasional, talvez quatro vezes por semana, mas não diariamente.

CORTE OS ESTIMULANTES — VOCÊ É VICIADO EM ADRENALINA?

Em nossa pesquisa, os participantes com níveis mais baixos de energia e piores pontuações de estresse consumiam a maior quantidade de cafeína.

Naturalmente, esse caso é como o dilema do ovo e da galinha — "Quem veio primeiro?". A cafeína causa mais cansaço e estresse ou as pessoas mais cansadas e estressadas usam cafeína para obter energia? Embora a cafeína provoque um surto rápido de energia, quanto mais ela é usada, menos eficaz se torna. A cafeína funciona porque estimula a adrenalina, o hormônio da fuga ou luta. O papel da adrenalina é preparar o indivíduo para a ação; parte da resposta do corpo à adrenalina está relacionada ao aumento da disponibilidade de glicose para as células. No entanto, assim como ficamos insensíveis à insulina, se estimularmos com frequência a liberação de adrenalina ficaremos mais resistentes a seus efeitos. Os britânicos consomem diariamente 70 milhões de xícaras de café — mais ou menos duas por habitante adulto. Muitos são apanhados na armadilha da combinação de açúcar-nicotina-cafeína por achar que ela é energética, quando na verdade essa mistura causa um aumento na fadiga, na ansiedade e no peso. Se você se sentir mal ao cortar o açúcar, a cafeína e o cigarro, é porque criou uma dependência química. A essa altura, provavelmente, você já está viciado em estresse: reagindo de forma exagerada ao estresse e à ansiedade do dia a dia.

Como vimos antes, a combinação de café com carboidratos — um café e um croissant, por exemplo — é fatal, porque aumenta o nível de açúcar no sangue e promove a resistência à insulina. Essa combinação de nível de glicose elevado com função insulínica precária é uma receita para ganhar peso

OS DEZ SEGREDOS

e aumentar o risco de diabetes, pois a glicose do sangue é armazenada como gordura. O estudo a que me referi mostra que o café associado a um alimento rico em carboidrato é uma combinação perigosa.

ESTUDO DE CASO: KÁTHY

Kathy bebia até 30 xícaras de café por dia para manter o pique. Ela também fumava de dez a 15 cigarros por dia. Estava aumentando de peso e com problemas de sono. Não se sentia alerta quando acordava, nem tinha um sono tranquilo. Seis semanas depois de começar a fazer minha dieta e tomar os suplementos, Kathy havia abandonado a cafeína, parado de fumar e estava se sentindo muito melhor. Passou a se deitar às 23 horas, em vez de às 2 horas da manhã, e acordava se sentindo restaurada. Três meses depois ela havia perdido espantosos 19kg sem sentir fome. Tinha mais energia, a pele parecia muito mais limpa e não havia tido nenhum resfriado.

"Eu me sinto muito melhor. Minha energia aumentou, durmo como um bebê, não sinto falta do café e parei de fumar."

UMA AJUDA ADICIONAL

Além de comer uma dieta de baixa CG para manter constante o nível de açúcar no sangue, recomendo suplementos de vitaminas B e de cromo, um mineral essencial que faz a insulina funcionar melhor, reduzindo o desejo por carboidratos e promovendo a perda de peso. (Ver a próxima página.)

Deixar de consumir cafeína é mais fácil de falar do que de fazer. Se a ideia o assusta, então você pode apostar que se tornou um pouco dependente ou viciado. Cortar de uma vez, provavelmente, vai provocar síndrome de abstinência. Muitos desses efeitos de abstinência (como dor de cabeça, sonolência, desânimo, irritabilidade e dificuldade de concentração) acontecem porque o nível de açúcar no sangue fica mais baixo. Kathy conseguiu cortar de uma vez com poucos sintomas de abstinência porque seguiu minha dieta de baixa CG, que mantém constante o nível de açúcar no sangue. Ela também tomou o que chamo de "suplementos energéticos", o último elemento na equação da energia.

OS DEZ SEGREDOS DAS PESSOAS 100% SAUDÁVEIS

SUPLEMENTOS ENERGÉTICOS

Ao comer uma dieta de baixa CG, combinando proteínas com carboidratos e comendo menos e com mais frequência, você realiza a primeira meta fornecer um suprimento regular de combustível para dar energia às células. Mas como essa glicose se transforma em energia? A resposta é que em cada célula do corpo existem pequenas usinas chamadas mitocôndrias, que liberam energia da glicose. Para isso elas precisam de uma família de nutrientes específicos. Sem eles, sentimos cansaço e não conseguimos pensar direito. Os alimentos "integrais" que recomendei contêm naturalmente esses nutrientes energéticos como as vitaminas B, a vitamina C e minerais como o magnésio e o cromo. Tudo isso ajuda o corpo a transformar a comida em energia. Esses alimentos não refinados também contêm fibras que melhoram a digestão, o que significa que o corpo adquire mais capacidade para absorver todos esses nutrientes geradores de energia.

PARA REPOR OS NUTRIENTES PERDIDOS NO PROCESSAMENTO

Quando os alimentos são processados, como acontece com o arroz, o macarrão e o pão brancos, até 98% de alguns desses cofatores são removidos. Alguns desses nutrientes — por exemplo, o cromo — são necessários para manter constante o nível de açúcar no sangue. A insulina não funciona sem cromo. Portanto, quanto maior a frequência com que o nível de açúcar no sangue aumenta, mais insulina é liberada e mais cromo é usado. Se comermos muitos alimentos com liberação rápida de energia e não tivermos os cofatores, não só sentiremos menos energia, mas também teremos mais probabilidade de ganhar peso, já que essa glicose é convertida em gordura e armazenada, em vez de fornecer energia. Está comprovado que tomar doses diárias de 500 mcg de cromo ajuda a estabilizar o nível de açúcar no sangue em diabéticos.[26] Um estudo do ano passado deu a mulheres saudáveis com excesso de peso uma dose de cromo ou um placebo e descobriu uma redução no consumo de comida, no nível de fome e no desejo por gorduras, além de uma tendência a diminuir o peso.[27] Se você não é diabético, mas tem problemas de peso, recomendo de 200 a 400 mcg por dia. A maioria dos suplementos de cromo tem 200 mcg.

OS DEZ SEGREDOS

Além disso, vale a pena tomar um suplemento reforçado do tipo "nutrição ótima" de multivitaminas e minerais, além de mais vitamina C (1-2 g), que também ajuda a manter constante o açúcar no sangue e reduz o risco de diabetes.[28]

UMA COLHER DE CANELA

Uma maneira simples de manter o equilíbrio do açúcar no sangue é comer uma colher de canela. No passado, pesquisas mostraram grandes reduções do açúcar no sangue com 3 g de canela por dia (mais ou menos uma colher de chá). Mais recentemente, um estudo escandinavo em que os voluntários comiam arroz-doce com ou sem canela descobriu que aqueles que ingeriram 3 g de canela produziram menos insulina depois da refeição. O excesso de insulina é um sinal frequente de ganho de peso e do risco de diabetes. Em um estudo mais recente, os pesquisadores também descobriram que a canela é capaz de desacelerar a digestão no estômago. Isso causaria uma "liberação lenta" dos carboidratos da refeição. Esse efeito foi observado com 6 g de canela, em vez de 3 g. Isso equivale a mais ou menos duas colheres de chá.

EXTRATO DE CANELA

Se você não gosta da ideia de ingerir toda essa quantidade, o ingrediente ativo, um polímero chamado metilhidroxichalcona (MCHP), pode ser uma saída. O extrato de canela chamado Cinnulin é muito rico em MCHP; consequentemente, tomar 1 g de Cinnulin equivale a tomar vários gramas de canela. Quando pré-diabéticos tomaram Cinnulin durante 12 semanas, mostraram melhora em diversos aspectos da síndrome metabólica (nível de açúcar no sangue, pressão arterial e percentagem de gordura corporal). Outro estudo com diabéticos descobriu resultados semelhantes.[39] Pacientes que tomaram extrato de canela durante 4 meses mostraram uma redução substancial nos níveis de açúcar no sangue após as refeições e uma redução de 10% no nível de açúcar no sangue em jejum. Os diabéticos com maior deficiência no controle da glicose no sangue mostraram maior melhora com o uso de canela.

O Cinnulin é uma boa escolha porque também tem um teor muito baixo de cumarina, um composto encontrado em algumas espécies de canela que é

OS DEZ SEGREDOS DAS PESSOAS 100% SAUDÁVEIS

potencialmente prejudicial se ingerido em grandes quantidades. O Cinnulin, comprovadamente, contém menos que 0,7% de cumarina, além de ter uma alta concentração de MCHP, o ingrediente ativo da canela. Isso significa que se você tomar um suplemento de 1 g de Cinnulin a ingestão de cumarina ficará bem abaixo da dose diária tolerável, sem a menor possibilidade de qualquer risco para a saúde, mas trazendo todos os benefícios potenciais da canela.

Tomar suplementos de canela e cromo, juntamente com uma dieta de baixa CG faz muito sentido para quem está lutando contra o peso, o desejo por açúcar e o diabetes.

Siga o seguinte Plano de Ação de 30 dias para melhorar seu nível de açúcar no sangue, o que resultará em um aumento de energia e disposição, um humor mais estável e mais capacidade de foco e concentração. Se você precisar perder peso, isso acontecerá sem qualquer esforço da sua parte.

PLANO DE AÇÃO DE 30 DIAS PARA EQUILIBRAR O AÇÚCAR NO SANGUE

Aqui estão os passos importantes que você precisa seguir para manter equilibrado o nível de açúcar no sangue.

- Sempre coma o desjejum.
- Faça diariamente três refeições e dois lanches.
- Procure consumir 10 CGs por refeição principal (15, se não tiver excesso de peso) e 5 CGs por lanche.
- Sempre que comer, combine o carboidrato com alguma proteína, por exemplo, sementes com as frutas.
- Evite açúcar e carboidratos refinados, dê preferências aos alimentos integrais.
- Evite ou reduza bastante o consumo de estimulantes — bebidas cafeinadas e nicotina (no máximo um café ou dois chás fracos por dia, ou três chás verdes usando o mesmo sachê).
- Fique longe de bebidas com açúcar. Se não puder evitar, use xilitol (adoçante natural) nas bebidas quentes (ver Recursos).

continua

OS DEZ SEGREDOS

- Coma uma colher de canela por dia.
- Diariamente, tome uma multivitamina reforçada, mais 1-2 g de vitamina C.
- Suplemente o cromo (opcionalmente com extrato de canela) tomando 200-400 mcg por dia se tiver excesso de peso e desejo por açúcar; se for diabético, tome 600 mcg por dia.
- Não deixe de se exercitar diariamente, já que isso estimula o metabolismo (falaremos mais sobre essa questão no Segredo 7).

(Veja no Capítulo 2 da Parte Três um programa simples de suplementação.)

Segredo 3

SEGREDO 3: FIQUE CONECTADO — COMO MELHORAR A MENTE E O HUMOR E MANTER A QUÍMICA DO CORPO EM HARMONIA

Você já quis saber como seu cérebro e a química do seu corpo conseguem manter o equilíbrio? Como o corpo produz insulina quando o açúcar no sangue está alto ou adrenalina quando você está estressado? — para citar apenas dois dos milhares de compostos químicos de comunicação vitais. E como o corpo destrói esses compostos quando o equilíbrio é restaurado? Nos bastidores, a cada segundo, todos os dias, ocorre um processo chamado metilação, que mantém a disciplina de praticamente tudo. Ele é a chave para nos sentirmos conectados — felizes, alertas e motivados. Ele até mesmo ajuda a eliminar a gordura, reduz o risco de praticamente todas as doenças, conserva os ossos fortes e impede a perda de memória.

A qualidade da sua metilação é indicada pelo nível de uma substância presente no sangue, a homocisteína, que pode ser medida com facilidade. Embora o nome dessa substância não seja fácil de falar, é preciso memorizá-lo, porque o nível de homocisteína, ou nível H, é nossa estatística de saúde mais importante. Manter esse nível baixo, o que indica uma boa metilação e a capacidade de adaptação e resposta rápida aos estresses da vida, é o terceiro segredo da Saúde 100%.

O QUE A METILAÇÃO FAZ?

Deixe-me dar um exemplo do que a metilação representa para o corpo. Se o alarme de incêndio disparar, em 0,2 segundo seu corpo produzirá grande quantidade de adrenalina. De que maneira? Por meio da metilação. Ocorrem no corpo mais ou menos 1 bilhão de reações de metilação por segundo, que controlam o equilíbrio dos neurotransmissores (os mensageiros químicos do cérebro), os hormônios como a insulina, o nível de energia, a integridade do DNA, a formação de nervos e cartilagens e até mesmo sua expressão genética. Como veremos mais adiante, a capacidade de retardar o processo de envelhecimento é controlada pela metilação. Para resumir, o ideal é ter esse processo tão bom quanto possível, porque ele é o regente da química do corpo.

Se esse processo não estiver bem, começaremos a nos sentir "desconectados" — com baixa concentração, motivação e humor. A qualidade de sua metilação pode ser facilmente medida por meio de um simples exame de sangue que testa o nível de homocisteína, e que pode ser feito em casa (adiante falaremos sobre isso).

PARA CONHECER SEU NÍVEL H

Vale a pena conhecer seu próprio nível H; ele é mais importante que o colesterol. Por exemplo, em um grande estudo realizado nos Estados Unidos com 136.905 pacientes hospitalizados por ataques cardíacos se descobriu que 75% tinham níveis de colesterol perfeitamente normais e quase a metade tinha níveis de colesterol excelentes![29] Essa descoberta foi confirmada por uma pesquisa publicada no *British Medical Journal*,[30] segundo a qual nem o colesterol nem o *escore de Framingham* de risco cardiovascular — um índice muito utilizado, baseado em fatores convencionais de risco (pressão arterial, colesterol, ECG, diabetes e tabagismo) — eram bons fatores de previsão de morte por problemas cardiovasculares. A melhor previsão, sem dúvida, era o nível de homocisteína. Para pessoas com nível H acima de 13, esse resultado prevê, nada menos, que dois terços dos óbitos nos próximos 5 anos.

POR QUE É VITAL TER A HOMOCISTEÍNA BAIXA

Em 2003 descrevi a homocisteína como a maior descoberta médica do século. Com mais de 15 mil estudos publicados em revistas médicas, fica muito claro que ter um baixo nível H implica um risco baixo de derrames, ataques cardíacos, problemas na gravidez, declínio da memória, depressão, doença mental, osteoporose e muitos outros problemas de saúde.

continua

OS DEZ SEGREDOS DAS PESSOAS 100% SAUDÁVEIS

> Na verdade, esse nível está associado a mais de cem problemas de saúde, da fadiga crônica à enxaqueca. Ele é, literalmente, a melhor forma de prever a morte prematura por qualquer causa; também é um excelente fator de previsão dos resultados de uma criança nas provas escolares! Isso foi descoberto por pesquisadores suecos. Eles mediram o nível de homocisteína de 692 estudantes com idades de 9 a 15 anos e descobriram que esse dado previa com alto grau de precisão a soma das notas escolares dos pesquisados.[31] Ainda, é relativamente fácil melhorar o que eu chamo de "metil-QI" baixando a homocisteína por meio de pequenas alterações na alimentação e no estilo de vida e com o uso de suplementos vitamínicos específicos para baixá-la.

Na verdade, este é um dos segredos em que recomendo fazer um teste de homocisteína. O Questionário da Saúde 100%, encontrado no site www.patrickholford.com, leva em conta todas as condições de saúde, estilo de vida e fatores dietéticos capazes de aumentar o risco de uma metilação inadequada. Ele dá a pontuação do metil-QI e permite que você informe seu nível de homocisteína, caso você sabia. O questionário a seguir lista os tipos de sintomas que podemos ter se o metil-QI não for tão bom quanto deveria ser. Uma pontuação alta significa que você poderia ser beneficiado por uma dieta e pelos suplementos que baixam a homocisteína.

Questionário: avalie seu metil-QI

	Sim	Não
1. Você sempre sente cansaço?	☐	☐
2. Sua disposição ou capacidade de se manter em atividade está diminuindo perceptivelmente?	☐	☐
3. Está com dificuldade para manter o peso estável?	☐	☐
4. Você, muitas vezes, sente dor física, seja artrite, dor muscular ou enxaqueca?	☐	☐
5. Já teve problemas cardiovasculares ou hipertensão?	☐	☐
6. Fica zangado com facilidade?	☐	☐

7. Tem dificuldade de concentração ou fica confuso com facilidade?

8. Sua clareza mental e capacidade de concentração estão diminuindo?

9. Tem tido mais dificuldade para dormir?

10. Sua memória está declinando?

11. Costuma ter depressão?

12. Consome diariamente, pelo menos, duas bebidas alcoólicas, em média?

13. Toma café diariamente?

14. Fuma cigarros diariamente?

15. É estritamente vegano?

16. Raramente come feijão, lentilha, nozes ou sementes?

17. Costuma comer menos do que uma porção de folhas verdes por dia?

Conte 1 ponto para cada "sim". Pontuação total:

Pontuação

0-2: Nível A
Muito bem! Embora a pontuação ideal seja 0, você não parece ter problemas significativos associados com uma metilação deficiente.

3-4: Nível B
Você está começando a apresentar sinais de um metil-QI baixo. Identifique as áreas mais importantes e concentre-se em aprimorá-las. Se corrigir sua alimentação e seguir os conselhos da Parte Três, logo começará a ver melhoras.

5-7: Nível C
É possível que seu nível de homocisteína esteja elevado; sugiro que faça o teste. Se seguir os conselhos deste capítulo, juntamente com o programa de alimentação e suplementos da Parte Três, logo começará a ver melhoras em seus sintomas.

OS DEZ SEGREDOS DAS PESSOAS 100% SAUDÁVEIS

8 ou mais: Nível D

Seu metil-QI está sob pressão e há grande chance de que seu nível de homocisteína seja elevado. Contudo, você pode reverter os sintomas que apresenta se seguir os conselhos deste capítulo. Identifique o que está causando estresse e elimine esse fator, enquanto aumenta todos os nutrientes corretos. O programa de suplementos da Parte Três vai ajudá-lo a fazer isso.

RESULTADOS DA PESQUISA DA SAÚDE 100%

Embora nessa pesquisa não tenhamos exatamente medido os níveis de homocisteína, avaliamos os tipos de sintoma associados com a metilação deficiente. A seguir mostramos os percentuais de participantes que responderam "frequentemente" ou "sempre" às seguintes perguntas:

Perde a paciência facilmente	82%
Tem pouca energia	81%
Sente menos energia do que no passado	76%
Sente que tem coisas demais para fazer	68%
Fica ansioso ou tenso com facilidade	66%
Sofre de TPM (somente mulheres)	63%
Fica zangado com facilidade	55%
Sofre de depressão	48%
Tem dificuldade de concentração	47%
Fica nervoso/hiperativo	39%
Tem memória fraca/dificuldade de aprendizagem	39%

Quantos desses sintomas você apresenta? Se apresentar cinco ou mais, é muito provável que seu nível de homocisteína seja elevado.

A PONTUAÇÃO H É O SEGREDO DA SAÚDE

Se você quiser saber se realmente está ingerindo a quantidade suficiente de vitaminas em sua dieta pretensamente equilibrada a melhor maneira é perguntar ao corpo. Pelo menos no que se refere às vitaminas B6, B12 e ácido fólico, o nível de homocisteína, provavelmente, é a melhor medida objetiva dessa condição.

Se sua pontuação H estiver abaixo de 6 micromol/l (7, caso tenha mais de 60 anos), você está bem. Em termos gerais, para cada 5 pontos a mais, é dobrado o risco de uma grande quantidade de problemas de saúde; inclusive doença cardiovascular, perda da memória, depressão, problemas na gravidez etc.[32] Por exemplo, uma mulher com uma pontuação H igual a 25 tem um risco dez vezes maior de ter problemas na gravidez, em comparação com uma mulher cujo nível seja 5. Se seu nível for 25, seu risco de morrer prematuramente será oito vezes maior do que o de alguém com nível 5.

Veja sua pontuação H como sua pontuação de saúde. Praticamente tudo o que é bom para a saúde diminui o nível de homocisteína, e tudo o que faz mal, aumenta o nível.

AJA ANTES, NÃO DEPOIS

Em vez de verificar se você tem uma doença, a "ciência da Saúde 100%" começa por medir a qualidade do seu funcionamento — se você está a plena carga —, mesmo antes que os sinais de doença fiquem aparentes. O objetivo é melhorar a saúde *antes* que surjam doenças crônicas. É isso o que o seu nível de homocisteína representa: um teste que mostra onde você se enquadra na "escala da Saúde 100%" — de horizontalmente doente para verticalmente doente e daí para supersaudável.

A ESCALA DA HOMOCISTEÍNA

Abaixo de 6   Você está na região da supersaúde, juntamente com mais ou menos 10% da população. Parabéns!

De 6 a 8,9   Sua saúde é melhor que a média. No entanto, seu risco de adoecer não é zero. Mais ou menos 35% da população estão nessa faixa, que é boa, mas pode melhorar.

De 9 a 12   Você está "verticalmente doente", com uma saúde medianamente deficiente, mas com um risco significativo de morte prematura causada por doenças evitáveis. Mais ou menos 20% de todos os indivíduos testados estão nessa faixa.

continua

OS DEZ SEGREDOS DAS PESSOAS 100% SAUDÁVEIS

De 12 a 15	Sua saúde está abaixo da média, com um risco real de morte prematura decorrente de doenças evitáveis, tal como 20% da população.
De 15 a 20	Você se enquadra na categoria do risco muito alto, com mais de 50% de probabilidade de ter um ataque cardíaco, derrame, câncer ou Alzheimer, dentro de dez a 30 anos. Mais ou menos 10% das pessoas estão nessa categoria.
Acima de 20	Você tem um risco extremamente real de sofrer imediatamente de uma das cinco maiores causas de óbito ou de qualquer uma das 100 doenças relacionadas com a homocisteína; se já não estiver lá, está a caminho de ficar "horizontalmente doente". Você faz parte dos 5% da população com alto risco.

Se sua pontuação H estiver acima de 6 unidades, não se preocupe. Vou lhe dizer exatamente o que é necessário para levá-lo para a faixa supersaudável.

COMO DOSAR A HOMOCISTEÍNA?

Dependendo do lugar onde você viva, nem sempre é fácil conseguir que seu médico peça para você um exame de homocisteína. Na Alemanha são realizados vários milhões de testes por ano. Na África do Sul, as principais cidades têm laboratórios em que se pode simplesmente entrar e fazer o teste. No entanto, conseguir que um clínico na Grã-Bretanha meça sua homocisteína é como tentar extrair leite de uma pedra. Mesmo que você vá a uma clínica particular, esse exame não está incluído em muitos dos check-ups médicos padronizados, apesar de ser um indicador independente de risco de tantas doenças e permitir prever doenças cardíacas e derrames com mais eficiência que o colesterol. No entanto, você pode adquirir um simples kit caseiro de teste (ver Recursos) e fazê-lo você mesmo. É preciso espetar o dedo, coletar uma amostra mínima de sangue de acordo com as instruções e mandar a amostra para o laboratório, que devolve os resultados. Considere esse exame uma espécie de vistoria anual do automóvel.

OS DEZ SEGREDOS

O QUE FAZER SE A PONTUAÇÃO FOR ALTA?

Pode ser assustador testar o nível de homocisteína e descobrir que ele está alto. Mas não tema. A ignorância não faz a felicidade. Você pode baixar facilmente o nível de homocisteína, mas para isso precisará de suplementos. Veja o caso de Amanda, que sofria de fadiga crônica:

ESTUDO DE CASO: AMANDA

Aos 33 anos, Amanda sofria de fadiga crônica, portanto, decidiu medir o nível de homocisteína. Ela ficou chocada quando descobriu que sua pontuação era 25,9, muito mais alta do que a da própria mãe! Dez anos antes ela havia sofrido um acidente de automóvel e desde então sua saúde entrou em declínio. Ela teve três infecções no peito — pleurisias — e sofria de fadiga crônica. Às vezes, mal conseguia andar. Eis o relato dela:

"Desde o acidente, sofri três vezes de uma infecção pulmonar chamada pleurisia, que a cada vez me derrubava durante mais ou menos 6 semanas. Isso me prendeu em casa por longos períodos e realmente eu não conseguia me exercitar adequadamente. Eu tinha o hábito de fazer muita atividade física, mas depois do acidente não pude mais fazer exercícios por causa dos ferimentos e da fadiga. Como consequência, estou com um pouco de sobrepeso."

Amanda seguiu minhas recomendações para baixar a homocisteína. Imediatamente, a qualidade do sono melhorou e depois de 4 semanas ela tinha mais energia. Dois meses depois, ela tornou a testar o nível de homocisteína e descobriu que ele havia caído para 9,4. É uma redução de 64%. Ela conta:

"Estou muito melhor. Neste momento estou muito atarefada e no passado me sentiria assoberbada e incapaz de dar conta, mas agora me sinto muito bem, tanto mental quanto fisicamente. Meu humor é muito positivo, sem pânico nem depressão. Sinto-me radiante, cheia de energia e entusiasmo. Não estou tendo nenhum resfriado ou infecção. Durmo muito melhor e minha TPM desapareceu — na minha última menstruação não senti dores nos seios, variações de humor ou vontade de chorar. Estou maravilhada."

OS DEZ SEGREDOS DAS PESSOAS 100% SAUDÁVEIS

GENES, METILAÇÃO E SUA SAÚDE

O nível de homocisteína mais alto que já vi foi o de Chris K (ver o estudo de caso a seguir). Talvez você pergunte como Chris conseguiu ficar com uma pontuação H de 119. Além de ter uma alimentação e um estilo de vida inadequados e de não tomar suplementos dietéticos, existe a possibilidade de que ele tenha herdado genes que o faziam não ser muito bom com o trabalho de metilação. Pelo menos um em dez de nós herda um risco significativo de ter a homocisteína elevada por fatores genéticos. Mas isso não significa que não se possa fazer nada.

ESTUDO DE CASO: CHRIS K

Quando conheci Chris, ele se descreveu como "morto cerebral". Ele não tinha nenhuma doença diagnosticada, mas se sentia mal, constantemente cansado, com memória e concentração cada vez piores e pouco entusiasmo pela vida. Sentia-se deprimido e sem desejo sexual e seu nível de homocisteína impressionava: era 119!

Ele seguiu minhas recomendações durante 3 meses. O nível de homocisteína caiu para 19. Depois de 6 meses o nível havia caído para 11. Ao final de um ano, chegou a 9. Ele não conseguia acreditar no bem-estar que sentia. A memória e a concentração foram completamente recuperadas, a energia agora é tanta que ele faz uma hora de exercícios diariamente e seu interesse por sexo retornou.

"Você salvou minha vida, ou pelo menos fez com que ela voltasse a valer a pena."

MAS SE É GENÉTICO NÃO PODE SER MUDADO, PODE?

O maior engano sobre os genes é a ideia geral de que eles são gravados na pedra, de que nascemos com eles e não podemos fazer nada para mudá-los. No entanto, os genes são como programas de computador: podem ser ligados e desligados. Na verdade, o que eles fazem é dar ao corpo instruções, por exemplo, sobre a maneira de fazer uma enzima ou uma proteína. A primeira prova de que os genes potencialmente prejudiciais poderiam ser desligados surgiu há alguns anos graças ao Dr. Randy Jirtle, do Duke University Medical Center, nos

Estados Unidos. Ele descobriu que dar um suplemento de vitaminas a fêmeas de camundongo prenhas alterava a expressão de uma mutação genética que poderia ter feito os filhotes nascerem com o pelo amarelo e tendência para o excesso de peso. Os filhotes das ratas que receberam o suplemento tinham o pelo castanho e eram magros, porque o suplemento mudou a forma como o gene se expressava. Como isso pôde acontecer?

O MECANISMO QUE LIGA E DESLIGA O DNA

Provavelmente você sabe que seus programas genéticos são dirigidos pelo DNA, que fica no centro das células do corpo dizendo-lhes como devem se comportar. O que você provavelmente não sabe é que a maior parte do DNA de uma célula está quase sempre desligada. Por exemplo, não queremos que as células do fígado produzam dentes!

Portanto, como isso é feito? Quando vemos imagens da hélice do DNA, ela parece regular. Dentro da célula, porém, o DNA parece peludo, porque cada gene tem uma "cauda" que se projeta, e é chamada histona. Imagine que as histonas são como interruptores, porque permitem que os genes sejam ligados ou desligados. Existe uma nova ciência, chamada epigenética, dedicada a estudar de que forma fatores ambientais como a alimentação alteram a expressão genética, que em última análise é o que diz às células do corpo como devem se comportar.

Mudando o comportamento dos genes

As células podem anexar moléculas de grupos metila à cauda das histonas, que então podem afetar o grau de atividade de um gene específico. Ele pode ser completamente desligado (silenciado), ou pode ser apenas amortecido. As moléculas de metila também podem ser removidas, fazendo com que o gene se torne novamente ativo ("expresso"). Esse é outro exemplo de reação de metilação. Ela não muda o gene em si, mas muda o comportamento dele.

Um exemplo é encontrado no trabalho do Dr. Moshe Szyf, da McGill University, em Montreal. Ele descobriu que bebês de rato que não tinham recebido os cuidados adequados quando nasceram tinham uma molécula de metila adicionada ao gene que controla o nível do hormônio do estresse. Como resultado, na vida adulta eles produziam mais hormônio do estresse e

OS DEZ SEGREDOS DAS PESSOAS 100% SAUDÁVEIS

respondiam mal às pressões. Isso mostra com clareza que comportamentos simples podem afetar o funcionamento genético.

Por que você precisa ter uma boa metilação

As mensagens genéticas podem ser ligadas, desligadas, amortecidas ou amplificadas — tudo isso graças à adição ou remoção de grupos metila. Esse é um dos inúmeros processos essenciais que dependem da qualidade da metilação. É um desses sistemas fisiológicos flexíveis, como a respiração, que permite às células responder instantaneamente ao que acontece no ambiente.

O mais extraordinário é que os mesmos nutrientes que ajudam a melhorar o metil-QI podem erradicar os efeitos dessas mutações genéticas anormais que aparentemente muitos de nós têm.

COMO AS VITAMINAS PODEM MELHORAR OS GENES QUE HERDAMOS

No momento em que bilhões de dólares de pesquisa são aplicados na descoberta das vantagens de alterar genes defeituosos, um estudo inovador descobriu que defeitos genéticos comuns podem ser alterados por algo tão simples quanto uma vitamina.

Um estudo liderado por Nicolas Marini, da Universidade da Califórnia, testou mais de 500 indivíduos normais com uma saúde medianamente prejudicada, para identificar variações genéticas sutis que afetam uma importante enzima, chamada MTHFR, que é vital para o processo de metilação.[33]

São comuns as variações nos genes (instruções) para a formação dessa enzima, e ocorrem em pelo menos uma em cada dez pessoas, o que tem correlação com o aumento do risco de diversas doenças. O estudo encontrou nos voluntários cinco tipos de mutações de genes defeituosos. Como os genes contêm as instruções para produzir a enzima MTHFR, e a enzima depende de nutrientes específicos para funcionar adequadamente, a questão fundamental examinada nessa pesquisa era se a administração de mais folato — a vitamina B que é um importante cofator para aquela enzima — podia restaurar o funcionamento normal da enzima defeituosa. Das cinco mutações genéticas que foram encontradas nos voluntários, quatro podiam ser restauradas por uma simples suplementação de folato.

OS DEZ SEGREDOS

COMO PERSONALIZAR SUA NUTRIÇÃO

A descoberta que acabamos de descrever suscita duas grandes questões: primeiro, que a maneira mais adequada e mais segura de melhorar os genes talvez venha a ser uma nutrição correta; segundo, que podemos "personalizar" a nutrição com base nas variações genéticas que herdamos.

Marini estima que o indivíduo médio tenha cinco enzimas mutantes raras e talvez outras variações não tão raras que podem ser melhoradas com suplementos de vitaminas ou minerais. Como mais de seiscentas enzimas humanas usam vitaminas ou minerais como cofatores, é provável que todos tenhamos mutações que limitam uma ou mais de nossas enzimas, o que introduz pontos de fragilidade em nossa matriz biológica.

De acordo com Marini:

"Nossos estudos nos convenceram da existência de muitas variações dessas enzimas na população e muitas dessas variações afetam a função, mas também reagem às vitaminas. Não ficaria surpreso se todo mundo viesse a precisar de uma dose ideal diferenciada de vitaminas baseada na constituição genética, baseada no tipo de variância que o indivíduo possua nas enzimas dependentes de vitaminas."

TESTES GENÉTICOS E A MELHORA DO METIL-QI

Já é possível testar os genes. Na verdade, o laboratório britânico Genetic Health (www.genetic-health.co.uk) faz exatamente isso. Sua pesquisa dos genes da nutrição, baseada na coleta não invasiva de um esfregaço da bochecha, investiga quais as variações genéticas herdadas pelo paciente que indicam a necessidade de uma quantidade maior de certos nutrientes para que ele se mantenha em forma e para minimizar o risco de doenças.

No mais, o simples fato de ter herdado um gene defeituoso não significa necessariamente que a enzima produzida por ele não funcionará bem. Vejamos o caso da enzima MTHFR, já mencionada, cujos genes foram objeto da pesquisa de Marini. O papel dela é transformar a homocisteína tóxica em SAM (s-adenosil metionina), o nutriente que faz com que a metilação ocorra (um filme curto encontrado em www.patrickholford.com/methylationcycle mostra como isso acontece). Portanto, ter uma alta pontuação H é um bom indicador de que essa enzima não está funcionando corretamente. Por isso, a

135

OS DEZ SEGREDOS DAS PESSOAS 100% SAUDÁVEIS

homocisteína alta é um indicador muito útil de que você não está tomando vitaminas B suficientes para suas necessidades, de acordo com seus genes pessoais. Ao medir as mutações genéticas que herdou e a homocisteína — um indicador funcional da enzima em questão —, você poderá realmente definir sua nutrição perfeita.

COMO REDUZIR PROBLEMAS CONHECENDO A PONTUAÇÃO H

No futuro as descobertas que mencionamos ajudarão a elaborar uma dieta e recomendar uma suplementação mais personalizadas, à medida que, com o desenvolvimento da tecnologia, esses testes se tornem mais baratos e mais fáceis de fazer. Pelo menos vale a pena saber qual é o seu nível de homocisteína.

Um exemplo disso são as enxaquecas, que afetam uma em dez pessoas. Quem herda o gene que afeta a enzima MTHFR, que aumenta o nível de homocisteína, tem um risco muito maior de sofrer de enxaqueca. De acordo com cientistas do Genomics Research Centre (GRC), da Griffith University, em Brisbane, a administração das vitaminas que baixam a homocisteína (B6, B12 e ácido fólico) a enxaquecosos cortou pela metade a incapacitação desses pacientes num período de 6 meses.[34] Pesquisas anteriores mostraram que a vitamina B2, outro importante fator para uma metilação saudável, também diminuía a enxaqueca.[35] Esse é somente um dos inúmeros benefícios que podem ocorrer quando você melhora seu metil-QI.

QUANTO MAIS BAIXA A HOMOCISTEÍNA, MAIS VIVEMOS

Podemos pensar no processo de envelhecimento como uma cópia malfeita. Estamos permanentemente substituindo nossas células de acordo com as instruções codificadas nos genes. A precisão com que reproduzimos essas instruções depende da metilação. Quando fazemos a cópia de uma cópia, gradualmente as instruções e, consequentemente, as células ficam mais defeituosas. Como seu metil-QI é refletido pelo nível de homocisteína, não surpreende descobrir que, quanto mais velhos somos, maior é o nosso nível de homocisteína.[36]

Além disso, quanto mais elevado for esse nível, maiores as chances de morte prematura.[37] A pergunta que vale 1 milhão de dólares é: "O nível de homocisteína causa o envelhecimento ou está apenas associado a ele?" Em outras

OS DEZ SEGREDOS

palavras, podemos morrer apesar de um nível baixo de homocisteína — se formos sido atropelados por um ônibus? Por exemplo, se alguém está reagindo bem a um tratamento para câncer, o nível de homocisteína tende a diminuir; no entanto, ele aumenta quando o doente não reage bem ao tratamento.[38] Na verdade, não conhecemos as respostas para essas perguntas, mas a probabilidade de viver uma vida mais longa e saudável certamente é muito maior se a pontuação H for mais baixa. Quando este livro foi lançado, minha pontuação H aos 51 anos era 4,5, o que é a média para crianças com menos de 10 anos. Portanto, como baixar sua pontuação H e aumentar seu metil-QI?

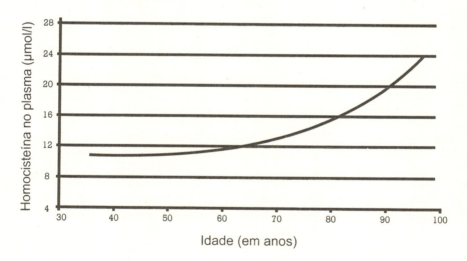

Nível médio de homocisteína de acordo com a idade

HÁBITOS QUE AFETAM A HOMOCISTEÍNA

Já se sabe que quatro fatores de estilo de vida aumentam a homocisteína: o estresse, o tabagismo, o consumo de café e o sedentarismo, assim como uma dieta com pouca vitamina B e, principalmente, ácido fólico.[39] Consumir bebida alcoólica, pelo menos com moderação, não é um desses fatores.[40]

Quantidades moderadas de álcool, ou seja, uma cerveja ou um copo de vinho por dia, podem baixar a homocisteína. Em termos gerais, a pesquisa mostra que a cerveja baixa ligeiramente o nível desse hormônio e as bebidas destiladas

OS DEZ SEGREDOS DAS PESSOAS 100% SAUDÁVEIS

tendem a aumentá-lo; o vinho fica mais ou menos na média. Considerando-se o alto teor de antioxidantes que contém (ver Segredo 4), o vinho tinto provavelmente é o melhor. Um consumo mais alto, superior a duas doses por dia, tende a aumentar a homocisteína, enquanto um consumo reduzido ou moderado tende a baixá-la.

Quanto mais se fuma, maior a pontuação H. Fumar vinte ou mais cigarros por dia aumenta em um quinto a pontuação H.[41] Em um estudo, parar de fumar causou uma redução imediata da homocisteína, enquanto reduzir de uma média de 35 cigarros para quatro a oito por dia não teve o mesmo resultado.[42]

Quanto mais nos exercitamos, menor a pontuação H, embora seja interessante observar que a atividade física intensa pode aumentá-la. Quem se exercita intensamente precisa de mais vitaminas B.

Quanto mais café se toma, maior a probabilidade de aumentar a pontuação H. Um expresso duplo faz aumentar o nível de homocisteína em menos de 4 horas.[43] Aparentemente, o aumento é causado tanto pela cafeína quanto por uma substância chamada ácido clorogênico, encontrada no café. Portanto, embora seja melhor tomar café sem cafeína, mesmo assim ele tende a aumentar o nível de homocisteína. Do ponto de vista da pontuação H, o ideal é não tomar café; ou, pelo menos, reduzir ao máximo de um por dia.

O fator que permite prever melhor o nível de homocisteína é o consumo de vitaminas B específicas, tanto por meio da alimentação quanto por suplementos. Vamos saber mais sobre a questão.

OS PRINCIPAIS NUTRIENTES PARA BAIXAR A HOMOCISTEÍNA

As vitaminas B6, B12 e o ácido fólico são os nutrientes mais importantes para baixar a homocisteína, mas a vitamina B2, o zinco e um composto encontrado nas raízes, chamado TMG (trimetil-glicina ou betaína), também ajudam. Em geral, esses nutrientes são encontrados nos alimentos integrais. O ácido fólico, particularmente, é encontrado no feijão, na lentilha, nas nozes, castanhas e sementes (qualquer coisa que germine se for plantada), assim como nas verduras. A vitamina B12 só é encontrada nos alimentos de origem animal, inclusive ovos e leite. Portanto, uma dieta estritamente vegana é deficiente nessa vitamina.

Uma das maneiras mais simples de baixar a pontuação H é tomar um suplemento que contenha todos esses nutrientes. Mas aconselho veementemente que você melhore a alimentação e o estilo de vida e que tome suplementos pela simples razão de que a maioria de nós não consegue extrair o suficiente apenas da dieta.

A DIETA QUE BAIXA A HOMOCISTEÍNA

Como o nome sugere, a vitamina B chamada ácido fólico está presente nas "folhagens" — ou seja, nas verduras. No entanto, talvez você se surpreenda ao saber que a lentilha, o feijão, as nozes, castanhas e sementes também são bons, se não forem melhores (ver a tabela a seguir). Esses alimentos precisam fazer parte de sua dieta habitual. Dê uma olhada no quadro da próxima página; se ontem você não comeu alguma coisa parecida com um desses quatro cardápios, simplesmente não está ingerindo a quantidade suficiente de alimentos ricos em folato. Para isso, os melhores alimentos são:

Alimento	Quantidade em 100 g
Germe de trigo	325 mcg
Lentilha cozida	179 mcg
Painço em flocos	170 mcg
Sementes de girassol	164 mcg
Endívia	142 mcg
Grão-de-bico seco, cozido	141 mcg
Espinafre	140 mcg
Alface romana	135 mcg
Brócolis	130 mcg
Feijão-fradinho (seco, cozido)	115 mcg
Amendoim	110 mcg
Couve-de-bruxelas	110 mcg
Suco de laranja fresco ou congelado	109 mcg
Aspargo	98 mcg
Avelã	72 mcg
Abacate	66 mcg

OS DEZ SEGREDOS DAS PESSOAS 100% SAUDÁVEIS

VOCÊ COMEU ISSO ONTEM?

Cada um dos cardápios a seguir contém o necessário para se ingerir 400 mcg de folato por dia:

- Uma salada de alface romana, endívia, metade de um abacate e um punhado de sementes de girassol, acompanhados por um copo de suco de laranja

  ou
- Um prato preparado com uma porção de lentilha ou painço, acompanhado por uma porção de espinafre, brócolis ou pastinaca

  ou
- Uma salada de frutas com mamão papaia, kiwi, laranja e melão-cantalupo em suco de laranja, com um punhado de amendoins sem sal.

  ou
- Uma laranja, uma porção grande de brócolis, espinafre, couve-de-bruxelas e uma tigela de sopa de missô.

Comer verduras, principalmente brócolis e outras crucíferas, é muito importante, porque elas também são fontes ricas de poderosos nutrientes que previnem o câncer e desintoxicam. (As crucíferas — cujas folhas crescem no formato de cruz — incluem repolho, couve-flor, couve e couve-de-bruxelas). O brócolis é especialmente rico em di-indol-metano (DIM), que retira o excesso de estrogênio, reduzindo o risco de câncer de mama ou próstata.

Em nossa Pesquisa da Saúde 100%, aqueles que comiam cinco ou mais porções de hortaliças por dia tinham duas vezes mais probabilidade de apresentar uma saúde ideal, em comparação com os que não comiam. Além disso, quem comia sementes e frutas oleaginosas três ou mais vezes por dia mostrava o triplo da probabilidade de ter uma saúde ideal em comparação com os que não comiam.

Embora não tenhamos especificamente examinado o consumo de feijão e lentilhas, é provável que a ingestão dessas leguminosas também seja um bom fator de previsão de saúde ideal.

OS DEZ SEGREDOS

SUPLEMENTOS RECOMENDADOS PARA BAIXAR A HOMOCISTEÍNA

Os suplementos que reduzem o nível de homocisteína contêm tudo o que mencionaremos a seguir. Os melhores fornecerão pelo menos 100 mcg de "metil" B12 — o que é cem vezes a ingestão diária recomendada (IDR) e exatamente o necessário, se sua pontuação H for alta. Em um estudo foi dado a 818 indivíduos com idades de 50 a 70 anos 800 mcg de ácido fólico (a mesma quantidade encontrada em 1 kg de morangos) ou um placebo. Três anos depois, em comparação com os que tomaram placebo, quem tomou ácido fólico tinha suas funções equivalente a alguém de 5,5 anos a menos.[44]

Porém, nem todos os estudos foram positivos. Em alguns casos, administraram a pacientes com doença cardíaca apenas as vitaminas B6, B12 e/ou ácido fólico e encontraram pouca redução no risco de ataque cardíaco; no entanto, verificou-se que o risco de um derrame ficou consistentemente reduzido.[46] É muito melhor tomar toda a família de nutrientes que baixam a homocisteína, além de mudar a dieta e o estilo de vida.

QUANTO TOMAR?

A tabela a seguir mostra em linhas gerais a quantidade de nutrientes redutores da homocisteína que se deve suplementar, dependendo do nível desse hormônio no sangue depois do teste. Se seu nível estiver abaixo de 6,1, um suplemento concentrado de multivitaminas deve ser suficiente. No entanto, se o nível de homocisteína estiver acima de 6, é melhor tomar uma fórmula para levar o nível do hormônio para um valor inferior a 6. Mostramos o número de comprimidos que devem ser tomados ao longo do dia.

Os melhores suplementos para baixar a homocisteína

Nutriente	Bom < 6	Baixo 6-9	Alto 9-15	Muito alto Acima de 15
Fórmula para homocisteína	–	1 por dia	2 por dia	3 por dia
Folato	200 mcg	400 mcg	800 mcg	1000 mcg
B12	10 mcg	250 mcg	500 mcg	1000 mcg
B6	25 mg	50 mg	75 mg	100 mg
B2	10 mg	15 mg	20 mg	50 mg
Zinco	5 mg	10 mg	15 mg	20 mg
TMG	500 mg	750 mg	1-1,5 g	3-6 g

OS DEZ SEGREDOS DAS PESSOAS 100% SAUDÁVEIS

Não é preciso tomar eternamente esses nutrientes que reduzem a homocisteína — apenas durante alguns meses, para levar a pontuação H de volta ao nível saudável. Depois desse período, um suplemento concentrado de multivitaminas ainda é uma proteção sensata.

A IMPORTÂNCIA DO ÁCIDO FÓLICO

O ácido fólico é vital na gravidez; ele reduz o risco de doenças cardiovasculares, principalmente derrames, melhora o humor, protege contra alguns tipos de câncer e contra Alzheimer e, ainda, tem surpreendentes propriedades de melhoria da memória. Certamente, todos deveríamos estar devorando grandes quantidades dessa vitamina na alimentação (em verduras, feijão, nozes, castanhas e sementes) e na forma de suplementos. A ingestão recomendada geralmente varia de 200 mcg a 400 mcg, no mínimo. Em geral, considera-se que o nível ideal vai de 400 mcg a 800 mcg por dia. No entanto, quase todo mundo come menos que 200 mcg.

Não é fácil conseguir ingerir 800 mcg somente na alimentação. No entanto, esse é exatamente o tipo de ingestão que parece conferir mais benefícios para o cérebro. Quem toma suplementos de 800 mcg reverte o declínio da memória.[46]

Embora seja vital para uma boa metilação, o ácido fólico ainda é apenas um dos seis nutrientes necessários a esse processo (os outros são as vitaminas B2, B6 e B12, o zinco e o TMG); todos eles deveriam ser tomados juntos. Há bons motivos para afirmar isso: por exemplo, o indício clássico de deficiência de ácido fólico ou B12 é o cansaço. Se alguém tiver deficiência de vitamina B12, mas suplementar o ácido fólico, em geral, o cansaço desaparecerá, mas os danos nervosos mais insidiosos, causados pela deficiência de vitamina B12, continuarão a ocorrer sob a superfície.

OS ALIMENTOS DEVERIAM SER FORTIFICADOS COM ÁCIDO FÓLICO?

Como o ácido fólico evita que as mulheres grávidas deem à luz bebês com defeitos do tubo neural (DTN), em 1996 o governo dos Estados Unidos decidiu fortificar os alimentos com essa vitamina; em 1998, o Canadá fez o mesmo. Desde então, a ocorrência de DTNs nos EUA diminuiu em mais de 20% No Reino Unido, afirma-se que a mesma providência pode prevenir de 77 a 162 casos de DTN por ano. Além disso, o ácido fólico adicional pode diminuir em 18% a ocorrência de derrames, de acordo com uma pesquisa publicada recentemente no periódico médico *Lancet*. As mortes por derrame nos EUA e no Canadá diminuíram depois que os alimentos foram fortificados.[47]

Diante disso, fortificar os alimentos parece uma boa ideia. No entanto, eu e outros médicos previmos a possibilidade de um aumento na incidência de câncer colorretal e de Alzheimer nos idosos, principalmente aqueles com deficiência de B12. Por essa razão, me oponho à fortificação dos alimentos apenas com ácido fólico.

DESVANTAGENS DA FORTIFICAÇÃO

Nos Estados Unidos os números absolutos de incidência de câncer colorretal começaram a aumentar em 1996, e o mesmo aconteceu no Canadá em 1998, em seguida à fortificação com ácido fólico.[48] Se essas tendências se revelarem verdadeiras, para cada bebê salvo de DTN, 20 a 50 indivíduos terão câncer de cólon ou reto, e para cada derrame evitado, um indivíduo terá um desses tipos de câncer.

Isso ocorre porque embora o ácido fólico seja muito bom para impedir células normais de se tornarem cancerosas, quando tomado *isoladamente*, ele parece estimular no intestino o crescimento de células pré-cancerosas, chamadas adenomas. Essas células estão presentes em muitos indivíduos de meia-idade, para quem o excesso de ácido fólico pode ser prejudicial, principalmente se associado a uma alimentação incorreta.

No ano passado, um estudo nos Estados Unidos descobriu que idosos com ingestão deficiente de B12 (devido a uma alimentação incorreta), mas rica em ácido fólico (pela ingestão de alimentos fortificados), tinham cinco vezes mais probabilidade de perda de memória,[49] provavelmente porque o ácido fólico extra pode ocultar os sintomas de deficiência de B12 .

O ÁCIDO FÓLICO PRECISA ESTAR ASSOCIADO A OUTROS NUTRIENTES

A explicação mais provável para esse fenômeno é o fato já estabelecido de que o ácido fólico atua em sinergia com outros nutrientes como B6, B12 e zinco. Portanto, dar ácido fólico isolado a indivíduos que comem uma dieta pobre, principalmente idosos cuja absorção de B12 costuma ser fraca, pode promover

OS DEZ SEGREDOS DAS PESSOAS 100% SAUDÁVEIS

o crescimento de células cancerígenas se essas células já estiverem no intestino. Isso faz sentido, já que não existe comprovação de que altos níveis de folato encontrados naturalmente nos alimentos causem os efeitos negativos observados na fortificação. Na verdade, quanto mais frutas e legumes comermos, menor será o risco de termos câncer colorretal. Eu nunca indico o ácido fólico isolado para ninguém, menos ainda para uma mulher grávida. A melhor forma de saber qual a sua necessidade é testar o nível de homocisteína. Caso contrário, eu recomendaria suplementar o ácido fólico por meio de uma multivitamina que contenha pelo menos 10mcg de B12, 20 mg de B6 e 10 mg de zinco.

QUANTO MAIS IDOSOS SOMOS, MAIS PRECISAMOS DE VITAMINA B12

Idosos e veganos costumam ter deficiência de vitamina B12. As únicas fontes alimentares dessa vitamina são os produtos animais — carne, peixe, ovos e laticínios —, portanto, se você for vegano, precisará suplementar esse nutriente. Muitos estudos mostraram que os veganos que não suplementam essa vitamina, e também as crianças veganas, têm problemas por conta dessa deficiência.

No entanto, a maioria dos indivíduos não sabe que a absorção de B12 diminui com a idade; consequentemente, até quatro em dez pessoas com mais de 60 anos sofrem de deficiência de vitamina B12, o que resulta em homocisteína elevada e metilação precária, mesmo que tenham uma "alimentação balanceada".

Os estudos mostram que um idoso com uma deficiência moderada de vitamina B12 precisa suplementar mais de 500mcg por dia para corrigir essa deficiência.[50] Isso corresponde a 500 vezes a ridícula IDR de B12, que, no caso, é 1mcg. Portanto, em vez de dar atenção aos chavões do mito de uma dieta equilibrada, o melhor é fazer o teste de homocisteína e descobrir se realmente está ingerindo a quantidade suficiente de vitaminas do complexo B.

Siga o Plano de Ação a seguir para sentir-se conectado e reduzir drasticamente o risco de doenças evitáveis, do Alzheimer aos derrames:

OS DEZ SEGREDOS

PLANO DE AÇÃO DE 30 DIAS PARA SE MANTER CONECTADO

São necessários 30 dias para perceber os efeitos notáveis sobre o humor, a memória e a motivação que resultam da melhorra do metil-QI. O efeito mais prolongado é a redução do risco de muitas doenças e de morte prematura. Eis o que fazer:

- Comer diariamente uma porção de feijão, lentilha, frutas oleaginosas e sementes.
- Comer diariamente duas porções de verduras.
- Não fumar.
- Não beber mais que um copo de vinho ou cerveja por dia.
- O ideal é evitar o café, mesmo sem cafeína, ou pelo menos limitar a ingestão a um café por dia.
- Evitar ao máximo o estresse (falaremos mais sobre isso).
- Praticar exercícios sem exagero.
- Tomar diariamente um suplemento concentrado de vitaminas que contenha pelo menos 20 mg de B6, 200 mcg de ácido fólico e 10 mcg de B12.
- Testar o nível de homocisteína.
- Se sua pontuação H for acima de 7μmol/l, tomar suplemento dos nutrientes específicos que diminuem a homocisteína (ver tabela na página 141) e tornar a fazer o teste depois de 3 meses.

(Para ver um programa simples de suplementação, vá para a Parte Três, Capítulo 2).

Segredo 4

REFORCE OS ANTIOXIDANTES QUE COMBATEM O ENVELHECIMENTO — VINTE ALIMENTOS QUE AUMENTAM A EXPECTATIVA DE VIDA

Existem provas novas e promissoras de que podemos retardar o envelhecimento de praticamente todos os órgãos do corpo, inclusive o coração, o cérebro, as articulações, a pele, a digestão e até mesmo as células. Hoje podemos escolher: envelhecer "velhos" ou "jovens". Como você verá, para isso não é preciso virar a vida de cabeça para baixo, e o mais importante é que os genes herdados não são o principal determinante do tempo que viveremos com saúde.

O QUE NOS FAZ ENVELHECER?

O processo de envelhecimento, desde a primeira ruga até a perda da acuidade visual, depende da oxidação. Em termos simples, somos movidos a oxigênio. Nós produzimos energia queimando carboidratos com a ajuda do oxigênio. O resultado final são os resíduos da queima, chamados "radicais livres oxidantes", às vezes denominados oxidantes ou radicais livres. Eles são o que enferruja o metal e, em última análise, nos enferruja. Esses oxidantes causam danos ao DNA, portanto, quando substituímos as células, elas ficam cada vez menos operacionais, tal como quando fazemos a cópia de uma cópia.

Qualquer coisa queimada, seja um pedaço de bacon, seja o combustível do carro, cria esses subprodutos prejudiciais. Uma simples tragada em um cigarro contém 1 trilhão de oxidantes. Eles, literalmente, nos envelhecem por causarem danos às células. Qualquer célula tem milhões de pequenas "cicatrizes" causadas pela oxidação. Como consequência, o funcionamento do corpo e do cérebro piora gradualmente, e eles parecem cada vez menos jovens. No

OS DEZ SEGREDOS

entanto, se estivermos em um ciclo de envelhecimento rápido, podemos tornar esse processo muito mais lento, e até reverter tal tendência, se aumentarmos a ingestão de nutrientes antioxidantes que combatem o envelhecimento e se minimizarmos a exposição a oxidantes ou sua geração interna. Esse é o meu quarto segredo.

Mas primeiro vamos avaliar seu sinais e sintomas com o teste dos antioxidantes antienvelhecimento a seguir.

Questionário: confira seus antioxidantes antienvelhecimento

	Sim	Não
1. Você já passou dos 40 anos?	☐	☐
2. Sua pele parece envelhecida para sua idade?	☐	☐
3. Tem diagnóstico de doença cardiovascular, câncer ou condição pré-cancerosa?	☐	☐
4. Quando você se corta, a ferida demora a cicatrizar?	☐	☐
5. Tem pequenos sinais vermelhos nos braços ou nas pernas?	☐	☐
6. Forma hematomas com facilidade?	☐	☐
7. Você fuma?	☐	☐
8. Passa mais do que quatro horas por semana em uma cidade agitada, perto de uma rua com muito movimento ou viajando em tráfego pesado?	☐	☐
9. Você vive ou trabalha numa atmosfera enfumaçada?	☐	☐
10. Faz exercícios (corrida, ciclismo, algum esporte) durante mais do que uma hora por semana perto de ruas movimentadas?	☐	☐
11. Faz exercícios que aumentam perceptivelmente os batimentos cardíacos durante, pelo menos, 30 minutos e mais do que cinco vezes por semana?	☐	☐
12. Come frituras ou comidas crocantes e tostadas quase todo dia?	☐	☐
13. Come menos do que uma porção (um punhado pequeno) de hortaliças verdes ou crucíferas (p.ex., brócolis, repolho, couve-flor ou couve-de-bruxelas) por dia?	☐	☐

OS DEZ SEGREDOS DAS PESSOAS 100% SAUDÁVEIS

14. Come menos de duas porções de hortaliças por dia?

15. Come menos do que dois pedaços de fruta por dia?

16. Come menos que uma porção de nozes, castanhas ou sementes cruas por dia?

17. Come menos que duas porções de peixes gordurosos (p. ex., salmão, pescada, sardinha ou arenque) por semana?

18. Raramente toma um suplemento de vitamina C, vitamina E ou antioxidantes?

Marque 1 ponto para cada "sim". Pontuação total:

Pontuação

0-2: Nível A
Muito bem! Você está fazendo o que é certo para reduzir a oxidação e aumentar os antioxidantes. É claro que a pontuação ideal é zero. Leia este capítulo e siga as recomendações que ainda não adota para melhorar ainda mais sua saúde e se proteger do envelhecimento.

3-4: Nível B
É provável que você se beneficie de um ajuste fino nesta área. Procure aumentar a ingestão total de ORACs em sua alimentação (explicação adiante) e identifique qualquer área de sua alimentação e estilo de vida em que possa introduzir melhoramentos.

5-7: Nível C
Você precisa seguir os conselhos deste capítulo e garantir que sua dieta seja tão boa quanto possa ser em termos de ORACs, além de seguir o programa de suplementação da Parte Três.

8 ou mais: Nível D
Sua dieta atual não está fornecendo antioxidantes suficientes e é provável que você se beneficie da ajuda adicional de suplementos. Siga os conselhos deste capítulo e da Parte Três.

OS DEZ SEGREDOS

> ## RESULTADOS DA PESQUISA DA SAÚDE 100%
>
> - Quem come cinco ou mais pedaços de fruta por dia tem três vezes mais probabilidade de ter uma saúde ideal do que quem não come.
> - Quem consome cinco porções ou mais de legumes por dia tem duas vezes mais probabilidade de ter uma saúde ideal do que quem não come.
> - Quem consome menos frutas, hortaliças, peixes gordurosos, nozes, castanhas e sementes, todos ricos em antioxidantes, mostra as menores pontuações de saúde global, cortando pela metade, em média, as chances de ter uma saúde ideal.

O SEGREDO PARA VIVER COM SAÚDE ATÉ OS 100 ANOS

Bruce Ames, catedrático de bioquímica e biologia molecular da Universidade da Califórnia e um dos maiores especialistas do mundo em antienvelhecimento, foi um dos primeiros cientistas a sugerir que a oxidação e a falta de antioxidantes são o principal mecanismo causador do envelhecimento. Além disso, ele afirmou que garantir uma ingestão ideal de antioxidantes por meio da alimentação e de suplementos é a chave para viver uma vida longa e saudável.

Quanto mais comemos, mais oxidantes produzimos, porque eles são subprodutos da transformação do alimento em energia. Já está bastante provado que podemos prolongar a vida saudável comendo uma dieta pouco calórica e rica em nutrientes antioxidantes. Em estudos com animais, uma "nutrição ótima com calorias mínimas" prolongou em até 25% a expectativa de vida das cobaias.

OS NUTRIENTES NATURAIS VARIAM DE ACORDO COM A REGIÃO

Ames assinala que o conceito de que todos evoluímos num perfeito Jardim do Éden, com níveis ideais de todos os nutrientes, é um mito. Existe, e sempre existiu, grande variação geográfica nos níveis de minerais essenciais como o zinco, o selênio e o magnésio presentes no solo. Mais da metade da população do mundo não consegue atingir a IDR de magnésio e zinco, o que tem um impacto sobre a saúde; por exemplo, a Aids parece estar se espalhando mais

OS DEZ SEGREDOS DAS PESSOAS 100% SAUDÁVEIS

depressa em regiões da África, que têm pouco selênio. Já foi verificado que esse mineral diminui a carga viral do HIV.[51] Da mesma forma, a ingestão de vitamina D, produzida na presença da luz solar, depende da estação do ano e da região em que se vive. Outras deficiências comuns de nutrientes são as das vitaminas C, E, B6, ácido fólico e biotina e, ainda, de ácidos graxos essenciais. Como veremos, cada um deles tem importante papel na equação da Saúde 100%.

Portanto, de que forma a natureza nos estruturou para lidar com um suprimento variável de vitaminas e minerais? De acordo com Ames:

"Durante a evolução, era comum haver escassez ocasional de micronutrientes. A seleção natural favorece a sobrevivência imediata à custa da saúde futura. Minha hipótese é que a sobrevivência de curto prazo era obtida por meio de uma priorização no uso dos micronutrientes escassos [ou seja, o corpo utiliza de forma seletiva os nutrientes disponíveis para amparar as funções imediatamente essenciais, em detrimento de outras]. Eu advogo a tese de que o dano ao DNA e as doenças adquiridas na vida adulta são consequência de uma resposta por triagem à escassez de micronutrientes."[52]

Ames propõe que em condições de nutrição insuficiente o corpo protege seletivamente as funções mais importantes; por exemplo, produz energia imediatamente com prejuízo para a saúde futura e a longevidade.

Segundo Ames, "se essa hipótese estiver correta, as deficiências de micronutrientes que desencadeiam a reação de priorização aceleram a ocorrência de câncer, o envelhecimento e a degeneração neurológica, mas deixam intactas as funções metabólicas essenciais".

Por essa razão, Ames e seus colegas passaram a maior parte das duas últimas décadas realizando estudos para descobrir que nível de nutrientes prejudica ou protege as mitocôndrias e que nível de nutrientes prejudica ou protege o DNA. (As mitocôndrias são as fábricas de energia da célula e o centro do envelhecimento celular, porque estão expostas a mais dano oxidativo que qualquer outra estrutura.) Esses são os indicadores críticos do envelhecimento. "Para cada micronutriente, investigamos o nível de deficiência que causa danos ao DNA e às mitocôndrias em seres humanos." Essa pesquisa destacou a importância dos antioxidantes como as vitaminas C e E, mas também de alguns nutrientes dos quais você talvez nunca tenha ouvido falar, como o ácido alfalipoico, as vitaminas B, o zinco e o magnésio.

Enquanto os antioxidantes nos protegem dos efeitos dos radicais livres prejudiciais ao DNA, as vitaminas ajudam a restaurar o DNA prejudicado, melhorando a metilação, como vimos no capítulo passado. Na verdade, um estudo recente descobriu que os usuários de multivitaminas tinham uma idade biológica menor, o que é coerente com essa pesquisa.[53]

Ames acredita que essa linha de estudo será capaz de ajudar a definir a quantidade ideal de nutrientes para minimizar o envelhecimento e as doenças.

COMO COMBATER O ENVELHECIMENTO COM SUPLEMENTOS

Tal como eu, Ames acredita que a ingestão adequada de diversos nutrientes deve ser maior que a IDR — e que mesmo quem tem uma alimentação saudável deve tomar suplementos.

"A quantidade de cada micronutriente necessária para maximizar uma vida saudável ainda está por ser determinada e pode até mesmo ser maior que a IDR vigente. Parece provável que a ingestão atual de diversos micronutrientes por meio da alimentação é insuficiente, não somente no caso de pessoas de baixa renda, adolescentes, mulheres no período fértil, obesos e idosos, mas também para o restante da população. Por que não recomendar que um suplemento multivitamínico e multimineral faça parte de um estilo de vida saudável? Eu e outros profissionais acreditamos que os agentes de saúde pública e os médicos devem recomendar o consumo de um suplemento multivitamínico e multimineral, além do estilo de vida saudável: há uma quantidade impressionante de provas a favor da suplementação e uma ausência de preocupações realistas sobre a segurança dessa medida."

AS POPULAÇÕES MAIS LONGEVAS

A teoria de Ames é comprovada pelas populações do mundo que vivem mais. O segredo de todos esses indivíduos é uma ingestão elevada de nutrientes, principalmente antioxidantes. Talvez você não tenha ouvido falar da ilha de Okinawa (no Japão), da cidade de Loma Linda (na Califórnia) a da aldeia de Ovodda (na Sardenha), mas essas localidades abrigam algumas das pessoas mais idosas do mundo. Um grupo de cientistas dedicou a vida tentando descobrir os segredos delas.

OS DEZ SEGREDOS DAS PESSOAS 100% SAUDÁVEIS

Um documentário recente da série *Horizon*, da BBC, intitulado "How to Live to 101" (Como chegar aos 101 anos) mostrou o Dr. Ellsworth Wareham, um cirurgião de 92 anos, preparando-se para realizar uma cirurgia de coração aberto em um paciente muitos anos mais velho do que ele, além de Marge Jetton, a habitante mais idosa de Loma Linda, na Califórnia, que tinha acabado de chegar de um passeio de bicicleta de 10 km (normalmente ela pedala esses 10 km antes do café da manhã); e podia ser vista levantando pesos antes de planejar o que fazer em seu aniversário de 103 anos; e na ilha de Okinawa, mostrou um homem de 92 que começou a dar aulas de karaokê a um grupo no qual ele era considerado jovem!

Okinawa abriga uma das comunidades mais longevas do mundo. Em uma população de 1 milhão, existem novecentos centenários — quatro vezes mais do que na Grã-Bretanha e nos Estados Unidos. Todas essas populações incluem na alimentação grandes quantidades de frutas, legumes e verduras frescos, ricos em antioxidantes, que previnem danos às células do corpo.

COMO COMBATER

De acordo com o Dr. Richard Cutler, ex-diretor do departamento norte-americano de pesquisa contra o envelhecimento, "a duração de nossa vida é diretamente proporcional à quantidade de antioxidantes que mantemos no corpo". Viver em regiões poluídas, fumar ou comer regularmente churrascos ou frituras pode criar uma necessidade maior de antioxidantes.

A maioria das pessoas tem consciência de que deveria consumir pelo menos cinco porções de frutas e legumes por dia. A Organização Mundial de Saúde vai mais além e recomenda de oito a dez porções diárias, principalmente no que diz respeito à prevenção de câncer. Isso está de acordo com os resultados de nossa Pesquisa da Saúde 100%. Contudo, uma pesquisa do governo revelou que o adulto médio come apenas 2,8 porções diárias e que, na população de 19 a 24 anos, somente 4% das mulheres e 0% dos homens alcançam o objetivo de cinco porções diárias.[54]

MEDINDO O PODER ANTIOXIDANTE DOS ALIMENTOS

É importante perceber que nem todas as frutas e legumes têm o mesmo poder de combater o envelhecimento. A melhor forma de avaliar o poder antioxidante dos alimentos é medir seu potencial — capacidade de absorção do radical oxigênio (ORAC). Essa é uma medida objetiva da capacidade do alimento para tratar os "resíduos da queima", os oxidantes da vida. As pessoas que vivem mais consomem pelo menos 6 mil ORACs por dia. Mas o que isso representa em sua alimentação diária?

6 MIL ORACs POR DIA EVITAM O ENVELHECIMENTO

A tabela abaixo mostra o índice ORAC de 20 alimentos fáceis de incorporar à dieta diária. Cada porção contém aproximadamente 2 mil unidades, portanto, se escolher pelo menos três delas por dia, você alcançará a pontuação de 6 mil, que evita o envelhecimento.

1	1/3 de colher de chá de canela em pó		11	7 metades de nozes
2	1/2 colher de chá de orégano seco		12	8 metades de noz-pecã
3	1/2 colher de chá de cúrcuma		13	1/4 de xícara de pistaches
4	1 colher de chá cheia de mostarda		14	1/2 xícara de lentilhas cozidas
5	1/5 de xícara de mirtilos		15	1 xícara de feijão fradinho cozido
6	metade de uma pera, grapefruit ou ameixa		16	1/3 de um abacate médio
7	1/2 xícara de cassis, amora, framboesa ou morango		17	1/2 xícara de repolho roxo
8	1/2 xícara de cerejas ou uma dose de concentrado de cereja		18	2 xícaras de brócolis
9	uma laranja ou maçã		19	1 alcachofra média ou 8 talos de aspargo
10	4 pedaços de chocolate escuro (70% de pasta de cacau)		20	1/3 de copo médio (150 ml) de vinho tinto

Fonte: Oxigen Radical Absorbance Capacity of Selected Foods — 2007, Departamento de Agricultura dos EUA.

COMO CONSUMIR MAIS ANTIOXIDANTES

Em termos gerais, onde houver mais cor e sabor, encontraremos os níveis mais altos de antioxidantes. Os vermelhos, amarelos e laranjas de tomates e cenouras, por exemplo, são causados pela presença de betacaroteno. De todos os legumes e verduras, o que tem pontuação mais alta é a alcachofra, enquanto outros vegetais como cenoura, ervilha verde e espinafre têm menos unidades. Portanto, procure consumir de cinco a dez porções diárias de uma variedade de frutas e legumes para manter sua ingestão alta.

As frutas com níveis mais altos são as de cores mais intensas como o mirtilo, a framboesa e o morango. Essas são especialmente ricas em poderosos antioxidantes chamados antocianidinas. Uma xícara de mirtilos fornece 9.697 unidades ORAC. Seria preciso comer 11 bananas para obter o mesmo benefício.

A CEREJA DO BOLO

Uma das maneiras mais simples e fáceis de alcançar 6 mil ORACs é tomar uma dose diária do suco concentrado de cereja montmorency chamado CherryActive,* diluído com água. Isso equivale a 8.260 na escala ORAC, o que equivale a 23 porções de frutas e legumes! Outros sucos, como os de açaí e romã, alegam ter uma alta pontuação de ORACs, mas esse supera todos.

NÃO SÃO QUAISQUER "CINCO POR DIA"

O número de porções diárias de frutas e legumes necessárias, na verdade, não depende de sua escolha, como você poderá ver pelos cardápios para 2 dias mostrados a seguir. Ambos têm cinco porções selecionadas, mas a seleção para o dia 2 tem 8.001 ORACs a mais que o dia 1.

---

* Não existente no Brasil. [N. do E.]

DIA 1		DIA 2	
Porção de frutas/legumes	ORAC	Porção de frutas/legumes	ORAC
1/8 de um melão-cantalupo grande	315	Meia pera	2.617
1 kiwi	802	Meia xícara de morangos	2.683
1 cenoura média, crua	406	Metade de um abacate	2.899
1/2 xícara de ervilhas verdes, congeladas	432	1 xícara de brócolis cru	1.226
1 xícara de espinafre cru	455	4 talos de aspargos cozidos	986
Pontuação total	**2.410**	Pontuação total	**10.411**

O CHOCOLATE FAZ BEM

O chocolate é muito rico em dois flavonoides antioxidantes e antienvelhecimento chamados ácido gálico e epicatequina. Na verdade, o chocolate contém aproximadamente duas vezes mais antioxidantes que o vinho tinto e quatro vezes mais que o chá verde. Um grupo de pesquisadores da Cornell University, liderados por Chang Lee, encontrou 611 mg de equivalentes do ácido gálico (GAE) e 564 mg de equivalentes do flavonoide epicatequina (ECE) numa única porção de chocolate. Examinando um copo de vinho tinto, os pesquisadores encontraram 340 mg de GAE e 163 mg de ECE. Em uma xícara de chá verde encontraram 165 mg de GAE e 47 mg de ECE.[55] Portanto, entre esses antioxidantes, o chocolate é o campeão.

Contudo, de acordo com esse curioso experimento, é preciso que se trate de chocolate escuro.[56] O chocolate amargo contém o dobro da quantidade de flavonoides encontrados no chocolate com leite; 12 voluntários saudáveis comeram 100 g de chocolate amargo ou 200 g de chocolate ao leite. Alguns também beberam 200 ml de leite juntamente com o chocolate amargo, em um experimento duplo-cego. De acordo com Alan Crozier, membro da equipe da University of Glasgow, "os voluntários que comeram chocolate amargo tiveram um aumento de 20% nos antioxidantes do plasma, mas os que comeran chocolate ao leite ou tomaram leite com chocolate amargo não mostraram um aumento nos níveis plasmáticos da epicatequina." Quatro horas depois de comer chocolate, os níveis de antioxidantes no sangue de todos os voluntários haviam voltado ao normal. Para extrair o máximo dos possíveis benefícios do chocolate, Crozier sugere que pode ser aconselhável evitar laticínios durante 4 horas após comer chocolate. "Imaginamos que as epicatequinas formem ligações com as proteínas do leite. Os laticínios podem impedir que o corpo absorva também os flavonoides de outros alimentos."

O LADO NEGATIVO

Excesso de chocolate, principalmente o tipo doce, causa todos os problemas do exagero de açúcar, inclusive o aumento de peso. Esse alimento também costuma ter muita gordura. Sua natureza viciante sugere a possibilidade de se adquirir tolerância, como quando "só um chocolate" já não satisfaz e se transforma em "só *mais* um." Além disso, o cacau, tal como o café, é plantado em países em que o uso de agrotóxicos não é regulamentado, o que expõe o consumidor a compostos que causam câncer.

Se for comer chocolate, coma o tipo puro, escuro e, de preferência, orgânico, não as barras de chocolate barato, cheio de gordura e açúcar. No entanto, como qualquer estimulante, se comê-lo diariamente ou sentir necessidade dele, você passou das medidas. Mantenha o chocolate como algo especial e não como um ritual diário, a não ser que consiga se limitar a quatro pedaços.

RESVERATROL — POR QUE O VINHO TINTO FAZ BEM

O "paradoxo francês" levou à descoberta de um dos antioxidantes mais potentes e interessantes. Apesar de a dieta francesa incluir comidas gordurosas, pão branco e molhos calóricos, o risco de doenças cardíacas e o recorde de longevidade dos franceses certamente são melhores do que os dos britânicos. Recentemente, cientistas descobriram pelo menos parte do segredo deles — o vinho tinto, que eles bebem quase como um ritual no almoço e no jantar. E isso sempre contrariou a lógica, porque o álcool é uma substância tóxica, o que leva à conclusão de que o vinho tinto deve conter um ingrediente específico que combate o envelhecimento e promove a saúde.

Os cientistas descobriram compostos incríveis e promotores da saúde, presentes na casca e nas sementes das uvas vermelhas. São esses extratos de plantas, principalmente o chamado resveratrol, que parecem ser a chave para os impressionantes benefícios da uva vermelha para a saúde, que incluem melhorar a condição cardiovascular, aumentar a imunidade e proteger o cérebro, além dos efeitos extraordinários no prolongamento da vida. Pesquisadores da

OS DEZ SEGREDOS

Harvard Medical School mostraram que o resveratrol ativa o "gene da longevidade" presente nas leveduras e prolonga a expectativa de vida em mais de 50%! O resveratrol também é encontrado em verduras, amora, frutas cítricas e na pele do amendoim, mas é mais abundante na uva vermelha e nos vinhos tintos de boa qualidade. Uma garrafa de um bom merlot, por exemplo, pode fornecer 20 mg, enquanto um vinho tinto barato pode ter apenas 2 mg.

OS EFEITOS BENÉFICOS DO RESVERATROL

Estudos recentes mostraram que essa substância pode ajudar a prevenir doença coronariana e câncer. Ela é um potente antioxidante que evita alterações no colesterol LDL, causadoras do enrijecimento das artérias e da doença coronariana.[57] Também foi demonstrado que o resveratrol reduz a agregação das plaquetas, afinando o sangue, o que ajuda a evitar doenças cardíacas.[58] De acordo com estudos com animais, um suplemento de resveratrol pode melhorar o ritmo cardíaco e corrigir arritmias. Na verdade, durante um estudo de três semanas de suplementação foram reduzidas as arritmias de 83% para 33%.[59]

Outro estudo recente com animais descobriu que o resveratrol pode ajudar a proteger o cérebro de lesões durante um derrame, graças à capacidade dessa substância para aumentar os níveis de uma enzima cerebral chamada heme oxigenase. Essa enzima protege as células nervosas de danos; nesse caso, ela reduziu a lesão cerebral em quase 40%.

Mostrou-se que, além de favorecer a saúde cardiovascular, o resveratrol afeta os três principais estágios do desenvolvimento do câncer — inicial, de desenvolvimento e de progressão — por meio de uma ação anti-inflamatória e antioxidante e pela regulação do crescimento de células normais.[60] Em um estudo, o tratamento de células de câncer de cólon com resveratrol causou uma inibição de 70% do crescimento dessas células.[61] A substância também foi eficaz na inibição do crescimento de células do câncer de mama.[62] O resveratrol, na verdade, faz parte do sistema defensivo da planta contra doenças; como tal, é um antibiótico natural. Porém, de todos os seus efeitos positivos sobre a saúde, a capacidade de prolongar a vida é o mais surpreendente.

OS DEZ SEGREDOS DAS PESSOAS 100% SAUDÁVEIS

LIGANDO O GENE DA LONGEVIDADE

No que concerne ao corpo, a maneira comprovada de prolongar a vida saudável é comer menos calorias, porém ingerindo mais nutrientes. Recentemente, revelou-se como funciona esse processo com a descoberta da sirtuína 1, apelidada de "gene da sobrevivência", que é ativada por esse tipo de dieta e promove a restauração do DNA.[63] Contudo, talvez haja uma maneira mais fácil: simplesmente aumentar a ingestão de resveratrol. Além de ligar o gene da sobrevivência, um concentrado de resveratrol também afeta favoravelmente uma centena de genes que programam o indivíduo para a longevidade.[64] O Dr. John Pezzutto, da Universidade de Illinois, descreve essa substância como "um sopro que provoca um tsunami biologicamente específico", ao se referir à vasta gama de efeitos positivos na expressão genética, que nos afasta das doenças e aproxima da saúde e da juventude.[65]

O resveratrol pode até ajudar na perda de peso. Para começar, ele inibe a enzima acidograxossintase,[66] necessária para converter o açúcar em gordura, e reduz os níveis de insulina, o que significa menos hipoglicemia e menos fome.[67] Atualmente, o resveratrol está sendo testado clinicamente para diabetes.[68]

UMA DOSE DIÁRIA DE RESVERATROL

Embora estudos em animais e em células não sejam o mesmo que estudos em seres humanos, existe um conjunto crescente de provas de que a ingestão diária de resveratrol é benéfica. Há três formas de fazer isso: a primeira, que alguns sem dúvida irão preferir, é tomar uma taça de vinho tinto. Como alternativa, podemos tomar um copo pequeno de suco de uva vermelha — recomendo diluí-lo com água em partes iguais. Mesmo assim, o suco de uva vermelha contém muito açúcar, portanto, essa talvez não seja a solução ideal para quem tem excesso de peso. Existe ainda a opção de tomar um suplemento. Eu tomo 25 mg por dia, como parte de um suplemento antioxidante completo.

O VALOR DOS SUPLEMENTOS ANTIOXIDANTES

Uma das vantagens de ingerir na alimentação tanto antioxidante quanto possível, em vez de, por exemplo, tomar suplementos de vitamina C ou E, é que o alimento contém diversos antioxidantes que trabalham em equipe, como mostra a ilustração seguinte:

Os antioxidantes trabalham em equipe

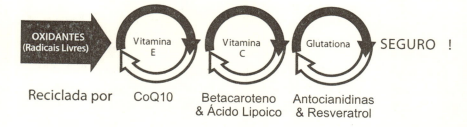

A vitamina E desarma um radical livre prejudicial, mas nesse processo se transforma em um radical. Este é reciclado pela coenzima CoQ10, voltando a ser um antioxidante. A vitamina C, então, passa adiante o radical livre para a glutationa, e ele é desarmado, tornando-se uma substância segura. A vitamina C e a glutationa são recicladas pela ação de betacaroteno, ácido lipoico, antocianidinas e resveratrol.

PARA TER A COMBINAÇÃO IDEAL

Embora existam muitas comprovações da importância desses antioxidantes fundamentais, principalmente nas combinações adequadas, por outro lado, muito se falou sobre a ineficácia dos antioxidantes com base em estudos que davam um antioxidante isolado, em geral em doses muito baixas, ou em "metanálises", em que alguns estudos eram analisados em grupo para dar um efeito geral sobre o câncer, a doença cardíaca ou a mortalidade em geral. O problema dessa abordagem é o fato de haver dois efeitos negativos dos antioxidantes, que não são levados em consideração e que tendem a distorcer as médias estatísticas:

Betacaroteno
O primeiro efeito negativo é que a administração isolada do betacaroteno — precursor vegetal da vitamina A — apenas a fumantes aumenta ligeiramente o risco de câncer. Esse efeito não é observado quando os fumantes tomam uma multivitamina ou uma combinação mais ampla de antioxidantes, conforme mostramos. Por outro lado, quanto maior for a ingestão de betacaroteno dos alimentos, mesmo por fumantes, menor será o risco de câncer. Por exemplo, um estudo de dez anos com milhares de idosos na Europa, realizado pelo Centre for Nutrition and Health do National Institute of Public Health and

OS DEZ SEGREDOS DAS PESSOAS 100% SAUDÁVEIS

the Environment dos Países Baixos, descobriu que quanto mais elevado o nível de betacaroteno menor o risco global de morte, principalmente por câncer. É provável que comer o equivalente a uma cenoura por dia (o que aumenta a taxa de betacaroteno no sangue em 0,39 micromol/l) reduza em um terço o risco de câncer.[69]

Vitamina E

O segundo efeito negativo é o fato de que a administração de vitamina E a indivíduos com doença cardiovascular que consomem estatinas para baixar o colesterol parece aumentar ligeiramente o risco de um ataque cardíaco. Contudo, quando essa vitamina é tomada por pessoas saudáveis, o risco diminui. Por exemplo, o *New England Journal of Medicine* publicou dois estudos: o primeiro envolveu 87.200 enfermeiros, e aqueles que tomaram 67 mg ou mais de vitamina E por mais do que dois anos tiveram 40% menos ataques cardíacos fatais ou não fatais em comparação com os que não tomaram suplementos dessa vitamina.[70] Em outro estudo, 39 mil profissionais de sexo masculino que tomaram 67 mg de vitamina E pelo mesmo período tiveram uma redução de 39% nos ataques cardíacos.[71]

Por que o betacaroteno e a vitamina E têm esses efeitos? Mais uma vez, a resposta está na compreensão de que os nutrientes antioxidantes trabalham em equipe.

ESTATINAS E ANTIOXIDANTES

É fato estabelecido que os medicamentos que baixam o colesterol, hoje tomados pela grande maioria dos pacientes com problemas cardiovasculares, fazem a vitamina E se transformar de antioxidante protetor em um oxidante potencialmente prejudicial. Um estudo concluiu: "Esses resultados indicam que o efeito antioxidante da vitamina E é atenuado quando ela é tomada juntamente com estatinas."[72]

Por que as estatinas impedem a vitamina E de atuar como antioxidante? A resposta é que a ação antioxidante dessa vitamina depende totalmente de outro antioxidante, a coenzima Q10 (CoQ10), e as estatinas bloqueiam as enzimas que fabricam tanto o colesterol quanto esse antioxidante fundamental. Por exemplo, um artigo publicado em 2008 relata que os níveis da CoQ10 no plasma foram substancialmente reduzidos pelo Atorvastatin.[73] Depois de desativar um oxidante, a vitamina E também se torna oxidante, sendo potencialmente

OS DEZ SEGREDOS

perigosa, mas, em geral, sua capacidade antioxidante é rapidamente restaurada pela ação da coenzima Q10 — o que não acontece quando se toma aquele medicamento. Portanto, o efeito benéfico da vitamina E pode na verdade se tornar potencialmente perigoso.

Essa situação é ainda pior porque o coração usa grande quantidade da CoQ10. Existe uma correlação entre a gravidade da doença cardíaca e os níveis mais baixos da coenzima. Em uma pesquisa, dez entre 14 sujeitos sem histórico de problemas cardíacos apresentaram anomalias no ritmo cardíaco quando tomaram estatinas, ao passo que a administração da CoQ10 reverteu a anomalia de oito entre nove dos pesquisados.[74] Se você estiver tomando uma estatina, precisará de pelo menos 90mg de CoQ10 por dia. No Canadá, já é obrigatório incluir na embalagem da estatina um aviso de que a redução da CoQ10 pode causar problemas na função cardíaca. É claro que a indústria farmacêutica está plenamente consciente dos efeitos das estatinas sobre a CoQ10. Uma companhia detém a patente de um medicamento, que ainda não chegou ao mercado, combinando a estatina com a coenzima Q10.

Como o fígado remove toxinas

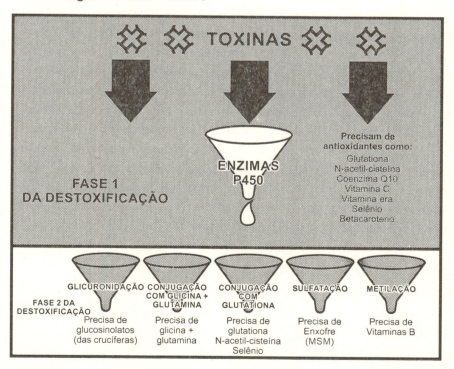

O BETACAROTENO E A EQUIPE

A história do betacaroteno é um pouco mais complexa e pede algum conhecimento da forma pela qual o fígado desarma a toxicidade de substâncias prejudiciais, inclusive de oxidantes da fumaça do cigarro. A desintoxicação pelo fígado envolve dois movimentos chamados Fase 1 e Fase 2 (ver ilustração).

A Fase 1 depende de antioxidantes como o betacaroteno e a vitamina E, mas não desarma completamente as toxinas, como as que resultam do tabagismo. Na verdade, essa fase pode criar "metabólitos intermediários" ainda mais tóxicos. Quem tem uma alimentação ou um estilo de vida tóxico (por exemplo, um fumante) e aumenta a ingestão de antioxidantes isolados, pode na verdade criar mais toxinas, como se fosse um engarrafamento. É preciso promover a Fase 2 da destoxificação simultaneamente. Para isso são necessários outros nutrientes, como as vitaminas do complexo B, o selênio, a glutationa, os glucosinolatos (encontrados nos vegetais crucíferos como repolho, brócolis e couve) e o enxofre.

Suspeito de que nessas pesquisas, em que fumantes tomam apenas betacaroteno, a Fase 2 da destoxificação não consegue administrar a situação ou talvez o betacaroteno precise de outros colegas de equipe para funcionar (ver na página 159 "Os antioxidantes trabalham em equipe"). Isso certamente explicaria por que os estudos que administram multivitaminas juntamente com o betacaroteno, ou administram um complexo antioxidante, não apresentam resultados negativos. Isso também explicaria por que os alimentos ricos em betacaroteno, que também podem conter outros nutrientes desintoxicantes, parecem trazer benefícios. A maioria deles também contém nutrientes vitais para a Fase 2. O brócolis e outras crucíferas contêm folato e glucosinolatos, enquanto a cebola e o alho contêm enxofre e derivados da glutationa. Todas essas substâncias são antioxidantes essenciais para a desintoxicação. Isso também poderia explicar por que o selênio, que participa de ambas as fases, tem o efeito mais positivo de todos os antioxidantes quando administrado isoladamente.

OS NUTRIENTES TRABALHAM JUNTOS

A moral dessa história é que os nutrientes trabalham em sinergia, e é melhor suplementá-los juntos, e não isoladamente. O pior que um fumante pode fazer é comer uma dieta de baixa qualidade e tomar um suplemento de betacaroteno puro. O melhor que pode fazer é parar de fumar. Portanto, um tabagista obteria

OS DEZ SEGREDOS

mais benefícios se tomasse uma multivitamina completa, com o nível ideal de nutrição e um antioxidante abrangente que contenha selênio, glutationa e vitamina C, e, o mais importante, comesse alimentos ricos em antioxidantes, que contêm naturalmente esses nutrientes.

A maioria dos estudos sobre antioxidantes combinados, tomados nas quantidades adequadas e, principalmente, tomados com multivitaminas e sem estatinas, apresenta benefícios expressivos para a saúde.

ANTIOXIDANTES — OS PRINCIPAIS JOGADORES

Eis alguma das descobertas mais importantes tanto de pesquisas que avaliaram a diferença no risco de quem toma muito ou pouco antioxidante quanto de estudos com a ingestão ideal desses nutrientes:

A **vitamina C** está associada a uma vida mais longa e saudável, reduzindo o risco de câncer,[75] de doença cardíaca[76] e de diabetes,[77] além de diminuir a duração e a gravidade de resfriados e outras infecções.[78] Em altas doses, é um poderoso agente anticancerígeno.[79]

Vitamina E — se você não estiver tomando estatinas, essa vitamina reduz o risco de doença cardíaca. Ela protege de danos as artérias e as gorduras.[80]

Betacaroteno — para quem não fuma, diminui o risco de câncer.[81]

Vitaminas B, **glutationa**[82] e **ácido lipoico**[83] diminuem o dano oxidativo ao DNA e às mitocôndrias. A glutationa, um dos principais antioxidantes no interior das células, ajuda a desintoxicar o corpo e tem propriedades anticancerígenas.[84]

O **resveratrol**, provavelmente, reduz a oxidação[85] e o risco de doenças cardíacas e câncer,[86] e pode ativar os genes da longevidade. É um tipo de **polifenol**, o composto que dá a cor avermelhada das frutas silvestres e das uvas. Também ajuda a reciclar a glutationa, um dos antioxidantes mais poderosos da células.[87]

A **coenzima Q10** ajuda a proteger as células de substâncias cancerígenas e também ajuda a reciclar a vitamina E. Diversos estudos parecem mostrar que ela protege contra o câncer.[82] Contudo, é mais conhecida pelos benefícios ao funcionamento cardíaco e pela proteção contra doenças do

continua

OS DEZ SEGREDOS DAS PESSOAS 100% SAUDÁVEIS

coração,[89] além de reduzir a pressão arterial.[90] Essa coenzima diminui o dano oxidativo às artérias, protegendo, dessa forma, as gorduras presentes no sangue (como o colesterol), de danos que possam contribuir para a doença arterial.[91] Ela também ajuda a proteger contra os efeitos prejudiciais das estatinas, os medicamentos usados para baixar o colesterol.[92]

O **selênio** é o constituinte mais importante da enzima antioxidante glutationa peroxidase. Quando se aumenta dez vezes a ingestão de selênio na alimentação, a quantidade de glutationa peroxidase no corpo dobra, o que mostra sua dependência em relação a esse mineral essencial, do qual muitas vezes temos deficiência. Como muitos óxidos causam câncer, e como as células cancerosas destroem outras células ao liberar óxidos, é provável que seja papel do selênio dar à glutationa peroxidase as propriedades de proteger contra o câncer e o envelhecimento prematuro. Uma revisão de quatro estudos mostra uma redução de 52% nos cânceres gastrointestinais e de 60% no câncer de esôfago com a suplementação de selênio.[93] Esse mineral também protege contra outros tipos de câncer. Um estudo descobriu que o selênio reduz o risco de câncer de pulmão,[94] enquanto outra revisão descobriu que o selênio protege contra câncer de pulmão e de próstata.[95]

OS MELHORES SUPLEMENTOS ANTIOXIDANTES

Além de comer uma dieta rica em ORACs, vale a pena suplementar esses nutrientes para garantir que as células recebam diariamente o suprimento ideal. Isso é importante principalmente se você teve uma pontuação alta no questionário sobre antioxidantes que combatem o envelhecimento (ver sua pontuação na página 147), ou se já passou dos 50 anos e parece velho para sua idade, ou simplesmente tiver decidido usufruir de vantagens. Em qualquer caso, recomendo tomar um suplemento que combine todos esses antioxidantes, em vez de apostar todas as fichas no mesmo número e tomar apenas um ou dois, como vitamina C ou E.

Obviamente, é muito difícil saber em definitivo quais são os efeitos da suplementação com antioxidantes, já que qualquer estudo precisa cobrir um intervalo longo, além de usar as combinações e doses adequadas e, francamente, ninguém está disposto a pagar milhões para realizar esses estudos sem um retorno comercial. Essa é a razão pela qual a maioria dos estudos sobre antioxidantes que vemos em jornais são pesquisas financiadas pela indústria

OS DEZ SEGREDOS

farmacêutica, nos quais um grupo de participantes também toma, por exemplo, um pouco de vitamina E — seu potencial rival. Não admira que os resultados sejam sempre positivos! De acordo com o professor Bruce Ames, podemos aprender mais se examinarmos em detalhe os indicadores críticos do envelhecimento. Ele afirma: "Para cada micronutriente, estamos investigando o nível de deficiência que causa danos ao DNA e às mitocôndrias nos humanos."

Tal como eu, ele prefere uma combinação de micronutrientes. A seguir estão os mais importantes e sua dose diária ideal, que deve ser combinada com uma alimentação saudável e uma multivitamina de qualidade:

Betacaroteno (pré-vitamina A)	7 mg (1.167 mcgRE)
Vitamina E (acetato de d-alfa-tocoferol)	100 mg (126 ui)
Vitamina C	1.000-1.500 mg
Coenzima Q10	10 mg (ou 90 mg se você tomar estatina)
Ácido alfalipoico	10 mg
Selênio	50 mcg
L-glutationa (forma reduzida)	50 mg
Resveratrol	20 mg

É possível encontrar suplementos antioxidantes completos que contenham a maioria desses nutrientes, menos a vitamina C (ver a seção Recursos). A quantidade necessária de vitamina C o obriga tomar um suplemento separado. Alguns comprimidos de vitamina C também fornecem extratos de frutas silvestres, ricos em antocianidinas, outro antioxidante fundamental. (Quanto mais roxo for o comprimido, mais extrato contém.) Outros nutrientes essenciais como as vitaminas B, o zinco e o magnésio, além de uma quantidade extra das vitaminas A, C e E e selênio devem ser obtidos de uma multivitamina concentrada. Tome o cuidado de suplementar diariamente um total de vitamina A (3.000 mcg) seja como retinol — fonte de animal — ou betacaroteno — fonte vegetal —, além de 1.500 a 2.000 mg de vitamina C, 100mg de vitamina E e 30-100mcg de selênio.

OS ANTIOXIDANTES E A PELE

Os antioxidantes que comemos ou tomamos como suplemento também ajudam a manter a pele jovem. Estudos sobre a administração de suplementos de nutrientes antioxidantes mostram claros benefícios para a saúde da pele.[96]

OS DEZ SEGREDOS DAS PESSOAS 100% SAUDÁVEIS

Porém, uma maneira ainda melhor é aplicar antioxidantes na pele — e nenhum deles é melhor que a vitamina A. Essa vitamina regula de trezentos a mil genes, controlando o crescimento celular e a proteção contra o câncer. Ela adquiriu má fama muito injusta de que, em excesso, é tóxica. Embora seja verdade que você pode morrer de superdosagem de vitamina A se comer o fígado de um urso polar, os únicos casos evidentes de toxicidade dessa vitamina foram causados por uma droga, a Roaccutane, que é uma substância semelhante à vitamina A, sinteticamente alterada, usada para tratar acne. Essa droga é conhecida por seu potencial para causar anomalias congênitas e foi associada a diversos efeitos colaterais desagradáveis, inclusive depressão. Não tenho conhecimento de nenhum caso real de superdosagem de vitamina A em seres humanos decorrente de suplementos dietéticos, que agora estão limitados a 3.000 mcg — apesar de que se estima que nossos ancestrais caçadores-coletores ingeriam o triplo dessa quantidade.

A VITAMINA A CONTRA O ENVELHECIMENTO

Como você talvez tenha percebido, os fabricantes de produtos para a pele gostam de afirmar que aumentar a ingestão de vitamina A, tanto internamente (pela alimentação), quanto externamente, tem as propriedades mais intensas de combater o envelhecimento, reverter a pigmentação e as rugas e proteger contra o sol. Um estudo recente mostrou que aplicar vitamina A sobre a pele reduz as rugas associadas ao envelhecimento.[97] A capacidade protetora dessa vitamina contra o sol é duplamente importante, porque é evidente que precisamos da luz do sol para produzir vitamina D. Quando se aumenta a concentração cutânea de vitamina A, a luz do sol estimula a produção de vitamina D, sem prejudicar a pele. Por outro lado, os bloqueadores solares impedem a pele de sintetizar vitamina D. Por essa razão, não uso bloqueador solar; prefiro os protetores solares de FPS mais baixo, mas que contenham vitamina A. Numa base diária, recomendo um creme para a pele que contenha vitamina A (ver a seção Recursos).

Como discutimos no capítulo anterior, também são fundamentais contra o envelhecimento os nutrientes da metilação, principalmente as vitaminas B2, B6, B12 e ácido fólico. Elas ajudam a manter a homocisteína baixa, de preferência abaixo de 6, o que é um bom fator de previsão de longevidade e ajuda a ativar a expressão genética que retarda o envelhecimento.

OS DEZ SEGREDOS

PLANO DE AÇÃO DE 30 DIAS PARA AUMENTAR OS ANTIOXIDANTES QUE RETARDAM O ENVELHECIMENTO

São necessários 30 dias para ver e sentir a diferença que resulta do aumento da ingestão de antioxidantes. Siga o maior número possível das recomendações a seguir e sinta a diferença. Estou seguro de que essas ações acrescentarão alguns anos de saúde à sua vida e mais vida a esses anos.

- Procure ingerir pelo menos 6.000 ORACs por dia; por exemplo, polvilhe canela no seu desjejum, coma muitas frutas e legumes frescos, prepare pratos com cúrcuma e gengibre, coma uma colher cheia de mostarda, alguns quadradinhos de chocolate escuro ou tome um copo de vinho tinto. A maneira mais fácil de alcançar os 6.000 ORACs é tomar uma dose de concentrado de cerejas.
- Tenha como objetivo comer de cinco a oito porções de frutas e legumes de cores variadas, escolhendo aqueles que têm muitas unidades ORAC.
- Quando preparar as refeições, procure encher pelo menos metade do prato com legumes e verduras.
- O calor destrói os antioxidantes, portanto, procure comer a maioria das frutas e legumes crus ou pouco cozidos.
- Frutas silvestres congeladas são ótimas para fazer vitaminas e sobremesas ou para comer com iogurte.
- Coloque sobre sua mesa de trabalho uma tigela com frutas e nozes ou castanhas cruas, em vez de comer batatas fritas ou doces.
- Assegure-se de tomar diariamente um suplemento total de 1.500-3.000 mcg de vitamina A, 1.500 mg de vitamina C, 100 mg de vitamina E e 30-100 mcg de selênio.
- Se você já passou dos 50 anos ou tem uma pontuação alta na avaliação de antioxidantes antienvelhecimento, tome uma combinação de antioxidantes que inclua 20 mg de resveratrol, glutationa, betacaroteno, ácido alfa-lipoico, CoQ10, selênio e vitamina E.
- Você pode conseguir todos os suplementos que acabamos de descrever tomando uma multivitamina de alta potência, vitamina C adicional e um complexo antioxidante.

OS DEZ SEGREDOS DAS PESSOAS 100% SAUDÁVEIS

- Use diariamente um creme para a pele com vitamina A e vitamina C.
- Além disso, não se esqueça de fazer exercícios e tente passear ao ar livre durante pelo menos 30 minutos todo dia.
- Acima de tudo, não se preocupe, seja feliz. O estresse envelhece, ao passo que desfrutar a vida, aprender coisas novas, conversar com pessoas e deixar de lado as emoções negativas ajuda a manter a juventude, como veremos no Segredo 9.

(Para ver um programa de suplementação fácil de usar, vá para o Capítulo 2 da Parte Três.)

Segredo 5

COMA GORDURAS ESSENCIAIS — MANTENHA A MENTE E O CORPO BEM-LUBRIFICADOS

Há 30 anos a gordura era considerada demoníaca: cheia de calorias, prejudicial para o coração e um dos principais motivos para o aumento de peso. Hoje sabemos que certas gorduras são essenciais para a saúde e estão entre os remédios mais poderosos, pois agem como analgésicos naturais e são antidepressivos mais potentes que os remédios convencionais. Trata-se das gorduras ômega 3, que além de boas para o coração também são recomendadas pelo serviço nacional de saúde dos Estados Unidos para quem sofreu um ataque cardíaco, pois reduzem à metade o risco de uma recaída. Além disso, elas são as melhores amigas da pele, mantendo-a macia e hidratada. Podem, ainda, ser o antídoto para a agressividade de nossos dias; na verdade, podemos até mesmo prever o índice de assassinatos e depressão de um país apenas conhecendo a ingestão média de ácidos graxos ômega 3.[98]

Contudo, os mitos sobre as gorduras são tão arraigados que ainda evitamos alimentos ricos em ácidos graxos essenciais por medo das calorias. Também evitamos fontes importantes de gorduras boas para o cérebro, como os ovos, por temer o colesterol, embora inúmeros estudos tenham mostrado que comer dois ovos por dia não altera em nada o nível de colesterol no sangue ou o risco de doença cardíaca.

POR QUE AS GORDURAS SÃO TÃO IMPORTANTES

Longe de serem ruins, as gorduras essenciais são transformadas pelo corpo em uma família de compostos semelhantes aos hormônios, chamados prostaglandinas, que parecem controlar praticamente tudo, do equilíbrio hormonal às reações e respostas cerebrais. Na verdade, parece que nossa própria obsessão

OS DEZ SEGREDOS DAS PESSOAS 100% SAUDÁVEIS

com dietas pobres em gorduras alimentou uma epidemia de depressão, agressividade e doenças inflamatórias, inclusive cardiopatias e artrite. Com a redução da ingestão de alimentos ricos em gordura — peixes gordurosos, nozes, castanhas e sementes —, também diminuiu a saúde física e mental.

Vamos examinar os fatos sobre as gorduras essenciais, meu quinto segredo: o que elas fazem, onde obtê-las e quais devem ser usadas por suas inúmeras propriedades medicinais, da redução da dor à melhoria do humor. Antes, porém, vamos examinar seus indícios e sintomas com o questionário sobre gorduras essenciais a seguir.

Questionário: confira suas gorduras essenciais

	Sim	Não
1. Alguma vez você sofreu de erupções cutâneas, eczema ou dermatite?	☐	☐
2. Tem a pele seca ou áspera?	☐	☐
3. Tem cabelo seco ou caspa?	☐	☐
4. Suas articulações são rígidas?	☐	☐
5. Você se descreveria como geralmente ansioso ou hiperativo?	☐	☐
6. Você sofre de depressão?	☐	☐
7. Fica irritado ou zangado com facilidade?	☐	☐
8. Costuma sentir apatia e falta de motivação?	☐	☐
9. Tem dificuldade para se concentrar ou fica confuso ou distraído com facilidade?	☐	☐
10. Tem memória fraca ou dificuldade para aprender?	☐	☐
11. Sofre de doença cardiovascular?	☐	☐
12. Suas taxas de lipídios no sangue são altas (colesterol ou triglicerídeos)?	☐	☐
13. Sofre de alguma doença inflamatória como eczema, asma ou artrite?	☐	☐
14. Toma analgésicos semanalmente?	☐	☐
15. Raramente come peixes gordurosos (cavala, salmão, sardinha, atum fresco), por exemplo, uma vez ou menos por semana?	☐	☐

OS DEZ SEGREDOS

16. Raramente come nozes ou sementes cruas, por exemplo, menos que a cada 2 dias? □ □

17. Come menos que quatro ovos por semana? □ □

18. Toma dois drinques ou mais na maioria dos dias? □ □

19. Come alimentos fritos, crocantes, queimados ou tostados quase todo dia? □ □

20. Vive no hemisfério norte? □ □

21. Passa menos de 30 minutos por dia ao ar livre, sob a luz solar, sem proteção de vidraça? □ □

Conte um ponto para cada "sim". Pontuação total: □

Pontuação

0-3: Nível A

Parabéns! Aparentemente, você não tem nenhum sintoma associado à falta de gorduras essenciais, embora a pontuação ideal seja zero. No entanto, para se garantir no futuro, você ainda pode ganhar com a leitura deste capítulo e com a adoção das recomendações que ainda não segue.

4-6: Nível B

É possível melhorar, e você provavelmente se beneficiará com um pouco de ajuda nesta área. Siga as recomendações deste capítulo e da Parte Três.

7-10: Nível C

Você deve estar com falta de gorduras essenciais e sofrendo as consequências. Siga os conselhos deste capítulo, assegure-se de que sua alimentação seja a melhor possível e adote o programa de suplementação da Parte Três.

11 ou mais: Nível D

É extremamente improvável que sua alimentação atual esteja suprindo gorduras essenciais suficientes para a saúde ideal. Siga os conselhos deste capítulo e da Parte Três, aumentando a ingestão de gorduras essenciais na alimentação e por meio de suplementos.

OS DEZ SEGREDOS DAS PESSOAS 100% SAUDÁVEIS

RESULTADOS DA PESQUISA DA SAÚDE 100%

- Aqueles que comem nozes, castanhas ou sementes três ou mais vezes por dia têm uma probabilidade três vezes maior de ter a saúde ideal, em comparação com quem não come.
- Quem come peixes gordurosos três ou mais vezes por semana ou mais tem uma probabilidade duas vezes maior de ter saúde ideal do que quem não come esses peixes.
- 57% dos indivíduos têm pele seca. 27% sofrem de eczema ou dermatite.
- 66% das pessoas ficam ansiosas ou tensas com facilidade, 55% ficam facilmente zangadas, 48% mostram tendência à depressão e 47% ficam confusas ou têm dificuldade de concentração. Tudo isso está associado com a deficiência de gorduras essenciais.
- 64% dos indivíduos não comem nozes ou sementes. 70% comem por semana uma porção ou menos de peixes gordurosos ou menos.

ÔMEGA 3: O ÓLEO SOLAR

Temos muito a agradecer ao falecido Sir Hugh Sinclair e aos esquimós. Sinclair audaciosamente foi onde nenhum homem jamais esteve para solucionar o enigma da população inuit do Círculo Ártico. Apesar de comerem grandes quantidades de gordura e colesterol, os inuits raramente têm doenças cardíacas. Sir Hugh foi viver com eles para descobrir o motivo desse fenômeno, e concluiu que ele estava relacionado com a dieta de carne de foca, rica em gorduras. Ao voltar a Oxford com um suprimento de carne e gordura de foca, Sir Hugh comeu o que aquele povo comia, enquanto fazia testes em si mesmo. Ele descobriu que seu sangue ficou mais fino e que as estatísticas vitais de lipídios no sangue se alteraram, entrando na faixa ideal. Descobriu, também, que o segredo da boa saúde dos esquimós, apesar de viverem em um dos ambientes mais inóspitos do mundo, é o fato de consumirem uma dieta rica no que o cientista chamou de gorduras ômega 3.

OS DEZ SEGREDOS

AS DUAS GORDURAS ÔMEGA

Há duas famílias de gorduras essenciais: ômega 3 e ômega 6. Essas últimas são produzidas e armazenadas pelas sementes e nozes de plantas de clima quente, como o girassol e o gergelim. Já as gorduras ômega 3 são encontradas nas frutas oleaginosas de climas mais frios, como a semente de linhaça e as nozes. Elas também estão presentes em grande quantidade no plâncton das águas frias — o alimento dos peixes pequenos.

Na verdade, somos movidos a luz solar e dependemos das plantas que comemos para estocar a energia do sol nos carboidratos, o principal combustível do corpo. Tanto a vitamina D quanto as gorduras essenciais dependem da luz solar. De fato, a energia do sol armazenada no plâncton sobe pela cadeia alimentar, indo dos peixes pequenos para os peixes gordurosos carnívoros. Já as focas se alimentam dos peixes gordurosos e armazenam o óleo deles na própria gordura, que usam como fonte de energia nos meses de inverno — o que é essencial, porque elas vivem nas regiões mais escuras do mundo, desprovidas de luz solar durante muitos meses seguidos. Os esquimós sobreviveram e mantiveram a saúde graças a uma alta ingestão de nutrientes da carne das focas.

A diminuição de nosso consumo de peixes gordurosos, causada principalmente pela fobia à gordura, alimentou uma epidemia de deficiência de ômega 3 e vitamina D. Isso é duplamente prejudicial para quem vive longe da linha do Equador, com pouca luz solar e pouca disposição para se expor aos raios do sol durante os meses frios do inverno.

SE VOCÊ VIVE NO HEMISFÉRIO NORTE, É PROVÁVEL QUE TENHA DEFICIÊNCIA DE ÔMEGA 3

Vou explicar por que você deveria comer ovos, peixes carnívoros, nozes, castanhas e sementes quase todos os dias, além de tomar suplementos de vitamina D, fosfolipídios e gorduras ômega 3 e ômega 6, em níveis adequados às suas necessidades. Porém, antes, vou mostrar por que todas essas gorduras são essenciais.

A próxima ilustração mostra as duas famílias de ácidos graxos essenciais. Quanto mais adiante no caminho, mais potente se torna a gordura, acabando pelas poderosas prostaglandinas, que têm vida curta e respondem por muitos dos benefícios das gorduras essenciais à saúde. A fonte alimentar mais poderosa de ômega 6 é chamada GLA, ácido graxo encontrado em alta concentração nos óleos de prímula e borago. O GLA pode ser sintetizado no corpo a partir dos óleos de gergelim e girassol. Grande parte das gorduras ômega 6 que ingerimos dos alimentos é danificada pelo calor, como acontece quando cozinhamos com óleo de girassol.

POR QUE O ÔMEGA 3 É TÃO IMPORTANTE

A fonte mais rica de ômega 3 é o trio de ácidos graxos EPA, DPA e DHA, encontrados em quantidades significativas somente nos peixes gordurosos ou carnívoros ou no óleo de fígado de bacalhau. O corpo produz um pouco de EPA (mais ou menos 5% a partir do ALA encontrado na semente de linhaça, na semente de abóbora, nas nozes e em outras castanhas e sementes de clima frio). Porém, o ALA é muito propenso a oxidação, o que torna a comida rançosa, razão pela qual esse ácido graxo costuma ser excluído ou removido de qualquer alimento processado que precise ter um prazo de validade mais

Ômega-3, ômega-6 e prostaglandinas – os controladores da inflamação

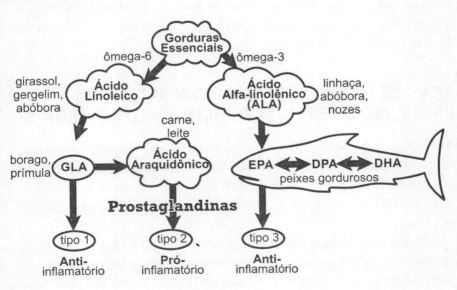

OS DEZ SEGREDOS

longo. Em parte por essa razão e em parte pela redução no consumo de peixe e ovos, muitos de nós acabamos mais deficientes em ômega 3 do que em ômega 6, com algumas consequências extraordinárias. Eis algumas delas:

- Quanto menos frutos do mar são consumidos em um país, maior o seu índice de assassinatos.[99] Na Grã-Bretanha, com a redução do consumo de ômega 3 e o aumento do consumo de ômega 6 das margarinas e alimentos processados, aumentou o índice de assassinatos.[100]
- É possível prever a incidência de depressão em um país somente pelo consumo de peixes gordurosos.[101] Em mulheres grávidas, quanto menor o consumo de ômega 3, maiores as chances de depressão.[102] O consumo de peixes ou óleos de peixe foi sistematicamente associado a uma redução da hostilidade e da agressividade,[103] assim como à redução do risco de suicídio.[104]
- Os peixes e óleos de peixe que contêm ômega 3 desativam a inflamação (presente no eczema, na asma e nas doenças com "ite", da colite à artrite) causada pelo consumo de alimentos prejudiciais;[105] suplementos de óleo de peixe são mais eficazes que os analgésicos para diminuir a dor e a rigidez articular dos pacientes com artrite.[106]
- Os suplementos de ômega 3 revertem a depressão com mais eficiência que os antidepressivos,[107] cujo efeito colateral mais preocupante é o aumento do risco de suicídio.[108]
- Comer peixes gordurosos e/ou tomar suplementos de óleo de peixe ricos em ômega 3 reduz à metade o risco de um segundo ataque cardíaco; no Reino Unido, os médicos agora recomendam que esses suplementos sejam prescritos para os pacientes que sofreram um ataque cardíaco.[109]

BENEFÍCIOS DO ÔMEGA 3 PARA A SAÚDE

Aqui estão outros efeitos/propriedades do ômega 3 que podem ser benéficos:

Pele mais flexível, macia e aveludada
Ausência de desidratação
Mais energia e disposição

continua

OS DEZ SEGREDOS DAS PESSOAS 100% SAUDÁVEIS

Recuperação mais rápida de fadiga
Aumento da acuidade mental e da memória
Mais foco e concentração
Mais bom humor e motivação
Aumento do QI das crianças
Redução da hiperatividade
Redução das dependências
Redução da ansiedade e da agressividade
Prevenção de alergias e do intestino permeável
Redução da fome e dos desejos
Prevenção da TPM (quando associado ao ômega 6)
Aumento da fertilidade masculina e feminina
Melhora do ritmo cardíaco e afinamento do sangue
Eliminação mais eficiente de organismos infecciosos
Proteção do DNA contra danos
Inibição do crescimento das células cancerosas
Melhora na cicatrização de ferimentos
Ação analgésica e anti-inflamatória natural

ANTIDEPRESSIVO, ANALGÉSICO E PROTETOR NATURAL DO CORAÇÃO

Como mencionamos, o cérebro é sutilmente dependente das gorduras ômega 3, que influenciam o humor, a concentração e o comportamento. Agora já contamos com testes clínicos de boa qualidade que mostram o efeito intenso dos suplementos de óleo de peixe com ácidos graxos ômega 3, principalmente EPA, no alívio da depressão,[110] superior ao dos medicamentos antidepressivos. A maioria dos estudos sobre antidepressivos relata uma redução nos índices de depressão da ordem de 15%. Três estudos com ômega 3 relataram uma redução média de 50%[111] e sem efeitos colaterais.

Tudo o que comemos tem o potencial de curar ou fazer mal. Por essa razão, toda vez que comemos, o sistema imunológico entra em alerta vermelho e fica pronto para reagir contra substâncias indesejáveis. Isso promove inflamações, que muitas vezes são experimentadas como inchaço, dor ou vermelhidão, e que estão na base da maioria dos problemas de saúde — de dores articulares a doenças cardiovasculares. (A propósito, um dos melhores indicadores de inflamação é um nível aumentado de proteína C reativa, ou PCR, que pode ser medida no sangue por meio de um exame para detectar inflamação. Quanto mais elevado o nível de PCR, menor é o status do ômega 3, portanto, esse exame é bom para indicar se estamos consumindo ômega 3 suficiente.)[112] Quanto mais açúcar, gordura saturada e calorias comemos, e quanto mais alta a carga glicêmica da alimentação, mais isso acontece. Esse processo também é acelerado por sedentarismo, sobrepeso ou resistência à insulina. Na próxima ilustração poderemos ver como tudo isso funciona. No entanto, o maior causador de inflamação depois de uma refeição é a falta de gorduras essenciais na dieta.

EFEITO DO ÔMEGA 3 EM INFLAMAÇÕES E NAS CARDIOPATIAS

Quanto mais ômega 6 e quanto menos ômega 3 tiver uma refeição, mais efeito inflamatório ela vai causar.[113] Isso ocorre porque as gorduras ômega 6 encontradas em alimentos processados, pastas, margarinas e os óleos de sementes

A INFLAMAÇÃO é promovida por:

1. Muito açúcar + carbs refinados (alta CG)

2. Proporção ômega-3/ômega-6 baixa

3. Muita gordura saturada

INFLAMAÇÃO APÓS A REFEIÇÃO

4. AUMENTO DE PESO

Indicada pela CRP elevada

5. RESISTÊNCIA À INSULINA

INFLAMAÇÃO CRÔNICA

OS DEZ SEGREDOS DAS PESSOAS 100% SAUDÁVEIS

mais usados, como o óleo de girassol, têm a capacidade de se transformar nas gorduras causadoras de inflamação, chamadas prostaglandinas tipo 2 (ver ilustração da página 174.) O leite e a carne têm o mesmo efeito. Por outro lado, fontes alimentares de ômega 3, inclusive sementes de linhaça, nozes, sementes de abóbora, peixes gordurosos e suplementos de óleo de peixe, desativam a inflamação por se transformarem nas prostaglandinas tipo 3, que são anti-inflamatórias. As gorduras ômega 3 também têm a capacidade de mudar a expressão genética, desativando a inflamação.

Dois exemplos do que isso representa para você estão nas sólidas comprovações de que quanto mais óleo de peixe com ômega 3 você consumir, menor será o risco de ter dor artrítica.[114] Quando um paciente com artrite toma suplementos de óleo de peixe com ômega 3, seu consumo de outros analgésicos é reduzido à metade. Além disso, é mais baixo o risco de doença cardíaca,[115] originada principalmente pela inflamação das artérias, que causa bloqueios capazes de provocar ataques cardíacos, derrame ou trombose. Se alguém que sofreu um ataque cardíaco tomar suplementos com ômega 3, o risco de sofrer outro é reduzido em um terço.

Esses três benefícios importantes por si só já são motivos suficiente para querer aprimorar a ingestão das benéficas gorduras ômega 3 ao mesmo tempo em que se reduz a ingestão de gorduras saturadas, processadas e danificadas pela fritura. Mas que tipo de gordura ômega 3 traz mais benefícios para a saúde?

OS TRÊS MOSQUETEIROS: EPA, DHA E DPA

Nos peixes gordurosos encontramos três tipos diferentes de ômega 3: EPA, DHA e DPA. O primeiro é mais "funcional", o que significa que as prostaglandinas derivadas dele parecem ser as mais potentes para reduzir a inflamação ou melhorar o humor. Muitos dos estudos realizados empregaram altas concentrações de EPA. Por outro lado, o DHA é "estrutural", ou seja, é do material que o cérebro é literalmente feito. (O nível de DHA de uma criança no nascimento permite prever a velocidade com que ela vai pensar aos 8 anos!) Portanto, o DHA é mais importante na gravidez e costuma ser adicionado aos leites em pó para lactentes, enquanto o EPA parece ser melhor como analgésico e antidepressivo natural. No entanto, poucos conhecem o terceiro mosqueteiro — o DPA —, o que é lamentável, porque esse é o ácido graxo ômega 3 mais poderoso.

À medida que subimos na cadeia alimentar, do plâncton para o krill (o alimento das baleias), e daí para as sardinhas, o salmão, a foca e os esquimós, muda o tipo de gordura ômega 3. O plâncton contém somente ALA (ver ilustração na página 174). A sardinha contém, principalmente, EPA, porém, como a maioria dos peixes, é pobre em DPA. No entanto os salmões e, mais ainda, as focas, são excepcionalmente ricos em DPA. E também o leite materno e os esquimós. Como mencionamos, muitos dos benefícios comprovados das gorduras ômega 3 foram descobertos graças à análise da dieta dos esquimós, que comem muita carne de foca e salmão. Apesar de sua elevada ingestão de gordura e colesterol, o risco de doença cardiovascular nessa população é mínimo. Na verdade, quanto mais alto o nível de DPA, menor o risco de doenças do coração.[116]

Como podemos ver na ilustração da página 174, o ALA (fonte vegetal de ômega 3) se converte em EPA, que se converte em DPA, que se converte em DHA. Portanto, o DPA está no meio dos outros dois mosqueteiros. Ele também pode ser convertido em EPA ou DHA, ou seja, é muito flexível.

AS QUALIDADES ESPECIAIS DO DPA

As evidências de que o DPA pode ser o tipo mais importante de ômega 3 para muitas áreas da saúde estão crescendo. Vejamos o caso da doença cardiovascular. Estudos mostraram que o óleo de foca é melhor que o óleo de peixe para reduzir o risco de doença cardiovascular (mas não estou recomendando que você coma carne de foca!).[117] Há bons motivos para acreditar que quem faz a diferença é o DPA. Embora o EPA e o DHA afinem o sangue (ao impedir que as plaquetas se juntem ou agreguem), pesquisas recentes mostram que o DPA faz isso melhor.[118] Além disso, quando se consome pouco ômega 3, as lesões arteriais acontecem mais depressa. Esse processo deve ser impedido, porque pode acabar por bloquear uma artéria. Embora o EPA possa inibi-lo, o DPA é aproximadamente seis vezes mais eficaz.[119]

O DPA também pode ser importante para prevenir ou retardar o câncer. Para crescer, um tumor precisa desenvolver uma forma de receber o suprimento de sangue, o que é chamado de angiogênese. Mostrou-se que o DPA inibe esse processo e retarda o crescimento de células de câncer de mama, cólon e próstata.[120]

Quando comemos um peixe gorduroso, como o salmão, estamos recebendo os três tipos de ômega 3: EPA, DHA e DPA. A maioria das cápsulas de

OS DEZ SEGREDOS DAS PESSOAS 100% SAUDÁVEIS

óleo de peixe traz os dois primeiros, mas pouco ou nenhum DPA. O ideal é suplementar os três.

OS MELHORES PEIXES

Com a diminuição dos peixes no mar e o aumento da população, talvez essa recomendação não seja ambientalmente correta, mas a ingestão ideal de peixes gordurosos/carnívoros é de três a cinco porções semanais. O National Institute for Clinical Excellence (NICE), consultor para políticas do Serviço Nacional de Saúde dos Estados Unidos, recomenda que todos os pacientes que sofreram ataque cardíaco comam de duas a quatro porções de peixes gordurosos (arenque, sardinha, cavala, salmão, atum e truta) por semana.

Em nossa Pesquisa da Saúde 100% descobrimos que as chances de ter uma saúde ideal aumentam em dois terços quando se consome de três a mais porções de peixes gordurosos por semana, em vez de consumir duas porções semanais. Uma porção é definida como 140g, o que corresponde a uma lata pequena de conserva de peixe ou um filé pequeno de peixe fresco, o que nos fornece pelo menos 7g de gorduras essenciais ômega 3 por semana.

NEM TODOS OS PEIXES GORDUROSOS SÃO IGUAIS

Examine a tabela a seguir e você verá que o nível de ômega 3 no peixe enlatado é uma fração do ômega 3 contido no peixe fresco. É provável que isso aconteça porque o óleo pode ter sido extraído e vendido para a indústria de suplementos, deixando uma carne mais seca, que é disfarçada com a conservação do peixe em óleo. Nos EUA, é possível comprar atum conservado no próprio óleo. O sabor é completamente diferente, e muito melhor. Portanto, não espere que atum em conserva vá fornecer a cota de ômega 3, use sempre peixe fresco. Outro problema com o peixe gorduroso é o potencial de contaminação por mercúrio, principalmente em espécies grandes, como o atum. Isso é relevante principalmente para mulheres grávidas, porque o mercúrio é uma neurotoxina e pode causar defeitos congênitos. Eu recomendaria, em caso de gravidez, comer atum no máximo uma vez por quinzena, e, em outros casos, uma vez por semana ou a cada 15 dias. O mesmo conselho se aplica ao marlim e ao peixe-espada. Para comer constantemente, os melhores são o salmão selvagem e a cavala. O nível de ômega 3 do salmão de criadouro depende da alimentação que o peixe recebe.

Conteúdo de ômega 3 e mercúrio dos peixes

Peixe	Ômega 3 g/100g	Mercúrio mg/kg	Proporção ômega 3 /mercúrio
Atum em lata	0,37	0,19	1,95
Truta	1,15	0,06	19,17
Arenque	1,31	0,04	32,75
Atum fresco	1,50	0,40	3,37
Salmão enlatado/defumado	1,54	0,04	38,50
Sardinha em lata	1,57	0,04	39,25
Cavala fresca	1,93	0,05	38,60
Salmão fresco	2,70	0,05	54,00
Peixe-espada	2?	1,40	1,43?
Marlim	2?	1,10	1,83?

Fonte: Food Standards Agency, 2004.

UM REFORÇO NO ÔMEGA 3

Os peixes gordurosos trazem benefícios para a saúde que não estão diretamente relacionados com o nível de ômega 3: são muito ricos em proteínas, vitamina E, selênio e colina (falaremos mais sobre isso em seguida); portanto, eu sempre aconselho comer três porções por semana (atum enlatado não vale!), mas também sugiro tomar um suplemento, principalmente nos dias em que não comer peixe.

Se você for vegetariano, a melhor alternativa é comer diariamente pelo menos uma colher de sopa cheia de sementes de linhaça moídas ou tomar duas colheres de chá de óleo de linhaça. Mesmo assim, talvez o corpo não converta o ALA na quantidade suficiente de EPA e DHA. Na verdade, em muitos estudos em que voluntários tomaram o óleo de linhaça não foi descoberta qualquer alteração significativa nos níveis de DHA.[121] Se você não for estritamente vegetariano ou vegano, o melhor é tomar um suplemento de óleo de peixe. Acho que isso é essencial no caso de gravidez, pois o desenvolvimento do feto depende muito do DHA. Para os veganos estritos existem suplementos que fornecem DHA vegetal, extraído de algas marinhas. No entanto, a dosagem é tão baixa que será preciso tomar várias cápsulas.

SUPLEMENTO DE GORDURAS ESSENCIAIS

Penso que as gorduras essenciais são como as vitaminas B. É melhor tomar um suplemento de todas elas e depois acrescentar mais daquela que for necessária. Recomendo e tomo um suplemento diário que contém EPA, DPA, DHA e também GLA, que provê os seguintes níveis para complementar as fontes alimentares:

EPA 150-200 mg
DPA 50-100 mg
DHA 300-400 mg
GLA 40-60 mg

O total de EPA + DPA + DHA (todos os ômega 3) deve ser pelo menos seis vezes maior que a quantidade de GLA (ômega 6), pois precisamos de mais ômega 3 do que ômega 6.

Se sua pontuação no questionário de ácidos graxos essenciais for alta, ou se você sofre de depressão ou artrite, ou se tiver sofrido um ataque cardíaco recente, com base no que sabemos hoje, aconselho também a tomar um suplemento adicional de 500 mg de EPA, o que em termos reais significa tomar uma ou duas cápsulas a mais de um suplemento de EPA de alta potência. O NICE recomenda 1 g de óleos ômega 3 por dia. Contudo, os estudos desses óleos para prevenção de ataque cardíaco empregam dosagens de óleo de peixe concentrado equivalentes a uma ou duas cápsulas de 1g, em que cada cápsula fornece 460 mg de EPA e 380 mg de DHA.

Pelo que sabemos, o DPA também pode se revelar muito eficiente para melhorar o humor. Talvez seja por essa razão que os esquimós continuam alegres, apesar de quatro meses de escuridão total.

Um último detalhe: sempre que tomar um suplemento de óleo de peixe, de preferência extraído do salmão, é importante verificar se ele foi purificado de acordo com os mais altos padrões, para remover dioxina e PCBs (bifenilas policloradas), substâncias que, infelizmente, poluem todos os oceanos. Os melhores fabricantes de suplementos só fornecem os óleos de peixe purificados e isentos de contaminação.

OS DEZ SEGREDOS

FOSFOLIPÍDIOS — AS OUTRAS GORDURAS ESSENCIAIS DO CÉREBRO

O peso seco do cérebro é composto de 60% de gordura. Aproximadamente metade disso vem de uma importante família de gorduras cerebrais chamadas fosfolipídios, que têm nomes estranhos sempre começados por "fosfatidil", como fosfatidilcolina, fosfatidilserina e fosfatidil DMAE (dimetilaminoetanol). Tal como as gorduras essenciais, os fosfolipídios são tanto "estruturais", literalmente compondo a estrutura do cérebro, quanto "funcionais", ajudando-o a funcionar adequadamente. Por exemplo, o neurotransmissor acetilcolina é fundamental para a memória. A maioria dos medicamentos para retardar o declínio da memória decorrente do envelhecimento, como o medicamento contra demência chamado Aricept, promove temporariamente esse neurotransmissor. A acetilcolina é sintetizada a partir da fosfatidilcolina, um processo que depende de vitamina B5 (ácido pantotênico), encontrada em abundância em peixes e ovos. As concentrações de fosfolipídios são mais elevadas no cérebro; em seguida vêm os órgãos como o fígado e os rins. No fígado, eles contribuem para a desintoxicação e ajudam o corpo a processar as gorduras.

MAIS INTELIGENTES E MELHORES

Os animais mais inteligentes são sempre os que comem cérebro, órgãos ou ovos. As raposas, por exemplo, comem as cabeças das presas e abandonam o restante, a não ser que estejam com muita fome. Os animais vegetarianos mais inteligentes são os que comem sementes, uma dieta rica em gorduras essenciais. O papagaio, por exemplo, tem um QI equivalente ao de uma criança de 3 anos.

Embora o corpo possa fabricar fosfolipídios, precisamos também de uma fonte alimentar. Como alternativa a comer cérebro e órgãos como fígado e rim, as melhores fontes alimentares são os ovos e os peixes. É melhor comer um peixe gorduroso três vezes por semana e seis ovos por semana, além de tomar um suplemento com um complexo de fosfolipídios. Juntamente com o equilíbrio correto de ômega 3 e ômega 6, essa é a alimentação ideal para o cérebro.

OS DEZ SEGREDOS DAS PESSOAS 100% SAUDÁVEIS

PESQUISA COM FOSFOLIPÍDIOS

Mostramos resultados de alguns estudos em que foram administrados os fosfolipídios colina, serina ou DMAE:

- Pesquisa do Duke University Medical Center, na Carolina do Norte, EUA: a partir da metade da gravidez, fêmeas de rato prenhes receberam colina. Os filhotes dessas mães que tomaram colina tinham cérebros muito superiores, com mais conexões dendríticas, e mostravam mais capacidade de aprendizagem e memória, características que foram mantidas até a idade avançada.[122]
- Outra pesquisa confirma a colina como essencial para o desenvolvimento cerebral. A síntese da colina depende do aminoácido SAMe e do folato, que são nutrientes fundamentais para a "metilação" (ver o Segredo 3). Quanto mais baixo for o nível de homocisteína, maior será a capacidade para produzir colina. [123]
- Um teste clínico controlado por placebo e realizado na Califórnia envolveu 80 estudantes universitários que receberam uma dose única e concentrada de fosfatidilcolina (3,75 g de colina) e, 90 minutos depois, demonstraram um aumento notável na memória.[124]
- De acordo com o professor Wurtman, do Massachusetts Institute of Technology (MIT), quando os níveis de colina estão baixos, para produzir mais acetilcolina o corpo lança mão da colina que seria necessária para formar células nervosas. Portanto, segundo Wurtman, para evitar danos ao cérebro é fundamental fornecer-lhe a quantidade necessária desse nutriente.[125]
- A fosfatidilcolina é vital tanto para a formação das membranas do cérebro quando para o funcionamento desse órgão, ajudando a produzir neurotransmissores. Mais ou menos 16 testes clínicos mostram que esse fosfolipídio traz benefícios às funções cognitivas mensuráveis, que tendem a declinar com a idade: memória, aprendizagem, vocabulário e concentração, além de bom humor, agilidade mental e sociabilidade.[126]
- Precursor da colina, o DMAE atravessa muito mais facilmente a barreira entre o sangue e as células cerebrais, acelerando a produção de acetilcolina, que reduz a ansiedade, diminui a dispersão, melhora a concentração, promove a aprendizagem e atua como um estimulante suave para o cérebro. A

capacidade do DMAE para regular o cérebro foi muito bem-demonstrada por um estudo alemão de 1996 com um grupo de adultos portadores de problemas cognitivos. Os participantes fizeram um eletroencefalograma e, em seguida, receberam DMAE ou placebo. Não houve alteração no EEG dos que tomaram placebo, mas os outros mostraram melhora no padrão de ondas cerebrais nas partes do cérebro que desempenham papel importante na memória, na atenção e na flexibilidade do pensamento. (A sardinha é uma fonte especialmente rica de DMAE, que também é encontrado em outros peixes gordurosos.)[127]

OS BENEFÍCIOS DE TOMAR SUPLEMENTO DE FOSFOLIPÍDIOS

Penso que vale a pena suplementar esses fosfolipídios para garantir um suprimento diário; todo dia tomo um complexo de fosfolipídios que também provê uma quantidade adicional de vitaminas B, importantes para a metilação. Como essa combinação de nutrientes promove a boa memória, ela é ainda mais importante se você estiver apresentando sinais de perda de memória.

Procure suplementos que forneçam os seguintes níveis de nutrientes:

DMAE 140-200 mg
Fosfatidilcolina 60-100 mg
Fosfatidilserina 30-50 mg

Acrescente também os nutrientes para a metilação: ácido fólico, vitamina B12, TMG e pelo menos 100 mg de ácido pantotênico (vitamina B5). Outros nutrientes amigos do cérebro são a niacina (vitamina B3), o aminoácido piroglutamato e a erva ginkgo biloba.

Outra forma de aumentar a ingestão de fosfolipídios, pelo menos da colina, é tomar duas colheres de chá cheias de grânulos de lecitina (disponível também em cápsulas de 1.200 mg — caso em que se deve tomar duas cápsulas). Os grânulos podem ser acrescentados aos cereais.

OVOS SAUDÁVEIS

As razões mencionadas são bons motivos para aprimorar a ingestão de fosfolipídios em sua dieta, sendo os ovos a melhor fonte alimentar. Gosto de comer

OS DEZ SEGREDOS DAS PESSOAS 100% SAUDÁVEIS

seis ovos caipiras por semana. Os ovos são as "sementes" das galinhas e por isso precisam ter muitos nutrientes. Talvez você se pergunte se ovos não aumentam o colesterol. Esse mito estranho já foi muito investigado, e a resposta sempre é negativa. Na verdade, no último estudo em que voluntários comeram dois ovos por dia, o colesterol deles diminuiu! Nessa pesquisa da Surrey University, voluntários com excesso de peso foram submetidos a uma dieta pouco calórica. Um grupo não comia ovos e outro grupo comia dois por dia. Os dois grupos perderam peso e tiveram uma redução significativa no nível de colesterol no sangue.[128] O colesterol alto pode ser reduzido com facilidade por meio de uma dieta de baixa carga glicêmica; de qualquer forma, o colesterol é um nutriente vital para o cérebro e o corpo, e não o monstro que foi pintado.

A GRANDE FRAUDE DO COLESTEROL

Tudo começou em 1913, quando um cientista russo chamado Anitschkov submeteu coelhos a uma dieta rica em colesterol. As artérias das cobaias ficaram bloqueadas por massas de colesterol e os animais morreram. Os coelhos comem folhas, não colesterol, portanto, não têm os meios de processar esse alimento. O mesmo não se aplica aos seres humanos. No entanto, dessa forma começou um período de quase 100 anos de desinformação sobre o colesterol. Eis alguns fatos que talvez lhe causem surpresa:

- Comer colesterol não aumenta o colesterol.
- Comer gordura não aumenta o colesterol.
- Comer colesterol e gordura não aumenta o risco de doenças cardiovasculares.
- Um nível alto de colesterol não é fator de previsão de ataque cardíaco ou de derrame. Na verdade, ter um colesterol baixo é mais indicativo do risco de derrame.
- Ter um nível de colesterol muito baixo (abaixo de 4 mmol/l) é tão perigoso quanto ter um nível muito alto (acima de 6 mmol/l).
- A orientação atual segundo a qual o indivíduo com colesterol acima de 5 precisa tomar estatinas (o medicamento para baixar o colesterol) durante toda a vida, tem mais a ver com dinheiro do que com ciência.

continua

OS DEZ SEGREDOS

- No ano passado a venda de estatinas, medicamentos criados para baixar o colesterol, gerou 20 bilhões de dólares.
- Administradas a pessoas saudáveis, as estatinas não reduzem a mortalidade.
- Elas reduzem o risco em homens que tiveram um ataque cardíaco.
- Elas não reduzem significativamente o risco em mulheres que não tiveram problemas cardiovasculares.

O Dr. Malcolm Kendrick, especialista em cardiologia e autor do livro *The Cholesterol Con*, um eloquente libelo sobre o mito do colesterol, afirma: "Acho que me venderam um filhote de cachorro bem grande. Na verdade, ele parece ser mais uma baleia-azul adulta."

No Reino Unido, o núcleo da prevenção de doenças cardiovasculares não funciona para aconselhamento sobre dieta e estilo de vida, mas para a prescrição de estatinas. Os médicos são recompensados financeiramente cada vez que testam o colesterol de um paciente e prescrevem medicamentos para baixá-lo — apesar dos indícios de que tomar esses remédios pode ser praticamente inútil. Na verdade, se você tiver um ataque cardíaco, é mais provável que *não* tenha colesterol alto. Uma grande pesquisa realizada nos EUA, envolvendo 136.905 pacientes hospitalizadas por ataques cardíacos, descobriu que 75% deles tinham um nível de colesterol perfeitamente normal e quase a metade tinha colesterol ideal! Esse resultado é coerente com um estudo publicado há pouco no *British Medical Journal* e que envolveu idosos: o estudo descobriu que o colesterol era um fator muito precário de previsão de morte por doença cardiovascular. O mesmo se aplica ao escore de Framingham de risco cardiovascular, um índice muito utilizado, baseado em fatores de risco convencionais, como a pressão arterial, o colesterol, o eletrocardiograma, o diabetes e o tabagismo.[129] Sem dúvida, o melhor fator de previsão era o nível de homocisteína. Para indivíduos com pontuação H acima de 13 é possível prever nada menos que dois terços das mortes em cinco anos.

O uso frequente de estatinas

Acredito que estatinas foram prescritas desnecessariamente a milhões de pessoas. Um estudo recente descobriu que quase metade dos indivíduos diagnosticados com base no escore de Framingham de risco cardiovascular, como pacientes que devem tomar estatinas, na verdade, não precisam

continua

OS DEZ SEGREDOS DAS PESSOAS 100% SAUDÁVEIS

desse medicamento! Isso foi determinado por meio de um exame que procurou placas de ateroma nas artérias desses pacientes. De acordo com o proeminente pesquisador Dr. Kevin Johnson, "26% dos pacientes que já estavam tomando estatinas (por indicação de ferramentas de avaliação de risco) não tinham nenhum sinal de placas de ateroma". [130] Embora as estatinas reduzam o risco de um segundo ataque cardíaco, não acho que isso tenha qualquer relação com seu efeito para baixar o colesterol; muito provavelmente isso é resultado do efeito anti-inflamatório do medicamento. Como vimos no Segredo 4, as estatinas diminuem o colesterol porque impedem sua produção; nesse processo, elas também impedem a produção do importante antioxidante CoQ10, o que resulta em diversos efeitos colaterais, principalmente fraqueza muscular e problemas no músculo cardíaco, experimentados por uma em cada duas pessoas. No Canadá, é obrigatório incluir nas embalagens de estatinas uma advertência sobre o risco de que o medicamento cause uma deficiência da CoQ10. Tomar um suplemento diário de 90mg de CoQ10 diminui um pouco esses efeitos colaterais.

SENDO ASSIM, O QUE DIMINUI O RISCO DE DOENÇA CARDÍACA?

Os seguintes fatores diminuem o risco de doença cardiovascular: reduzir o estresse, aumentar o consumo de gorduras ômega 3,[131] ingerir uma dieta de baixa carga glicêmica e com mais magnésio (que é reduzido pelo estresse); diminuir a nicotina e provavelmente a cafeína; tomar vitaminas que baixam a homocisteína, além de vitamina C e uma alta dose de niacina (B3); fazer exercícios para reduzir o estresse. Uma dose de 1.000mg de niacina por dia normaliza o colesterol muito alto e aumenta o nível de HDL (conhecido como "bom" colesterol) com muito mais eficiência que as estatinas, porém, tal como essas últimas, talvez a niacina reduza o risco de doenças cardíacas por outros mecanismos. As dietas de baixa carga glicêmica também tendem a normalizar esse nível.

Toda essa situação do colesterol é fascinante porque ter um nível de colesterol alto passou a ser considerado uma "doença" por si só. Em outras palavras, alguém pode ser perfeitamente saudável, ir ao médico para um check-up e sair de lá com uma doença que ignorava e com uma receita de estatina. Na Inglaterra, o médico recebe uma compensação financeira por ter testado e tratado o paciente; a indústria farmacêutica, evidentemente, é beneficiada, mas o ganho para o paciente é duvidoso.

BAIXANDO O COLESTEROL DE FORMA NATURAL

Desafiei um canal de televisão a encontrar alguém com colesterol alto e me dar três semanas para baixá-lo. Andrew foi voluntário:

ESTUDO DE CASO: ANDREW

Seis meses antes Andrew fez um exame de colesterol e o resultado foi 8,8. Mandaram que tomasse estatinas e, 6 meses depois, o nível do colesterol era 8,7. Ele achou que a redução mínima e os efeitos colaterais não justificavam tomar o remédio e parou de tomá-lo. Ele também estava ganhando peso, sentia-se sempre cansado e estressado e tinha problemas de sono.

Andrew participou de minha Oficina da Saúde 100%, em um fim de semana; ele mudou a alimentação e aprendeu um sistema de exercícios para controle do estresse chamado Psicocalistenia. Ele também começou a tomar uma dose de suplementos muito próxima da que recomendo aqui, inclusive, 1g de niacina, além de óleo de peixe rico em EPA, e mais magnésio. Três semanas depois Andrew havia perdido 4,5kg, seus níveis de energia eram ótimos, já não se sentia estressado e estava dormindo muito melhor. Examinei seu colesterol no estúdio de TV e ele tinha caído para 4,9, um nível saudável. Por que tomar medicamentos quando mudanças na dieta, nos suplementos e no estilo de vida funcionam mais rápido e com mais eficiência e segurança?

A essa altura espero que você esteja convencido de que comer ovos faz bem e que, se seguir os dez segredos da Saúde 100%, pelo resto da vida não precisará de nenhum medicamento para baixar o colesterol.

NÃO DESPREZE A VITAMINA D

Outra gordura essencial da qual todos precisamos e da qual quem vive nos climas mais frios costuma ter deficiência é a vitamina D. Esse hormônio solúvel em óleo faz muito mais do que fortalecer os ossos. Ele pode ser um dos mais importantes recursos de prevenção de câncer, além de ser vital para o sistema nervoso, para o funcionamento cerebral e, ainda, fortalecer o sistema imunológico.

Há dois anos previ que a deficiência de vitamina D no inverno era um importante fator causal para o aumento da incidência de resfriados nessa estação. Um estudo recente confirma essa associação. Publicado no *Archives of Internal Medicine*, o estudo envolveu 19 mil pessoas e descobriu que quem tem um nível médio de vitamina D mais baixo tem 40% mais de probabilidade de ter uma nova infecção respiratória, em comparação com quem tem um nível mais alto de vitamina D.[132]

A VITAMINA DO SOL

A vitamina D é sintetizada principalmente na pele, na presença de luz solar, mas, no Reino Unido, não temos insolação suficiente e não expomos bastante pele ao pouco sol disponível. Como consequência, a maioria da população é deficiente dessa vitamina.

Além disso, foi publicada recentemente uma pesquisa segundo a qual tomar vitamina D suficiente durante a gravidez desativa o gene que aumenta o risco de esclerose múltipla.[133] A vitamina D é vital para o cérebro, o sistema nervoso e o sistema imunológico, mas também tem expressivos efeitos anticancerígenos. Alguns estudos afirmam que se todos tomássemos as quantidades adequadas dessa vitamina, os índices de câncer de mama, próstata e cólon seriam cortados pela metade.[134]

A importância da vitamina D, além do papel que desempenha na saúde dos ossos, foi percebida quando pesquisadores investigaram possíveis razões para a relação entre a distância da linha do Equador e a maior ocorrência de diversas doenças, inclusive muitas formas de câncer, esclerose múltipla e esquizofrenia.

O nível mínimo de vitamina D necessário para uma boa saúde varia em torno de 30mcg por dia, embora alguns considerem essa dosagem baixa. Se você se expuser ao sol moderado durante 30 minutos diariamente e comer ovos e peixes gordurosos (como a cavala), poderá alcançar 15mcg. Assim, é razoável suplementar 15mcg, especialmente se você viver no Reino Unido ou em lugar equivalente. Você encontrará essa quantidade em uma multivitamina concentrada, de boa qualidade, mas não nas multivitaminas baseadas no IDR. Esse índice está extremamente desatualizado e equivale a 5 mcg. A ingestão média diária é 3,5 mcg, principalmente por causa da diminuição do consumo de ovos e peixes gordurosos e por medos equivocados sobre o colesterol.

PLANO DE AÇÃO DE 30 DIAS PARA AUMENTAR A INGESTÃO DE GORDURAS ESSENCIAIS

São necessários 30 dias para perceber os resultados do aumento da ingestão de gorduras essenciais. Tome todas as providências que puder e depois sinta e veja a diferença. Você perceberá a melhora na sua pele e também na capacidade de concentração.

- Coma peixes gordurosoś pelo menos três vezes por semana (de preferência os peixes "sustentáveis", cujas populações não estão diminuindo).
- Coma seis ovos por semana, preferencialmente ovos caipira ou orgânicos.
- Tome diariamente um complexo de gorduras essenciais (EPA, DPA, DHA e GLA).
- Tome diariamente um complexo de fosfolipídios (fosfatidilcolina, fosfatidilserina e DMAE).
- Exponha-se o máximo possível à luz solar. Precisamos de 30 minutos a uma hora por dia. Porém, evite tomar banho de sol ou expor a pele ao sol de verão durante mais do que 15 minutos seguidos, principalmente no meio do dia. Isso é ainda mais importante para quem tem a pele clara, a não ser que tenha aplicado um protetor solar adequado, mas não um bloqueador total. Meu favorito é o RAD, que contém antioxidantes protetores da pele (ver a seção Recursos). Se você vive em um país tropical, é melhor evitar o sol muito quente do meio do dia e limitar a exposição a não mais que uma ou duas horas por dia. Se tiver pele clara, não deixe de defendê-la com um protetor solar adequado, mas não use um bloqueador.
- Verifique se sua multivitamina contém pelo menos 15mcg de vitamina D. Caso contrário, principalmente se você viver num país mais frio, tome um suplemento de vitamina D para completar essa quantidade.

(Para ter um programa de suplementação fácil de usar, veja o Capítulo 2 da Parte Três.)

Segredo 6

MANTENHA-SE HIDRATADO — A ÁGUA É O NUTRIENTE MAIS VITAL

Consideramos a água uma coisa natural. No entanto, como diz o professor Jamie Bartram, da Organização Mundial de Saúde: "a água é o nutriente básico para o corpo humano e fundamental para a vida humana. Ela ajuda na digestão dos alimentos, na absorção, no transporte e no uso de nutrientes e na eliminação de toxinas e resíduos do corpo." Ela não só é o nutriente mais importante, mas também o mais abundante em nossos corpos; beber muita água é meu sexto segredo. Aproximadamente dois terços do corpo é composto de água. O percentual de água no cérebro é de 85%, enquanto nos músculos é de 75% e até nos ossos é de 22%.

VOCÊ BEBE ÁGUA SUFICIENTE?

A água está em toda parte, mas a maioria de nós não bebe o suficiente. Necessitamos, verdadeiramente, de algo na ordem de oito copos por dia, ou mais para quem vive em climas quentes. Se você só bebe água quando tem sede, seu corpo já está num estado de relativa desidratação. Não beber líquidos suficientes causa cansaço e resseca a pele e as articulações. Também é a maior causa de prisão de ventre. O hábito de não beber água suficiente pode, com o tempo, trazer consequências mais graves, inclusive cálculos renais.

O problema é que a sede muitas vezes é interpretada como fome, portanto, quando sentir fome, beba um copo de água. A desidratação também causa perda de concentração. Se quiser ter Saúde 100%, você precisa transformar em hábito o ato de beber água.

Verifique sua condição de hidratação com o questionário a seguir.

OS DEZ SEGREDOS

Questionário: confira sua hidratação

Sim Não

1. Você tem dor de cabeça ou enxaqueca? ☐ ☐

2. Seus lábios ficam rachados? ☐ ☐

3. Tem pele seca? ☐ ☐

4. Sente que tem pouca energia? ☐ ☐

5. Sente sede com frequência? ☐ ☐

6. Evacua menos que uma vez por dia? ☐ ☐

7. Precisa fazer força para evacuar? ☐ ☐

8. Sua urina costuma ter cor ou cheiro forte? ☐ ☐

9. Você adiciona sal aos alimentos ou come alimentos salga- ☐ ☐
dos na maioria dos dias?

10. Bebe dois ou mais drinques ou unidades de álcool por ☐ ☐
dia?

11. Come menos que cinco porções de frutas e legumes ☐ ☐
frescos por dia?

12. Em média, bebe menos que dois copos de água por ☐ ☐
dia?

13. Toma menos que cinco bebidas por dia, excluindo as ☐ ☐
bebidas alcoólicas?

Conte um ponto para cada "sim". Pontuação total: ☐

Pontuação

0-1: Nível A
Parabéns! Você provavelmente está bem-hidratado. Continue assim.

2-3: Nível B
É pouco provável que você tenha um problema nessa área. Contudo, você ainda tem a ganhar se aplicar os princípios deste capítulo que ainda não estiver
seguindo.

4-5: Nível C
Você provavelmente não bebe líquidos suficientes e precisa se concentrar nas
recomendações deste capítulo.

OS DEZ SEGREDOS DAS PESSOAS 100% SAUDÁVEIS

6 ou mais: Nível D
Você não está bem-hidratado. Leia este capítulo e aplique as recomendações que ainda não segue. Logo você verá os benefícios.

> ## RESULTADOS DA PESQUISA DA SAÚDE 100%
>
> - Quem bebe oito copos de água por dia tem quase o dobro da probabilidade de estar com a saúde ideal em comparação com quem não bebe água.
> - Em comparação com quem diariamente bebe oito copos de água ou mais, quem não bebe água tem o dobro da probabilidade de ter má saúde.
> - 83% dos participantes da pesquisa evacuam menos de uma vez por dia.
> - 57% dos participantes têm pele seca.
> - 48% frequentemente têm dor de cabeça ou enxaqueca.

A NECESSIDADE FISIOLÓGICA DE ÁGUA

Além da sensação de sede, o corpo tem muitas outras formas de nos dizer que precisa de mais líquidos. A seguir mostramos os sinais mais óbvios e prementes de desidratação:

Dor de cabeça
Tontura
Aumento da temperatura corporal (incapacidade de suar)
Perda da concentração ou habilidade mental
Diminuição do desempenho físico
Fome
Falta de energia/fadiga
Ressecamento da superfície das membranas (boca, olhos, pele)
Urina escura e com odor forte
Constipação/digestão precária

Em um prazo mais longo, as consequências de não beber água suficiente incluem: aumento do risco de cálculo renal, envelhecimento prematuro, pressão alta, problemas digestivos, alguns tipos de câncer, depressão, declínio da cognição, asma, alergias e, possivelmente, aumento de peso. Com exceção do cálculo renal, esses problemas não são causados pela insuficiência de água, mas são agravados quando não se bebe líquidos suficientes. Na verdade, quase toda reação bioquímica do corpo depende de água. Por exemplo, a maioria dos sucos digestivos é composta principalmente de água, e o corpo libera diariamente 10 litros de líquidos no trato digestivo, sendo a maior parte desse fluido reabsorvida pelo corpo. Quando não se come fibras suficientes, as fezes ficam desidratadas e o resultado é prisão de ventre, que, por sua vez, é uma das maiores causas de problemas para a saúde digestiva.

DE QUANTO LÍQUIDO REALMENTE PRECISAMOS?

Nos dias atuais, quando em todo o mundo a indústria de água engarrafada movimenta mais do que 60 bilhões de dólares, a água é um grande negócio, portanto, há certo interesse financeiro em jogo quando nos mandam beber mais. Apesar disso, como explicamos antes, é essencial beber o suficiente. Em média, o homem necessita de 1,2 a 3 litros por dia, enquanto a mulher precisa de 1,2 a 2,2 litros por dia, o que corresponde a aproximadamente oito ou mais copos de líquidos à base de água diariamente. Extraímos dos alimentos mais ou menos 19% do necessário, as frutas e legumes frescos são os responsáveis pela maior quantidade. Portanto, quanto mais frutas e hortaliças comermos, mais água obteremos. Por outro lado, alimentos concentrados e com alto teor de açúcar ou proteína aumentam a necessidade de água para diluir o excesso de glicose ou digerir os produtos dos aminoácidos na corrente sanguínea.

Define-se desidratação como a redução de 1% do peso corporal ou como consequência da perda de fluidos. No entanto, sentimos sede quando a desidratação atinge de 0,8% a 2%. Em outras palavras, você pode estar desidratado (ter perdido mais de 1% do peso do corpo), mas ainda não sentir sede.

O QUANTO BEBEMOS PODE AFETAR O QUANTO COMEMOS

Como é muito comum pensarmos que temos fome quando na verdade estamos com sede, para satisfazer o sentimento de carência muitos comem em vez de

OS DEZ SEGREDOS DAS PESSOAS 100% SAUDÁVEIS

beber. Contudo, existem indícios de que beber água durante a refeição[135] ou comer alimentos ricos em água[136] (como frutas e legumes) nos faz comer menos. A água também pode acelerar o metabolismo a ponto de causar perda de peso.[137]

A MANEIRA DE BEBER FAZ DIFERENÇA?

O que misturamos com água também faz uma grande diferença. O corpo retém muito mais líquido se bebermos pouco e com frequência, em vez de beber muito de uma só vez.[138] Além disso, se a bebida contiver açúcar, a água será menos retida pelo corpo.[139] O mesmo acontece com a água do chá e do café. Segundo um mito popular, as bebidas cafeinadas causam tanta desidratação que ao bebê-las perdemos mais água do que ganhamos. Isso não é verdade. No entanto, por muitas razões já mencionadas, é melhor obter líquidos de bebidas sem cafeína e açúcar. Na verdade, não há nada melhor do que água pura.

COMO AS GORDURAS ESSENCIAIS CONTRIBUEM COM OS BENEFÍCIOS DA ÁGUA

Para que as células retenham, interna e externamente, o nível adequado de líquido, a membrana celular deve ser relativamente impermeável, deixando líquidos entrarem e saírem de acordo com a necessidade. Essa impermeabilidade relativa é conferida pelas gorduras essenciais estruturadas na matriz da membrana celular. Uma carência de gorduras essenciais pode permitir o acúmulo de excesso de líquido em lugares indevidos, ou carência em outros lugares, que pode provocar a retenção de líquidos e aumento de peso ou ressecamento da pele.

QUAL A PUREZA DA SUA ÁGUA?

A água é muito mais do que H_2O (hidrogênio e oxigênio). Ela também pode fornecer muitos minerais, principalmente se bebermos água mineral, que foi eficientemente filtrada quando avançou para a superfície através de rachaduras nas rochas subterrâneas. É possível obter um décimo da necessidade diária de cálcio por meio de algumas águas minerais. Por outro lado, em regiões em que a água não tem tantos minerais, a água encanada fornece apenas 30mg de cálcio por dia.

Além disso, a água encanada pode conter traços de nitrato, tri-halometanos, chumbo ou alumínio, todos eles antinutrientes. Na maior parte da Grã-Bretanha, os níveis desses poluentes não excedem os limites máximos de segurança. Nas regiões rurais da Escócia, mais ou menos 5% da água testada excedeu os limites permissíveis de tri-halometanos, que têm potencial cancerígeno e são um subproduto da adição de cloro e bromo a uma água rica em matéria orgânica. O chumbo não costuma estar presente na maior parte da água fornecida, mas pode ser adquirido pelo contato do líquido com encanamentos de chumbo em casas e edifícios antigos. Você pode verificar se sua casa tem encanamento de chumbo. Se ela tiver sido construída depois de 1970, isso será pouco provável. A concessionária de água pode ajudar a fazer essa verificação.

ÁGUA LIMPA

A preocupação com poluentes levou muita gente a dar preferência à água engarrafada, destilada ou filtrada. Em geral, se você viver no Reino Unido e essa for sua única opção, é muito melhor beber água da torneira do que não beber nada, já que ela contém uma pequena quantidade de nutrientes. No entanto, se você for um purista e quiser água extremamente limpa, é melhor usar um filtro para purificar a água da torneira. É o que eu faço; uso um filtro de carvão de alta qualidade instalado sob a pia. Isso melhora o sabor da água, aumentando as possibilidades de bebê-la. Os filtros instalados na torneira são os de custo mais baixo, e a substituição do cartucho, realizada uma ou duas vezes por ano, de acordo com o consumo da casa, não custa muito. Certamente sairá muito mais barato do que beber água mineral. No entanto, alguns processos de filtragem ou destilação da água removem não só as impurezas, mas também grande parte dos minerais naturais. Com isso, aumenta a necessidade de se obter minerais da alimentação, o que não será problema se você tiver uma dieta saudável: nozes, castanhas, sementes, leguminosas e raízes, que são boas fontes de minerais.

PLANO DE AÇÃO DE 30 DIAS PARA AUMENTAR A HIDRATAÇÃO

Eis alguns passos simples que você pode adotar para aumentar a ingestão de água e hidratar o corpo no nível ideal.

continua

OS DEZ SEGREDOS DAS PESSOAS 100% SAUDÁVEIS

- Em um dia normal, beba em torno de 2 litros (oito copos) de água.
- Quando acordar, comece o dia bebendo um copo de água fresca.
- Se não estiver acostumado a beber água regularmente, a cada dia substitua uma de suas bebidas habituais por um copo de água pura, aumentando o consumo ao longo da semana.
- Quando for a uma cafeteria, peça um copo de água para acompanhar o café ou o chá — se ainda estiver tomando essas coisas!
- Beba um copo de água com cada refeição.
- Tome um chá de ervas ou água quente com hortelã fresca, erva-cidreira, gengibre ou limão.
- Toda vez que sair de casa, leve com você uma garrafa cheia de água filtrada.
- Ao fazer exercícios físicos, beba água a intervalos de dez a 15 minutos.
- Examine sua urina. Ela deve ser abundante, de cor clara e sem cheiro.
- Quando for a um restaurante, peça água com a refeição e sempre beba água quando tomar uma bebida alcoólica.

Segredo 7

MANTENHA-SE EM FORMA, FORTE E ÁGIL

Já está comprovado que os exercícios físicos fazem bem ao corpo e à mente. No entanto, isso não significa ter que correr na esteira e suar baldes — em nossos dias, a ideia de que nada se ganha sem sofrimento está extinta. Hoje, trata-se de encontrar um equilíbrio entre o corpo e a mente e de aprimorar o potencial corporal.

Na verdade, os benefícios da atividade física para a saúde — meu sétimo segredo — foram documentados desde o tempo de Hipócrates, que afirmou: "Se pudéssemos dar a cada indivíduo a quantidade certa de nutrição e exercícios, nem mais, nem menos, encontraríamos o caminho mais seguro para a saúde."

HIPÓCRATES ESTAVA CERTO

Desde então, numerosos estudos mostraram que os exercícios são eficazes para prevenir todos os tipos das doenças comuns no século XXI, de problemas cardiovasculares até diabetes, câncer e osteoporose. O simples fato de, por meio da atividade física, ser possível aumentar o gasto semanal de energia em 1.000kcal (o que equivale a fazer diariamente 15 minutos de corrida, ciclismo ou natação, ou 30 minutos de caminhada) está associado a uma redução de 20% no risco de morte prematura.[140] Um estudo com mulheres de meia-idade fisicamente inativas (que fazem menos de uma hora de exercícios por semana) descobriu um aumento de 52% nas mortes por causas diversas, de 100% nas mortes por doenças cardiovasculares e de 29% nas mortes relacionadas com câncer, em comparação com mulheres fisicamente ativas.[141]

No entanto, antes de explicar por que os exercícios físicos fazem bem e que tipo de exercício traz mais benefícios, vamos a uma verificação simples de onde você se encontra na escala de atividade e aptidão física.

OS DEZ SEGREDOS DAS PESSOAS 100% SAUDÁVEIS

Questionário: confira seu condicionamento físico

Sim   Não

1. Você faz exercícios que aumentam perceptivelmente os batimentos cardíacos durante pelo menos 20 minutos, no mínimo duas vezes por semana?
(Conte dois pontos se fizer exercícios pelo menos quatro vezes por semana.)

2. Seu trabalho envolve atividades vigorosas (por exemplo, faz trabalho braçal, levanta pesos)?

3. Seu trabalho envolve ficar de pé durante pelo menos duas horas por dia?

4. Seu tempo de lazer envolve passar pelo menos duas horas por dia em atividade?

5. Você pratica regularmente algum esporte (futebol, tênis etc.)?

6. Você está treinando algum esporte ou para competição atlética?

7. Você participa de alguma atividade de alongamento pelo menos duas vezes por semana (por exemplo, yoga, pilates ou psicocalistenia)?

8. Você é capaz de tocar a ponta dos pés sem dobrar os joelhos?

9. Pelo menos duas vezes por semana você faz algum tipo de exercício de carga, como caminhada, corrida ou musculação?

Conte um ponto para cada "sim". Pontuação total:

Pontuação

6 ou mais: Nível A
Parabéns! Você está em plena forma e provavelmente é forte, flexível e tem muita disposição.

4-5: Nível B
Muito bem. Você tem um bom nível de atividade. Se seus exercícios também mantêm seu corpo flexível e forte, isso é o ideal.

OS DEZ SEGREDOS

2-3: Nível C

Provavelmente você não está fazendo exercícios suficientes para manter um alto nível de condicionamento físico.

0-1: Nível D

Você não está fazendo atividade física suficiente para manter a forma, a agilidade e a disposição; precisa aumentar a quantidade total de exercícios e atividades. Isso fará uma grande diferença para a sua saúde.

RESULTADOS DA PESQUISA DA SAÚDE 100%

- 54% dos participantes que apresentaram uma pontuação ideal de saúde cardiovascular fazem exercícios durante três ou mais horas por semana, em comparação com 1% daqueles que apresentaram baixa pontuação de saúde cardiovascular.

- 40% dos homens com uma pontuação de saúde hormonal excelente fazem pelo menos três horas de exercícios por semana, em comparação com 1% daqueles que apresentaram uma saúde hormonal precária.

- Apenas 2% dos que tiveram pontuação de saúde muito baixa fazem exercícios durante três horas ou mais por semana, enquanto 9% dos que apresentaram uma saúde excelente mantêm esse nível de atividade.

Uma pesquisa com os 101 participantes com as maiores pontuações mostrou que:

- 62% deles consideram a atividade física extremamente importante para a saúde.

- 92% se consideram moderadamente em forma.

- 56% fazem mais de três horas de exercícios por semana; 32% se exercitam de uma a duas horas por semana; 15% se exercitam menos de uma hora por semana.

- A metade desse grupo fazia alguma forma de exercício para geração de energia vital, como tai chi, qigong (chi gung) ou psicocalistenia.

OS DEZ SEGREDOS DAS PESSOAS 100% SAUDÁVEIS

EXERCÍCIOS FÍSICOS FAZEM BEM PARA A MENTE E PARA O CORPO

Um dos maiores mitos sobre os exercícios físicos é a ideia de que fazemos muito esforço em troca de pouco benefício. No entanto, atividades diárias simples, como caminhar, trazem efeitos igualmente bons, se não melhores. Um estudo recente descobriu que pacientes com diabetes tipo 2 que caminham diariamente melhoram o nível de lipídios no sangue,[142] o que reduz o risco de doença cardíaca. Da mesma forma, exercícios suaves como tai chi (voltaremos a eles no próximo capítulo) já mostraram um efeito positivo sobre o açúcar no sangue e o controle de insulina em pacientes com diabetes tipo 2.[143] Esse efeito foi observado depois de apenas oito semanas.

Uma grande quantidade de comprovações científicas mostra que a atividade física também é vital para um estado mental saudável. Por exemplo, um estudo recente que envolveu 10 mil participantes, publicado no *Medicine and Science in Sports and Exercise*, descobriu que aqueles que praticam atividade física regularmente têm níveis muito mais baixos de ansiedade, estresse ou depressão. O interessante é que também há uma associação direta entre o tempo despendido em frente à televisão ou ao computador e a saúde mental insatisfatória.[144]

OS EFEITOS DO ESTRESSE

A maioria de nós produz excesso de adrenalina em consequência dos estresses da vida moderna ou do consumo abusivo de cafeína. A adrenalina é chamada de hormônio da "luta ou fuga", porque foi projetada para preparar o indivíduo para lutar pela refeição ou pela vida ou para correr o mais que puder. O problema é que hoje as causas de estresse, como abrir o extrato bancário ou ficar preso no engarrafamento quando se está atrasado para uma reunião, não exigem uma resposta física. O exercício físico não só baixa o nível de adrenalina, mas também diminui a liberação dos hormônios do estresse pela suprarrenal e aumenta o fornecimento de sangue e oxigênio para o cérebro. Ele também estimula a liberação de hormônios do bom humor conhecidos como endorfinas. Esses mensageiros químicos criam euforia e aliviam a dor, em geral com intensidade centenas de vezes maior que a da morfina. Esse "ópio" natural produz uma sensação conhecida como "barato do exercício", que tem inclusive a característica de causar dependência.

OS EXERCÍCIOS FÍSICOS COMBATEM A DEPRESSÃO, A ANSIEDADE, A PERDA DE MEMÓRIA E A DEMÊNCIA

Um estudo da University of New Mexico examinou dez homens sedentários e dez homens que praticavam corrida regularmente, todos da mesma idade. Os sedentários tinham mais depressão e níveis de endorfinas mais baixos que os praticantes de corrida. Eles também tinham mais hormônio de estresse e níveis de estresse percebidos em suas vidas.[145] Similarmente, pesquisadores da University of North Carolina, Greensboro, descobriram que exercícios aeróbicos reduzem a depressão e a ansiedade dos alcoólicos. A atividade física também se mostrou uma forma benéfica e econômica de diminuir a depressão e a fadiga em mulheres com depressão pós-parto,[146] e um estudo recente mostrou que altos níveis de atividade física estão relacionados com níveis baixos de estresse, ansiedade e depressão em mulheres na pós-menopausa.[147] A atividade física também diminui o fogacho.[148]

De acordo com outro estudo, com 200 adultos deprimidos, aqueles que se dedicavam a uma terapia de exercícios em grupo passavam tão bem quanto aqueles tratados com medicamentos antidepressivos.[149] Um terceiro grupo, que fazia exercícios em casa, também melhorou, embora em menor grau. O autor do estudo, o Dr. James A. Blumenthal, um professor de psicologia médica, observou: "Certamente temos cada vez mais comprovação de que o exercício pode ser uma alternativa viável à medicação." Esse estudo específico destaca as vantagens do exercício em grupo sobre as atividades individuais para melhorar o humor. O mesmo se aplica à memória. Muitos estudos examinaram o efeito dos exercícios para reduzir o risco de Alzheimer. No Albert Einstein College of Medicine, em Nova York, descobriram que pessoas envolvidas por um período de cinco anos em atividades como ler, jogar cartas, praticar jogos de tabuleiro, dançar e tocar instrumentos musicais tinham um risco reduzido de demência, perda de memória e Alzheimer.[150]

Um estudo similar, com 5 mil homens e mulheres canadenses com mais de 65 anos, descobriu que aqueles que mantinham mais atividade física reduziam à metade o risco de Alzheimer, em comparação com os que raramente se exercitavam.[151] Outro estudo mostrou que fazer caminhadas regularmente melhora a memória e reduz os sinais de demência. Apenas mil passos por dia, o que corresponde a pouco mais de 1,5 quilômetro, são suficientes para obter esse efeito positivo.[152]

OS DEZ SEGREDOS DAS PESSOAS 100% SAUDÁVEIS

INTERROMPA A DETERIORAÇÃO DO CÉREBRO

O exercício físico realmente previne a deterioração física do cérebro. À medida que envelhecemos, o cérebro fica menos denso e perde volume, com essa perda de densidade e volume, vem o declínio mental. Os pesquisadores da University of Illinois usaram a ressonância magnética para examinar o cérebro de 55 idosos. Os que faziam mais exercícios e tinham melhor condicionamento físico tinham cérebros mais densos.[153]

O EXERCÍCIO AJUDA A EMAGRECER E MANTER O PESO

Um dos principais benefícios do exercício físico é aumentar a taxa metabólica, o que significa usar mais calorias. O professor William McArdle, professor de fisiologia do exercício na City University, em Nova York, afirma: "Muitos indivíduos podem desenvolver taxas metabólicas oito a dez vezes maiores que o valor do repouso quando estão pedalando, correndo ou nadando. Em complemento a esse aumento da taxa metabólica está a observação de que os exercícios vigorosos aceleram o metabolismo durante até 15 horas após a atividade." Além disso, quanto mais nos exercitamos, mais músculos desenvolvemos e menos gordura temos. As células musculares consomem mais calorias que as células de gordura, o que ajuda a manter o peso baixo. Também foi demonstrado que exercícios físicos na meia-idade e na velhice melhoram a sensibilidade à insulina enquanto estabilizam o açúcar no sangue e ajudam a perder peso.[154]

A ideia de que quanto mais nos exercitamos mais comemos é um mito; o exercício moderado, na verdade, diminui o apetite. Um estudo examinou uma população industrial em Bengala Ocidental, na Índia. Quem fazia trabalho sedentário comia mais (e, consequentemente, pesava mais) do que quem fazia uma atividade moderada. À medida que o nível de trabalho passava de moderado a pesado, os trabalhadores comiam mais, porém menos do que o trabalho extra exigiria, portanto, ficavam com peso ainda mais baixo.[157]

OS DEZ SEGREDOS

QUAL É O MELHOR EXERCÍCIO PARA MIM?

Pilates

Essa forma de exercício, que em geral envolve um orientador e um grupo pequeno, ajuda a desenvolver uma força "central": fortalece as costas e proporciona um tônus muscular melhor. Não é um exercício aeróbico, portanto, é melhor complementá-lo com uma atividade aeróbica.

Yoga

Além de ser ótima para gerar energia vital (ver o Segredo 8), a yoga é excelente para alongar e manter a flexibilidade. Algumas formas, como o Ashtanga, são mais aeróbicas, logo são uma forma completa de exercício para criar força, agilidade e energia.

Psicocalistenia

Essa rotina de 16 minutos, que explicaremos no próximo capítulo, foi projetada tanto para gerar energia vital quanto para manter um nível básico de força, agilidade e energia. Dependendo da velocidade com que é praticada, pode ser bastante aeróbica; para maior condicionamento é melhor complementar essa atividade com algum outro exercício aeróbico.

Aeróbica

Aulas de aeróbica podem ser feitas em academia ou com DVDs e, evidentemente, são projetadas para manter a forma, a energia e algum grau de força, dependendo dos músculos utilizados. No entanto, a maioria dos exercícios aeróbicos não mantém a flexibilidade, portanto, é melhor complementá-los com alongamentos, antes e depois da sessão.

Corrida e caminhada

O segredo da corrida e da caminhada para conseguir um bom nível de condicionamento físico é aumentar a velocidade e a distância percorrida. Caminhar em ladeiras é muito bom para aumentar a saúde cardiovascular. Tome o cuidado de ter um calçado apropriado se for correr sobre superfícies duras. No entanto, essas duas atividades não dão flexibilidade. Portanto, é melhor complementá-las com exercícios de alongamento, antes e depois.

Exercícios de tonificação

São exercícios especialmente projetados para, por exemplo, enrijecer o bumbum, a barriga ou as coxas e também para melhorar a massa muscular e a força. Quanto mais massa muscular tivermos, mais gordura

continua

queimaremos. Os exercícios de tonificação também ajudam a fortalecer as costas. Contudo, eles precisam ser equilibrados com aeróbica e alongamento.

Natação
Por ser um excelente exercício completo a natação desenvolve força, energia e agilidade, embora seja interessante combiná-la com alongamento. O melhor é praticar nado livre ou nado de costas, que ajudam a coordenar o corpo e o cérebro, e melhoram a concentração.

Ciclismo
Esse excelente exercício aeróbico é bom para melhorar a saúde cardiovascular, mas tenha o cuidado de não pedalar muito tempo em estradas movimentadas, respirando a fumaça dos automóveis (oxidantes). No entanto, o ciclismo não trabalha flexibilidade; é vital fazer alguns exercícios de alongamento.

EXERCÍCIOS FÍSICOS SÃO EXCELENTES PARA OSSOS E ARTICULAÇÕES

O exercício é um dos principais estimulantes para o crescimento e a densidade dos ossos. Trabalhar os ossos com exercícios de carga como caminhar, correr ou dançar instrui o esqueleto a "se fortalecer". Mesmo exercícios suaves como tai chi podem evitar a perda da densidade mineral óssea.[156] É por isso que os astronautas sofrem uma rápida perda da densidade óssea quando estão em condições de gravidade nula. Quanto mais cedo se começa a praticar exercícios, mais positivos serão os efeitos sobre a densidade e a resistência dos ossos na vida futura.[157] Testes clínicos mostraram que para a saúde dos ossos são necessários exercícios *juntamente* com uma boa alimentação e suplementos. Um estudo com mulheres idosas comparou o efeito suplementar de cálcio e vitamina D com exercícios durante um período de três anos. Os resultados mostraram que as mulheres idosas que praticavam 30 minutos de exercícios suaves três vezes por semana aumentaram a densidade óssea bem mais que mulheres que só tomaram suplementos. As que não faziam exercícios e não tomavam suplementos sofreram uma diminuição na densidade da massa óssea.[158] Em 2005 uma revisão de 252 estudos clínicos aleatórios concluiu que nos idosos o exercício diminui a ocorrência de lesões resultantes de quedas, baixa a pressão arterial, produz alterações benéficas nos lipídios do sangue, como o colesterol, e aumentam a densidade mineral óssea da coluna vertebral.[159]

EXERCÍCIOS E ARTRITE

Se você tiver artrite, os exercícios realizados na água são excelentes, já que não há impacto sobre as articulações. A osteoartrite é muito melhorada por exercícios que fortaleçam as articulações afetadas e aumentem a flexibilidade. Eles também melhoram a circulação de líquidos em torno das articulações, diminuindo a dor.

A artrite reumatoide, por outro lado, pede mais cautela. As articulações reumáticas são mais beneficiadas pela alternância de períodos de repouso e períodos de exercício. Muitos dos exercícios da psicocalistenia (ver página 222) são especialmente benéficos. Seja prudente, mas faça os exercícios de que for capaz; experimente fazer um período de atividade de dez minutos, seguido de repouso. O excesso de atividade física pode causar um recrudescimento potencialmente doloroso.

Exercícios suaves de yoga podem ser muito bons se as articulações estiverem inflamadas e doloridas. No entanto, é importante não exagerar ou trabalhar de forma incorreta as articulações afetadas. Lembre-se de que para ter efeito o exercício não precisa causar dor.

A ATIVIDADE FÍSICA MANTÉM A JUVENTUDE

Exercícios regulares podem nos manter jovens e acrescentar sete anos à expectativa de vida, de acordo com os Drs. Rose e Cohen, do Veteran's Administration Hospital, em Boston. Esses médicos concordam com as palavras de Cornelius Celsus, que há quase 2 mil anos afirmou: "Faça exercícios: enquanto a inatividade enfraquece o corpo, o trabalho o fortalece; a primeira traz o envelhecimento prematuro, ao passo que o segundo prolonga a juventude."

No entanto, os exercícios precisam continuar a ser praticados ao longo da vida e devem ser aeróbicos: o ritmo cardíaco precisa alcançar 80% do seu máximo durante pelo menos 20 minutos. Andar de bicicleta, nadar e correr são atividades muito boas; por outro lado, o trabalho com pesos e a musculação pouco contribuem para o prolongamento da vida. A atividade aeróbica reduz o colesterol, aumenta a pulsação e a pressão arterial, promovendo a saúde cardiovascular e ativando o funcionamento mental. Ela também ajuda a dormir melhor,[160] o que traz seus próprios benefícios na prevenção do envelhecimento.

OS DEZ SEGREDOS DAS PESSOAS 100% SAUDÁVEIS

Já se comprovou que exercícios moderados estimulam o sistema imunológico e aumentam o número de células T, necessárias para a imunidade. Contudo, exagerar e praticar exercícios de intensidade excessiva pode diminuir a imunidade,[161] razão pela qual é importante aumentar a ingestão de vitaminas B e antioxidantes quando se aumenta a intensidade da atividade física.

POR QUE NÃO FAZEMOS EXERCÍCIOS?

Considerando-se todos esses benefícios para a saúde, parece loucura não praticar exercícios. Embora sejamos, através da evolução, programados para ganhar com os exercícios, não acredito que sejamos programados para fazê-los. A maior razão pela qual naturalmente precisamos de exercícios é para caçar a comida. Hoje em dia a comida nos caça com opções a cada esquina e ofertas de entrega em casa. Além disso, o tipo de alimento que comemos hoje é muito diferente daquele de nossos ancestrais. Mesmo que recuemos até meados do século XIX, na era vitoriana, a alimentação da época era muito mais próxima do ideal do que a atual, com muito mais frutas, hortaliças e peixes. A população também as comia em quantidades muito maiores que as de hoje, o que lhes fornecia uma ingestão muito maior de vitaminas e minerais. A única maneira de obter hoje os mesmos níveis daquela época é tomar suplementos.[162] Contudo, ao contrário de nós, eles também faziam mais exercícios, pois não tinham automóveis e transporte público. Além disso, sem aquecimento central, o corpo usava mais calorias para se manter aquecido; como diz o antigo provérbio chinês: "Quem racha lenha se aquece duas vezes."

COMO CRIAR O HÁBITO

Tal como beber água, fazer exercícios é um hábito de saúde que precisamos cultivar. Encontro muita gente que diz não praticar exercícios por sentir "muito cansaço". Você verá que esse motivo desaparece rapidamente quando começa a aplicar meus princípios da Saúde 100%. Algumas pessoas, eu inclusive, afirmam que são "ocupadas demais" e não conseguem ter tempo, mas 15 minutos por dia podem fazer uma grande diferença na maneira como nos sentimos. O exercício não só prolonga a vida saudável, como também proporciona imediatamente mais energia e clareza mental, o que nos torna mais eficientes e eficazes.

OS DEZ SEGREDOS

PLANO DE AÇÃO DE 30 DIAS PARA EXERCÍCIOS

- Incorpore a atividade física em sua rotina diária — dessa forma é mais fácil persistir. Portanto, caminhar com as crianças na ida e na volta da escola, em vez de usar o carro, ou transformar a faxina da casa num exercício aeróbico pode ser mais fácil de realizar do que fazer visitas regulares à academia. Use as escadas, em vez de pegar o elevador, e caminhe o máximo que puder.

- Faça semanalmente uma atividade em grupo. Praticar exercícios com outros também é uma boa maneira de ficar motivado e se divertir — participe de um grupo de caminhada ou corrida ou frequente uma aula semanal de yoga ou dança com um amigo ou uma amiga. Melhor ainda seria praticar semanalmente um esporte como tênis, golfe, futebol ou participar de um grupo de corrida.

- Recomendo que você compre um pedômetro e durante as semanas monitore diariamente seus passos. Procure dar 4 mil passos na primeira semana e 6 mil na segunda. Para a maioria das pessoas esse último desempenho representa caminhar 5 km por dia. Quando tiver alcançado essa marca, procure chegar a 10 mil passos por dia. Se sua profissão não for ativa, como a de um garçom ou enfermeiro, será difícil chegar a 10 mil passos somente com a rotina diária, portanto, terá de incluir em seus hábitos uma caminhada ou uma corrida mais longa.

- Procure fazer em média 15 minutos diários de exercícios vigorosos ou 30 minutos de exercícios leves, como caminhada. Um dos meus favoritos é a psicocalistenia, uma sequência de 23 exercícios, semelhantes a um tipo poderoso de yoga aeróbica, fácil de aprender e praticar em casa. A chave dessa atividade é o padrão exato de respiração que acompanha cada exercício. Isso gera *chi*, ou energia vital, que é o próximo segredo da Saúde 100%, explicado no capítulo seguinte. Além de fazer com que nos sintamos energizados, renovados e vivos, a psicocalistenia é excelente para melhorar a força, a disposição e a agilidade física — portanto, você tem o melhor de todas as áreas. (Mais informações na página 222.)

Segredo 8

GERE ENERGIA VITAL — O FATOR *CHI*

Ter energia não é só uma questão de comer uma alimentação correta e exercitar o corpo. Existe outro fator reconhecido, chamado de *chi* na China, *ki* no Japão e *prana* nas tradições indianas. Embora no Oriente tenha sido reconhecido e estudado por muitos anos, esse fator raramente é incluído nos programas de saúde do Ocidente. Isso acontece principalmente porque até hoje ele não foi medido e não se enquadra na biologia mecanicista que a ciência médica convencional usa para explicar tudo o que diz respeito ao corpo. Entretanto, o fato de não se poder medir alguma coisa com instrumentos científicos não significa que ela não exista, que não possa ser experimentada ou, ainda, que não possa exercer um impacto relevante em nossa vida. Tal como o amor, por exemplo.

COMO ENCONTRAR ESSA ENERGIA VITAL?

O efeito de gerar *chi*, que vou chamar de "energia vital", é algo que podemos experimentar por meio de certos exercícios como o tai chi ou o qigong (chi gung), e também por intermédio de alguns exercícios de respiração e meditação. Esse é o meu oitavo segredo.

As técnicas para gerar essa energia vital foram desenvolvidas e refinadas durante centenas de anos. Elas nos dão estabilidade, vivacidade, energia e controle, com um sentimento delicado de vitalidade — quase uma irradiação que pode ser experimentada diretamente na forma de calor nas palmas das mãos, nos pés e no abdome.

Muitas das populações mais longevas do mundo também praticam diariamente exercícios que se enquadram na categoria de geradores de energia vital. E você? As perguntas a seguir permitirão a você identificar o que o ajuda a regenerar sua energia.

OS DEZ SEGREDOS

Questionário: avalie sua energia vital

	Sim	Não
1. Você pratica tai chi, qigong, aikido ou alguma arte marcial que gera *chi*?	☐	☐
2. Você pratica yoga, psicocalistenia ou algo similar?	☐	☐
3. Você vai regularmente a um acupunturista ou faz alguma massagem do tipo acupressura ou shiatsu?	☐	☐
4. Você faz meditação ou orações, ou simplesmente reserva tempo para se sentar em silêncio?	☐	☐
5. Como você regenera sua energia? Por exemplo, você sente que algum tempo em contato com a natureza — como caminhar em um parque — é restaurador?	☐	☐
6. Você se sente restaurado quando faz jardinagem ou cuida da horta?	☐	☐
7. Você acha que passar algum tempo junto à água, ao mar ou a um rio é restaurador?	☐	☐
8. Você ouve músicas inspiradoras, toca um instrumento ou canta?	☐	☐
9. Você tem alguma outra forma de expressão artística?	☐	☐

Para esse questionário não há sistema de pontuação, mas se não está fazendo nada que ajude a regenerar energia, você poderá se beneficiar muito se adotar uma das práticas descritas neste capítulo. Se já sabe como regenerar sua energia, a meta será garantir que isso faça parte de sua vida diária.

RESULTADOS DA PESQUISA DA SAÚDE 100%

- Um levantamento dos 101 participantes da pesquisa com pontuações de saúde mais altas mostrou que 50% praticam algum tipo de exercício gerador de energia vital como tai chi, qigong, psicocalistenia ou meditação.

O QUE É O *CHI* OU ENERGIA VITAL?

A medicina chinesa é estruturada em torno do conceito de uma energia vital que flui através de canais no corpo — os meridianos. Ela descreve dois tipos de energia vital: material e imaterial.

CHI MATERIAL

Extraímos o *chi* material do ar e dos alimentos. Isso pode estar relacionado à presença de algum tipo de partícula carregada no ar; por exemplo, sabemos que os íons negativos do ar estão mais concentrados junto a cachoeiras ou ao oceano, ou após uma tempestade. De certa forma, isso pode explicar por que muitas vezes nos sentimos energizados ou restaurados nesses lugares.

O *chi* material também está presente nos alimentos e pode explicar por que comer alimentos puros, crus, não adulterados, faz tão bem. Na verdade, experiências isolaram todos os nutrientes conhecidos da comida e alimentaram pintinhos com esses nutrientes. Em seguida, compararam as cobaias com outros pintos que comeram o alimento puro, sem adulteração. Ficou claramente demonstrado que os pintos que comeram "comida integral" eram sistematicamente mais saudáveis.

Quando comemos, coletamos a energia do sol contida nas moléculas de carboidrato. As frutas frescas e as verduras cruas, por exemplo, são coletores diretos dessa energia. Acho que é intuitivo e lógico pensar que essa comida vai restaurar a saúde e a energia vital de forma mais completa do que comer um pedaço de um alimento artificial altamente processado, como um doce, que foi elaborado com aditivos químicos, saborizantes, corantes, açúcar refinado e gorduras. Embora seja possível pensar que os alimentos açucarados contêm muita energia, será que eles realmente proporcionam a mesma experiência de energia de um alimento saudável?

CHI IMATERIAL

No sistema chinês existe algo ainda mais sutil do que o *chi* material e que, pelo menos até hoje, escapou a nossas tentativas de capturá-lo e medi-lo: o *chi* imaterial. Ele também está presente nos alimentos, no ar e dentro de nós. A essência da yoga e do tai chi é melhorar o fluxo dessa energia vital pelo corpo, com o efeito de aumentar nossa experiência de vitalidade e bem-estar. Essas

OS DEZ SEGREDOS

atividades também nos dão meios de nos centrarmos no eu, em nosso verdadeiro ser, tornando-nos capazes de testemunhar o fluxo dos pensamentos e das emoções sem que sejamos dominados pelos altos e baixos dos dramas reais ou imaginários da vida.

Nascemos com uma "reserva" de energia vital *chi* que vai sendo reduzida à medida que nos aproximamos do final da vida. Essa energia também fica bloqueada e pode ser consumida por nossas ações ou estados mentais. No entanto, por meio de exercícios conscientes, ela pode ser regenerada e reciclada. Para isso empregamos diversas técnicas.

A PERCEPÇÃO DO CORPO

Uma técnica comum às artes marciais, ao tai chi e a muitas práticas de meditação consiste em focalizar a percepção no centro da energia vital do corpo, conhecido no tai chi como *tantien* e também chamado de ponto *Kath*™ por Oscar Ichazo. (Ichazo pesquisou detalhadamente métodos para gerar energia vital e alcançar estados mais elevados de consciência.) Embora não seja um ponto anatômico, o *Kath* é o centro de gravidade do corpo. Quando concentramos nele nossa percepção, em vez de concentrá-la na cabeça, como costumamos fazer, é possível ter consciência de todo o corpo. Todas as artes marciais em sua forma pura são praticadas com essa percepção, que dá uma experiência mais completa e estabilizada de nós mesmos. Você pode ter essa experiência se praticar os exercícios simples de respiração que descrevo a seguir.

EXERCÍCIO: Respiração Diakath

Esse exercício de respiração (aqui reproduzido com a generosa permissão de Oscar Ichazo) conecta o ponto *Kath* — o centro de equilíbrio do corpo — com o músculo do diafragma, de modo que a respiração profunda se torna natural e não demanda esforço. Podemos praticar esse exercício a qualquer momento, sentados, de pé ou deitados, e pelo tempo que desejarmos. Também podemos praticá-lo discretamente em momentos de estresse. É um relaxante excelente e natural e um energizador que nos ajuda a sentir mais conexão e sintonia.

O diafragma é um músculo em forma de calota, ligado à base das costelas. O ponto *Kath* fica situado três dedos abaixo do umbigo e 2,5 cm para dentro da barriga. Quando pensamos nesse ponto, ficamos conscientes de todo o corpo.

OS DEZ SEGREDOS DAS PESSOAS 100% SAUDÁVEIS

O ideal é encontrar um lugar calmo no início da manhã. Quando respirar, inspire e expire pelo nariz. Ao inspirar, você irá expandir a parte inferior do abdome a partir do ponto *Kath*, e o diafragma será puxado para baixo, em direção a esse ponto. Na expiração, o abdome e o diafragma relaxam, permitindo que os pulmões fiquem totalmente vazios.

Respiração Diakath

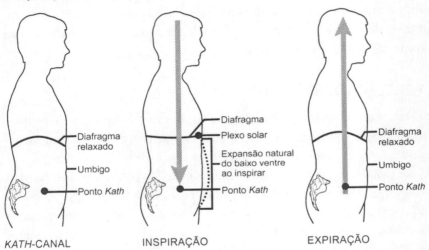

©2002 Oscar Ichazo. A Respiração Diakath é um serviço registrado e *Kath* é marca registrada de Oscar Ichazo.

1. Acomode-se confortavelmente em um lugar tranquilo, com as costas eretas.
2. Concentre a atenção no ponto *Kath*.
3. Deixe o abdome expandir-se a partir do ponto *Kath* enquanto inspira lentamente, plenamente e sem fazer esforço. Sinta que o diafragma está sendo puxado na direção do ponto *Kath* à medida que os pulmões se enchem de ar da base para o topo. Ao expirar, relaxe o abdome e o diafragma, esvaziando os pulmões do topo para a base.
4. Repita em seu próprio ritmo.

- Toda manhã, antes do desjejum, acomode-se num local tranquilo e pratique a Respiração Diakath durante alguns minutos.
- Sempre que estiver estressado durante o dia, confira sua respiração. Pratique a Respiração Diakath, inspirando e expirando nove vezes. É ótimo fazer isso antes de uma reunião importante ou quando alguma coisa o aborrecer.

EXERCÍCIOS DE ENERGIA VITAL FAZEM BEM À SAÚDE

Essa percepção, ensinada sob a forma de Respiração Diakath, também é parte vital do excelente sistema de exercícios de 16 minutos chamado Psicocalistenia, criado por Ichazo com o objetivo de gerar energia vital. Pratico isso há 30 anos. É uma modalidade de exercício que mantém a forma, a força e a agilidade, com o benefício adicional de gerar energia vital.

Segundo Ichazo, se vamos passar algum tempo praticando exercícios, por que não fazer um exercício consciente que também gere energia vital? Embora algumas pessoas possam tentar negar, esse é o ingrediente mágico presente na prática de métodos como yoga e tai chi. Diversos estudos científicos descobriram que esses exercícios trazem benefícios superiores e mais abrangentes que os de outros sistemas que proporcionam um nível similar de condicionamento físico. As pesquisas científicas com yoga e tai chi descobriram melhorias para a saúde que não podem ser obtidos em aulas de aeróbica ou em corridas pelo parque. Enquanto o excesso de exercícios "aeróbicos" na verdade pode prejudicar o sistema nervoso e sobrecarregar o corpo, o tai chi aumenta o bem-estar e a imunidade. Foi demonstrado que ele tem um efeito positivo sobre o açúcar no sangue e o controle da insulina em pacientes com diabetes tipo 2.[163] Esse efeito foi observado após apenas oito semanas. Exercícios suaves como tai chi podem até prevenir a perda de densidade mineral óssea.[164]

Mostrou-se que a yoga tem efeitos positivos acima do esperado sobre a pulsação, a pressão e o desempenho mental e físico.[165]

Esses sistemas antigos de exercícios não foram planejados simplesmente para melhorar a forma física. Eles foram pensados para gerar energia vital, equilibrar as emoções, acalmar a mente e rejuvenescer o corpo, removendo os bloqueios formados pelo acúmulo de tensão. Esses bloqueios impedem o fluxo livre da energia vital pelo corpo. Desfazer-se deles promove a vitalidade e o equilíbrio.

YOGA: LIBERTE-SE

A palavra "yoga" vem do sânscrito e significa "união". Suas origens remontam a milhares de anos, à própria fundação da civilização indiana. Em sua forma mais pura, a yoga é a ciência e a prática para alcançar liberdade e libertação. Os

OS DEZ SEGREDOS DAS PESSOAS 100% SAUDÁVEIS

exercícios físicos da hatha yoga são o único tipo de disciplina em que a respiração, o movimento e a postura se harmonizam para remover do corpo os bloqueios físicos e a tensão. Como a tensão emocional também fica armazenada no corpo, o objetivo da hatha yoga é promover o bem-estar físico, emocional, mental e espiritual.

A própria hatha yoga está subdividida em outros tipos, como a iyengar yoga, que é uma forma mais lenta e usa uma série de posturas para realinhar o corpo, para que a energia vital possa fluir adequadamente. Por outro lado, a ashtanga yoga é um tipo de atividade mais atlética e fisicamente exigente. As duas formas dão uma sensação de relaxamento e energia, mas algumas pessoas preferem naturalmente a ashtanga, enquanto outros respondem melhor à iyengar. Vale a pena experimentar formas diferentes de yoga e diversos professores para decidir qual é melhor para você.

Hoje em dia aulas de yoga estão disponíveis em toda parte (ver a seção Recursos). Fazer aulas regulares é uma maneira maravilhosa de promover a saúde e se sentir bem, como ilustra a história de Simon:

ESTUDO DE CASO: SIMON

Simon era vice-presidente de uma gravadora; levava uma vida muito atarefada, cheia de estresse. Ele experimentou muitas abordagens alternativas, mas a yoga foi a que fez mais diferença.

"Quando comecei a praticar yoga, experimentei uma liberação constante de energia que durava o dia inteiro. Estabeleci uma rotina de fazer sessões de yoga quase diariamente. Além de mais energia, sinto mais positividade, e minha forma de reagir ao estresse mudou. Coisas que costumavam me perturbar e causar estresse agora já não me afetam com a mesma intensidade. Praticar yoga não me deixou mais lento. Ainda sou muito atarefado, porém sou mais calmo em relação a tudo."

Simon obteve tantos benefícios da yoga que agora ganha a vida ensinando essa disciplina.

Depois de aprender as posturas, é possível praticar a yoga em casa, talvez com acompanhamento de um vídeo ou de música relaxante.

OS DEZ SEGREDOS

TAI CHI: MOVIMENTO NA MEDITAÇÃO

Outro exercício físico que traz vitalidade é o tai chi chuan. Originário da China, seu objetivo é permitir que o *chi*, ou energia vital, flua pelo corpo sem obstáculos. Essa técnica envolve o aprendizado de uma série de movimentos precisos que se sucedem. Ela vem das artes marciais e se assemelha a lutar boxe em câmera lenta e com um adversário imaginário.

Nos movimentos do tai chi aprendemos a relaxar certos músculos, em vez de mantê-los tensos, o que ajuda a reduzir a tensão subjacente que todos guardamos no corpo. Os movimentos também ajudam a abrir articulações, permitindo que o *chi* flua desimpedido. Portanto, essa disciplina trata de criar harmonia com o eu por meio de posturas e criar força por meio da submissão. Depois que se aprende a sequência de movimentos em aulas com um bom professor qualificado, o tai chi pode ser praticado em casa. No entanto, ele pede disciplina (ver a seção Recursos).

Quando praticar o tai chi você se sentirá mais conectado e alerta, com uma calma interior.

ESTUDO DE CASO: ROBERT

Robert, de 66 anos, começou a praticar o tai chi quando se aposentou. Ele descreve assim os benefícios:

"Nunca fui atlético, nem desempenhei bem qualquer atividade física. No entanto, gosto imensamente do tai chi. Gosto do sentimento de ter 'controle' do meu corpo. Isso me dá um prazer estético. Pratico quase todo dia, durante 20 minutos. A técnica aumenta a energia e limpa a mente. E me dá uma espécie de equilíbrio que traz muitos benefícios, como me ajudar a tocar melhor meu violino e a não me envolver com questões que vão mal. É muito tranquilizante quando estou estressado ou ansioso."

MOVIMENTOS PARA GERAR O ESTADO *KATH*

Uma forma muito mais simples de aprender a gerar energia vital são os Movimentos Para Gerar o Estado *Kath*, de Oscar Ichazo. Trata-se da essência do tai chi ou qigong reduzida a cinco movimentos ou exercícios simples, correlacionados com os cinco elementos: fogo, terra, ar, água e espaço.

OS DEZ SEGREDOS DAS PESSOAS 100% SAUDÁVEIS

Esses cinco elementos estão associados com as cinco cavidades do corpo e com os cinco "domínios" de nossa experiência como seres humanos. Mostramos esses conceitos a seguir:

Cinco domínios/cavidades/elementos/hormônios/cores

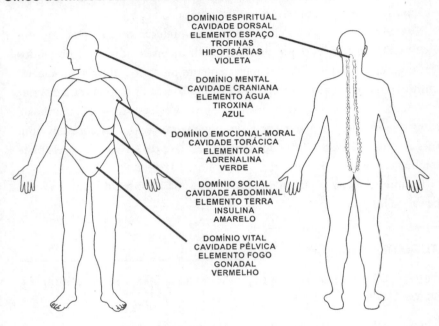

Os Movimentos para Gerar o Estado *Kath* são cinco exercícios distintos que adaptam cinco movimentos do tai chi com uma técnica de respiração específica que o utiliza o ponto *Kath* (ou tantien) e desperta a energia (ou *chi*) de nosso fogo interior. Essa energia *Kath* revitaliza a mente e todo o corpo ao longo de seus cinco domínios anatômicos, associados com os cinco elementos clássicos: fogo, terra, ar, água e espaço. Segundo propôs Oscar Ichazo, no nível fisiológico os cinco tipos diferentes de *chi* associados com cada domínio se relacionam com os cinco elementos e são encontrados no corpo na forma de hormônios do sistema endócrino. O corpo e a mente são regenerados pelo uso de cinco movimentos diferentes e da técnica de respiração; essa revitalização é chamada de geração do estado *Kath*.

OS DEZ SEGREDOS

Uma vez aprendidos, esses cinco exercícios podem facilmente ser praticados em qualquer lugar. Às vezes paro durante o dia e faço uma rodada, o que leva apenas alguns minutos e traz a sensação de estar mais alicerçado e restaurado. O ideal é fazer 12 vezes cada um dos cinco exercícios. É possível aprendê-los por meio de um manual bem-estruturado, chamado *Kath State: The energy of inner fire* (ver a seção Recursos).

Você pode ter a experiência de um desses exercícios se empregar a Respiração *Kath*-canalizada (a seguir) e praticar o exercício, que é um dos movimentos relacionados com o elemento espaço.

EXERCÍCIO: Respiração *Kath*-canalizada

É importante que a Respiração *Kath*-canalizada seja empregada no exercício de Geração do Estado *Kath*. Portanto, é necessário dominar essa técnica antes de começar o movimento. Sem essa forma de respiração a meditação não irá gerar *chi* no corpo ou resultar em vazio-fixo na mente. Na Respiração *Kath*-canalizada respiramos lentamente pelo nariz, deixando o baixo-ventre expandir-se enquanto o diafragma é puxado em direção ao ponto *Kath*. Os pulmões se enchem de ar da base para o topo. Em seguida, quando soltamos o ar pelo nariz, devemos ficar conscientes do *Kath*, imaginando, à medida que o ar exalado, a energia *Kath* entrando pelo Canal Central no ponto *Kath* e subindo até o alto da cabeça e mais além, enquanto o abdome e o diafragma são relaxados.

O Canal Central é uma manifestação sutil, uma proposição mental, portanto, precisa ser imaginado. A sugestão de que ele existe abre sua função e o torna real, no sentido de ser uma experiência concreta. Apenas imagine que ele existe e ele existirá. Durante essa prática, concentre-se na inspiração sobre o ponto *Kath* e na expiração, à medida que a energia *Kath*, ou *chi*, sobe pelo Canal Central e sai pelo alto da cabeça.

1. Enquanto inspira e expira lentamente com os olhos fechados, concentre a atenção no ponto *Kath*, três dedos abaixo do umbigo.
2. Ao inspirar lentamente pelo nariz, relaxe e deixe o abdome expandir-se a partir do ponto *Kath*, enquanto sente o diafragma ser puxado em direção ao *Kath* e os pulmões se encherem de ar da base para o alto.
3. Ao soltar lentamente o ar pelo nariz, mantenha a atenção focalizada no *Kath* e deixe o abdome e o diafragma relaxados, esvaziando os pulmões do topo para a base.

Enquanto inspira e expira lentamente com os olhos fechados, imagine seu Canal Central como um canal oco, verde-água (verde-azulado claro),

219

com 2,5 cm de diâmetro e situado no centro do corpo, começando no ponto *Kath*, que fica três dedos abaixo do umbigo, e terminando no alto da cavidade craniana.

4. Ao inspirar lentamente pelo nariz, expanda o abdome a partir do ponto *Kath* e sinta o diafragma ser puxado em direção a esse ponto, enchendo os pulmões da base para o alto.

5. Ao expirar lentamente pelo nariz, fique consciente do *Kath* e deixe que o abdome e o diafragma relaxem enquanto a energia *Kath* entra no Canal Central, no ponto *Kath*, e sobe pelo canal durante a exalação, saindo pelo topo da cabeça.

Respiração *Kath*-canal

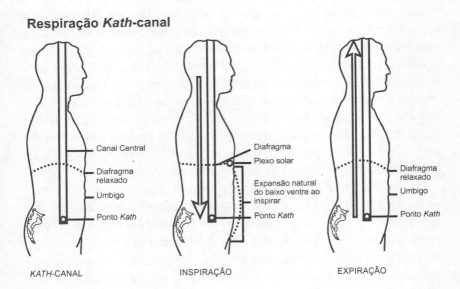

OS DEZ SEGREDOS

EXERCÍCIO: Movimento de Geração do Estado *Kath* para o elemento espaço

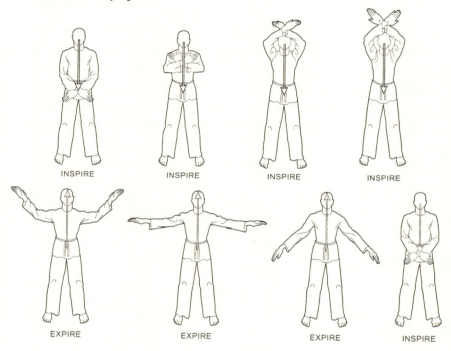

- Fique de pé com os pés paralelos e separados por uma distância equivalente a quatro vezes a largura do pé; mantenha os joelhos relaxados.
- Deixe os braços caídos em frente ao abdome com o pulso direito sobre o esquerdo e com as palmas das mãos voltadas para o corpo.
- Eleve e abra os braços em frente ao corpo com as palmas viradas para dentro, como se estivesse descrevendo simultaneamente um grande círculo com cada braço. As palmas das mãos ficam viradas para dentro enquanto sobem; no alto do círculo, com as palmas viradas para baixo, voltar para a posição inicial.
- Inspire pelo nariz para dentro do ponto *Kath* enquanto faz o movimento para cima. Quando soltar o ar, ao descrever o movimento descendente do círculo, imagine que sua respiração sobe pelo Canal Central, partindo do ponto *Kath* e saindo pelo topo da cabeça.

OS DEZ SEGREDOS DAS PESSOAS 100% SAUDÁVEIS

PSICOCALISTENIA: ENERGIA POR MEIO DA RESPIRAÇÃO

O sistema de exercícios chamado Psicocalistenia® foi descrito pelo *Daily Mail* como "exercícios físicos levados à perfeição". O sistema foi desenvolvido por Oscar Ichazo como uma maneira rápida de gerar energia vital e manter a força, a agilidade e a forma física. (Em grego, *psyche* significa a respiração ou o sopro, *cali* significa beleza e *sthenia* quer dizer força — portanto, a palavra psicocalistenia significa "força e beleza por meio da consciência".) É uma rotina de 23 exercícios feitos em pouco menos de 20 minutos. Esse sistema de exercícios é completamente contemporâneo e à primeira vista parece uma espécie poderosa de yoga aeróbica. Ichazo comenta: "Assim como temos necessidade diária de alimentos e nutrição, precisamos promover a circulação da energia vital diariamente."

NÃO É APENAS EXERCÍCIO

Enquanto a maior parte das rotinas de exercícios se limita a tratar o corpo como uma máquina física que precisa trabalhar para ficar em forma, a psicocalistenia (ou PCals) foi elaborada para gerar condicionamento físico e energia vital, para equilibrar a mente e o corpo. A chave do sistema é o padrão preciso de respiração que acompanha cada exercício físico. De acordo com Ichazo, "quando integramos a mente e o corpo por meio de uma respiração controlada, realizamos a auto-observação indispensável para adquirir uma compreensão de nossa verdadeira natureza. O que a PCals oferece é um conjunto de exercícios que pode se tornar uma base concreta para uma vida de responsabilidade consigo mesmo, de clareza mental e de força espiritual".

A série de exercícios da PCals trabalha sistematicamente ao longo das cinco cavidades do corpo, a começar pelos exercícios da cavidade abdominal, que nos conectam com o domínio social do corpo; a seguir, os exercícios da cavidade torácica trabalham os braços e o peito, o que ajuda a equilibrar as emoções; os exercícios da cavidade craniana acalmam a mente e, finalmente, os exercícios da cavidade pélvica, realizados principalmente no chão, ajudam a gerar energia vital. Os primeiros e os últimos exercícios trabalham a cavidade dorsal. A ilustração da próxima página dá uma amostra da simplicidade dos movimentos na sequência de exercícios.

OS DEZ SEGREDOS

A série de exercícios psicocalistênicos

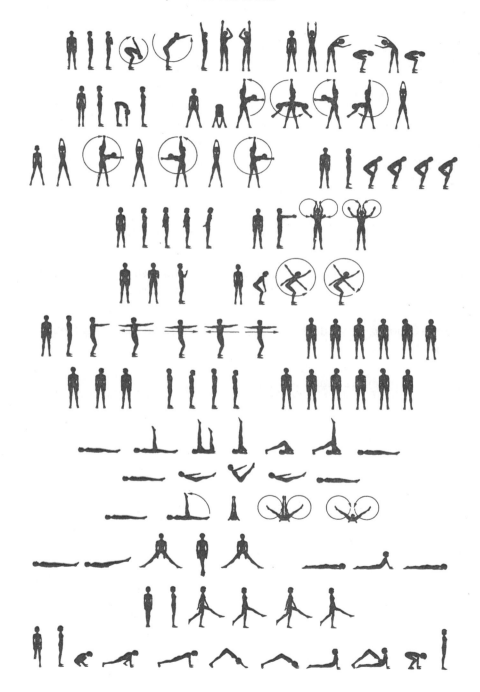

OS DEZ SEGREDOS DAS PESSOAS 100% SAUDÁVEIS

A série da psicocalistenia começa com um exercício que integra todo o corpo. Seu nome é Colher Uvas e você pode experimentá-lo sozinho, executando as instruções a seguir.

EXERCÍCIO: Colher Uvas

1. Pés separados por duas vezes a largura do pé, com as laterais externas paralelas.
2. Respiração: expirar, balanço para baixo em dois tempos. Inspirar, quatro "puxões", quatro tempos + alongar os braços quatro vezes, quatro tempos.
3. Repita seis vezes.

Pontos a considerar

- Dobre os joelhos quando fizer o balanço para baixo. Ao balançar para cima, mantenha os joelhos relaxados, com as pernas firmes.
- No "puxão", os ombros e os braços puxam toda a caixa torácica para cima e para longe da pélvis, enquanto as costelas se expandem com quatro inalações rápidas.
- Sinta o alongamento da área do diafragma e da parte superior dos músculos abdominais.
- Evite mover a pélvis para a frente e para trás durante o "puxão".
- Alongue o braço até a ponta dos dedos quando "colher uvas", com mais quatro inalações rápidas.

OS DEZ SEGREDOS

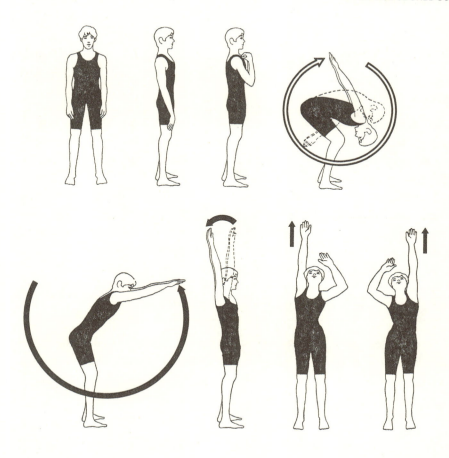

    Um dos aspectos que mais aprecio na psicocalistenia é não precisar ir a lugar algum, usar roupas especiais ou comprar qualquer equipamento. Depois de aprender a rotina, você pode praticá-la rapidamente em casa, acompanhada pelo DVD ou por um CD com música e instruções básicas. Os exercícios são relativamente simples e fáceis de lembrar e existe uma trilha sonora sem locução que serve para marcar o ritmo e a sequência dos exercícios depois que já foram aprendidos. Eles são fáceis de fazer em qualquer lugar.

OS DEZ SEGREDOS DAS PESSOAS 100% SAUDÁVEIS

ESTUDO DE CASO: MIKE

Mike Shoring, um cineasta, considera a psicocalistenia parte essencial de sua vida diária:

"Faço PCals diariamente há mais de 20 anos — em quartos de hotéis, em estúdios de cinema, em locações —, onde quer que eu esteja trabalhando. Desde que comecei a fazê-los, minha saúde melhorou muito. Eles começaram a ser parte natural da minha rotina diária.

É preciso metade de um dia para aprender os PCals e você vai se sentir exultante e energizado. Esses exercícios também são excelentes para fortalecer as costas e os músculos abdominais e manter a coluna vertebral flexível e forte, o que costuma ser uma área problemática depois de certa idade. Se você tiver problema nas costas, deve ter cuidado quando aprender, mas a prática regular é uma maneira fantástica de promover a saúde das costas e a força dos músculos abdominais."

Considero esse sistema de exercícios tão bom que o incluí nos fins de semana intensivos do meu Workshop da Saúde 100%, realizados com frequência no Reino Unido e em outros países (ver a seção Recursos). Também existem treinamentos próprios da Psicocalistenia (ver a seção Recursos).

UMA ORIENTAÇÃO ADEQUADA TRAZ MAIS BENEFÍCIOS

Embora teoricamente possamos aprender a psicocalistenia e outros exercícios como tai chi por intermédio de livros e de CDs, é bem melhor ter instruções diretas, já que o sucesso dos exercícios para gerar energia vital depende de se estar na posição certa e com o padrão de respiração correto, o que um professor pode mostrar em detalhes.

COMO ATRAIR ENERGIA VITAL

A energia vital também pode ser extraída do universo, do exterior. Muitos praticantes de meditação, inclusive eu, podem descrever a sensação de energia atraída para o topo da cabeça durante a meditação. Essa é uma sensação muito real, em que o alto da cabeça fica menos resistente e a percepção fica mais refinada e expandida. Se isso é outro aspecto da energia vital ou uma manifestação

OS DEZ SEGREDOS

da graça — ou *shakti*, como é chamada pelas tradições indianas, ou *baraka*, de acordo com a tradição sufi ou islâmica —, o efeito é real e pode ser reproduzido. É como se nosso campo de energia pessoal estivesse dentro de um gigantesco campo de energia que pode nos reabastecer no momento em que "entramos em sintonia". Esse conceito certamente está de acordo com a experiência dos meditantes de que a energia é rapidamente reposta durante a meditação.

Algumas pessoas também descrevem a transmissão de energia da terra — uma experiência intensificada quando os pés descalços estão em contato com a terra ou quando nos deitamos no chão com uma percepção consciente da terra. Tanto a yoga quanto o tai chi incluem visualizações que envolvem uma conexão descendente, com a terra, e depois ascendente, com o céu.

Esses conceitos estão de acordo com a ideia de que a terra também tem um campo de energia que podemos capturar para nosso rejuvenescimento. Na verdade, a terra tem uma frequência específica ou ressonância harmônica que foi medida: é de aproximadamente oito ciclos por segundo — 8 hertz. A faixa de frequência da atividade elétrica do cérebro que alcançamos nos estados de relaxamento profundo também está centrada em torno de 8 hertz. Essa pode ser uma das razões pelas quais nos sentimos tão restaurados quando estamos cercados pela natureza — numa floresta, nas montanhas ou junto ao mar, por exemplo. Certamente é comum a experiência do efeito altamente rejuvenescedor de passar algum tempo junto à natureza.

ENERGIA VITAL: UM SEGREDO DE SAÚDE

Desde que a humanidade aprendeu a controlar a eletricidade, o mundo foi fundamentalmente transformado. Talvez com a energia vital aconteça o mesmo. Ela não pode ser medida, mas é inegavelmente real. Gerar energia vital, com certeza, é um segredo das pessoas 100% saudáveis e parte essencial da maneira ideal de viver e experimentar a plenitude do que a vida tem a oferecer.

PLANO DE AÇÃO DE 30 DIAS PARA GERAR ENERGIA VITAL

- Aprenda um dos sistemas de exercícios que geram energia vital (tai chi, qigong, psicocalistenia, exercícios do Estado *Kath*). O ideal é praticá-lo diariamente, mas o mínimo é três vezes semana.

continua

OS DEZ SEGREDOS DAS PESSOAS 100% SAUDÁVEIS

- Aprenda um método de rneditação ou respiração como a Respiração Diakath e conceda-se pelo menos cinco minutos diários para praticar, ou simplesmente sente-se e testemunhe seus pensamentos, sentimentos e sensações físicas até ter uma experiência de mais silêncio interior. (O Segredo 10 traz algumas meditações simples.)

- Uma vez por semana, vá caminhar ou correr na natureza, sem o telefone celular. Fique consciente dos elementos — a terra, o ar, a água, o espaço e o calor do sol — e de como esses elementos alimentam a vida.

Segredo 9

LIBERTE O PRESENTE DO PASSADO — DESAPEGUE-SE E APRENDA COM O PASSADO

Uma das grandes falhas da medicina convencional e mesmo de nossa educação cultural é subestimar a importância das emoções. Historicamente, isso começou no período conhecido como a Idade da Razão, nos séculos XVII e XVIII, quando se acreditava que todo conhecimento era derivado da experiência sensorial. Todo conhecimento tinha por base a experimentação e a observação para descobrir causas e efeitos, mas esse método de pensamento não era adequado para estudar emoções e seus efeitos sobre nossa vida e saúde.

Quando o intelecto se torna predominante, as emoções, que não podem ser medidas, ficam reprimidas. Essa situação se prolongou até o século XX, quando Sigmund Freud propôs que muitas neuroses e problemas de saúde tinham emoções reprimidas como causa. Somente há pouco tempo, com o desenvolvimento da neurociência, fomos capazes de chegar a alguma medida das emoções e de seus efeitos sobre a saúde mental e física. Está ficando cada vez mais clara a impossibilidade de haver pensamento sem emoção. As emoções, positivas ou negativas, exercem um enorme efeito sobre a saúde e o funcionamento do corpo. A própria base da memória, com a qual mantemos a história de nossas vidas, depende da emoção. As emoções são a base da sutileza nos relacionamentos humanos e os relacionamentos são tão importantes para nós quanto a água para os peixes. Só crescemos como seres humanos por meio dos relacionamentos, e é pelo desenvolvimento da inteligência emocional que nos permitimos interagir de forma saudável com terceiros, de modo que nossas necessidades sejam atendidas e que possamos compreender as necessidades dos outros. As emoções positivas — como o amor e a alegria — e a capacidade para lidar com emoções negativas são o nono segredo para ser 100% saudável.

OS DEZ SEGREDOS DAS PESSOAS 100% SAUDÁVEIS

O QUE ACONTECE QUANDO GUARDAMOS TENSÕES DO PASSADO

A experiência da vida resulta em um acúmulo inevitável de tensão emocional e lembranças não resolvidas do passado. As tensões e lembranças mais perturbadoras se transformam em padrões emocionais negativos e enraizados que determinam inconscientemente nossas reações aos estresses da vida. Em nossos dias, ser neurótico é considerado normal, e os programas de televisão atribuem proporções heroicas a indivíduos ainda mais perturbados que nós.

A palavra "emoção" vem dos radicais latinos *e*, ou "saída", e *moção*, ou "movimento" — portanto, emoção é uma energia natural, uma experiência dinâmica, que precisa se mover através do corpo e para fora dele. No entanto, quando crianças, muitas vezes somos ensinados a não expressar as emoções. Talvez nos digam para "não sermos infantis" ou, quando estamos zangados, podem nos ensinar que não é certo expressar a raiva: "Não se atreva a gritar comigo!" De algum modo, muitos de nós aprendemos que as emoções não são boas.

Na qualidade de adultos saudáveis, cabe a nós descarregar e abrir mão dos padrões emocionais do passado que prejudicam nossas vidas e já não nos ajudam. Como declarou muitas vezes Fritz Perls, fundador da gestalt-terapia: "A única maneira de sair é atravessar." Não é fácil, e a maioria das pessoas nega seus sintomas e se anestesia pelo trabalho, TV, comida, bebida ou algum tipo de droga. Ao descarregar as emoções negativas associadas com memórias do passado ficamos mais aptos a reagir espontaneamente a cada momento, o que nos permite ser mais presentes nos relacionamentos e receber as dádivas do mundo que nos cerca.

O CORPO MANIFESTA O QUE A MENTE REPRIME

Essas emoções são literalmente armazenadas em nossa memória celular ao longo da vida. Elas se manifestam como tensão física, causando uma variedade de problemas de saúde, como dores de cabeça, úlcera, síndrome do intestino irritável (SII) e doenças mais graves, como câncer e problemas cardiovasculares. Emoções extremadas afetam o funcionamento cardíaco, deprimem o sistema imunológico e inibem a digestão. Lembro-me de uma cliente que sofria de um terrível caso de SII. Todos os tratamentos nutricionais que sugeri fracassaram.

OS DEZ SEGREDOS

Então, um dia ela confessou, pela primeira vez, uma situação de infidelidade. A partir desse dia, a síndrome de intestino irritável desapareceu.

Outro exemplo é o sentimento de perda. Ele deprime a imunidade e pode ser uma explicação para o fato de tantas pessoas se recusarem a aceitar a morte do parceiro e morrerem pouco depois.[166] Essas emoções precisam ser expressadas completamente, para o bem de nossa saúde física e psicológica e para que possamos aprender com as experiências e seguir adiante.

NOSSAS EMOÇÕES MAIS COMUNS

Todos nós experimentamos diversas emoções, porém, as mais comuns são nuances de raiva, medo ou tristeza. A tristeza costuma estar associada com arrependimentos, perdas e oportunidades perdidas no passado. A raiva é associada com necessidades frustradas, com falta de consideração ou incompreensões. Também temos necessidades sexuais, além de necessidades de intimidade e de satisfação física e emocional.

A raiva, as reações violentas e a fúria extrema geralmente têm origem no sentimento (real ou imaginário) de que nossa sobrevivência está ameaçada. O medo, em geral, surge da incapacidade de adaptar-se às circunstâncias presentes e está associado com o temor de perder a autopercepção, de enlouquecer ou de morrer. Como disse Franklin D. Roosevelt em 1933, durante a recessão nos EUA: "Só temos que temer o próprio medo."

O que seria uma reação emocional saudável às circunstâncias inevitáveis da vida? Aristóteles disse: "Qualquer um pode ter raiva — isso é fácil. No entanto, zangar-se com a pessoa certa, na hora certa, pela razão certa e da maneira certa não é fácil." Como você lida com uma circunstância em que alguém o acusa de ter feito algo que não fez? Ou com um relacionamento que fracassa e termina? Ou quando uma pessoa amada morre? E quando você perde o emprego e fica sem dinheiro? Antes de explorar todas essas questões é bom fazer um rápido check-up emocional para ver como você se relaciona com o mundo dos sentimentos.

OS DEZ SEGREDOS DAS PESSOAS 100% SAUDÁVEIS

Questionário: *confira suas emoções*

Sim   Não

1. Você sente que em alguns momentos suas emoções dominam sua vida ou muitas vezes se sente distante delas?

2. Com frequência você fica zangado, perturbado, irritado ou de mau humor ou se sente agressivo?

3. Como você manifesta a raiva?

    a. Você explode, grita ou berra?

    b. Volta a raiva contra si mesmo, chorando ou ficando deprimido; nega a raiva; ou nunca tem esse sentimento?

    c. Raramente sente raiva e, quando sente, manifesta adequadamente o sentimento?

4. Fica triste com frequência ou tem variações de humor ou depressão?

5. Como se relaciona com a tristeza?

    a. Chora com frequência e é capaz de passar horas chorando?

    b. Raramente se permite sentir tristeza ou nega o sentimento, talvez dizendo que a vida é muito curta?

    c. Quando sente tristeza, manifesta o sentimento da forma apropriada?

6. Está sempre com medo ou ansioso?

7. Como se relaciona com o medo de mudança, de abandono/perda, do sucesso, do fracasso, da pobreza, da doença e da morte?

    a. Está sempre com medo de situações que ainda não aconteceram?

    b. Tem dificuldade para se livrar do medo de coisas que aconteceram no passado?

    c. A maioria dos seus medos é justificada e você faz o necessário para superá-los?

8. Tem dificuldade para expor seus sentimentos a terceiros?

OS DEZ SEGREDOS

9. Tem dificuldade de expressar tristeza, raiva ou medo?

10. Sente carência de amor em sua vida?

11. Tem dificuldade para passar algum tempo sozinho e procura evitar essa situação?

12. Raramente se premia ou reconhece suas realizações?

13. Raramente fica completamente satisfeito ou feliz?

14. Como você qualifica seu relacionamento com:

	Muito bom	Bom	Razoável	Sofrível	Ruim
Cônjuge/amante/parceiro (se tiver)					
Mãe (se ainda for viva)					
Pai (se ainda for vivo)					
Irmãos e irmãs					
Amigos					
Colegas de trabalho					
Consigo mesmo					

Conte 1 ponto para cada "sim"; 2 pontos se respondeu (a) e 1 ponto se respondeu (b) nas perguntas 3 e 5; 2 pontos para qualquer relacionamento que considerou "ruim", e 1 ponto para qualquer relacionamento que considerou "sofrível".

Pontuação total:

Pontuação

0-4: Nível A
Você tem alto quociente de inteligência emocional. Reage da forma correta diante das situações; conduz com eficiência os relacionamentos e os desfruta.

5-7: Nível B
Você mostra sinais de problemas emocionais que precisa trabalhar. As recomendações deste capítulo podem ser úteis.

8-12: Nível C
Você precisa fazer uma desintoxicação emocional e provavelmente tem muito a ganhar com uma terapia adequada. Este capítulo explica o que pode oferecer bons resultados.

OS DEZ SEGREDOS DAS PESSOAS 100% SAUDÁVEIS

13 ou mais: Nível D

Os padrões emocionais negativos estão causando um impacto considerável na qualidade de sua vida e provavelmente afetarão sua saúde se você não cuidar deles imediatamente.

RESULTADOS DA PESQUISA DA SAÚDE 100%

Uma análise dos 101 participantes de pontuação mais alta mostrou que:

- 85% consideram o estado mental extremamente importante para a saúde.
- 85% quase sempre acordam com uma expectativa positiva sobre o dia.
- 100% pensam que uma atitude positiva é importante para a saúde.
- 73% se declaram felizes.
- 95% consideram os relacionamentos extremamente ou moderadamente importantes para a saúde.
- 80% têm um parceiro e 20% são solteiros.
- 85% consideram seu relacionamento mais próximo excelente ou bom.
- 83% têm um círculo de parentes e amigos íntimos.

OS BENEFÍCIOS DE UMA BOA SAÚDE EMOCIONAL

A saúde emocional é tão importante quanto a saúde física, e os problemas emocionais causam tanto ou mais sofrimento que as doenças físicas. A Organização Mundial de Saúde afirma que os problemas psicológicos são o maior desafio para o século XXI.

Olhar a vida por uma ótica positiva faz muita diferença. Em um estudo realizado por pesquisadores da University of Pittsburgh, que acompanhou 100 mil mulheres durante um período de oito anos, as otimistas tinham 30% menos probabilidade de morrer de doença cardíaca e 23% menos probabilidade de morrer de câncer do que as mulheres com uma atitude geral de desconfiança com terceiros.[167] Mas de onde vêm a desconfiança e a infelicidade?

> *Uma pequena análise dos 101 participantes com maiores pontuações na Pesquisa da Saúde 100% mostrou que as pessoas saudáveis consideram a saúde emocional muito importante e tendem a ser emocionalmente saudáveis.*

OS PADRÕES DE COMPORTAMENTO EMOCIONAL SÃO APRENDIDOS

Quando reagimos emocionalmente, essas reações são automáticas e físicas, e enchem o corpo e o cérebro de neurotransmissores associados — resposta dada ao estresse. Elas dominam a mente racional, nos deixam surdos e causam atitudes e comportamentos irracionais. O ritmo cardíaco pode passar instantaneamente de setenta para mais de cem batimentos por minuto, os músculos ficam tensos e a respiração se altera. Daniel Goleman, autor do livro *Inteligência emocional*, chama esse fenômeno de "sequestro emocional".[168] Os padrões de reação emocional que precipitam o sequestro emocional são aprendidos no início da vida e podem ser transformados em respostas mais funcionais quando compreendemos como o passado nos programa a responder automaticamente aos eventos do presente.

OLHANDO PARA TRÁS

Leve sua mente de volta à primeira infância. Como você vê suas expressões de raiva? Alguma vez seus pais gritaram com você? Ou eles lhe davam o tratamento do silêncio? Você era capaz de perceber a raiva por trás daquela atitude? O que você aprendeu com isso? Se teve pais irados, que gritavam, provavelmente aprendeu a se fechar, como precisava fazer quando era uma criança assustada e vulnerável. Talvez tenha decidido nunca se comportar daquela forma quando crescesse e tenha jurado jamais tratar seus filhos daquela maneira. No entanto, em um momento de fraqueza ou frustração, talvez tenha reagido da mesma forma que seus pais e, posteriormente, tenha sentido culpa. É preciso muita energia para ser diferente da forma como fomos criados porque recebemos anos de "educação emocional", tanto positiva quanto negativa, da parte dos pais e dos professores.

A tristeza é uma emoção mais suave que a raiva. Procure lembrar como seus pais lidavam com a tristeza ou a dor. Por exemplo, se houve uma morte na família, como seus pais reagiram? A tristeza é uma reação adequada, mas se não for manifestada pode causar depressão. A depressão também pode ser consequência de raiva suprimida. Como diz o ditado: "Não fique triste, fique furioso." Se você sente depressão, existe alguma coisa que lhe causa raiva, mas que você foi incapaz de expressar ou elaborar? Você acha que algum dos seus pais era deprimido? Nesse caso, como isso o afetou?

OBSERVE SUAS PRÓPRIAS CARACTERÍSTICAS

Você está sempre tentando ser positivo ou tem um sentimento interno de desesperança? Ou, quem sabe, oscila entre os dois comportamentos? Você tem medo de que qualquer relacionamento amoroso esteja fadado ao fracasso, seja um campo minado que pode explodir a qualquer momento, ou acha melhor evitar completamente qualquer relacionamento? O que você aprendeu sobre amor e relacionamentos enquanto crescia? Se você sempre tem medo de ser abandonado ou de não conseguir uma relação amorosa, isso pode muito bem ser consequência de lembranças antigas de se sentir abandonado ou indesejado quando criança. Esse é o caso de Janie:

ESTUDO DE CASO: JANIE

Janie, uma atraente decoradora de 30 anos, sempre sentiu atração por homens comprometidos. Seus amigos frequentemente lhe diziam, exasperados, para não dar àqueles homens seu número de telefone. No entanto, como uma mariposa atraída pela chama, ela não conseguia romper com esse hábito. Só depois que conseguiu examinar com honestidade a relação com um pai frio e distante, raramente presente em casa por causa do trabalho, ela associou essa situação com sua história de relacionamentos. Ela se sentia indesejada, portanto, inconscientemente buscava essa condição, que era tão familiar.

Por ser para ela uma ferida amorosa primordial, essa condição tornou-se um comportamento emocional profundamente enraizado. Depois de identificar a conexão, ela precisou trabalhar muito para desfazê-la durante um retiro de uma semana chamado Processo Hoffman. Ao dedicar algum tempo ao próprio crescimento pessoal, ela passou da identificação da causa para a expressão da raiva e da tristeza com o que perdeu quando criança e como mulher adulta.

OS DEZ SEGREDOS

Janie precisou recuperar as lembranças e sentir como era quando criança. Foi doloroso, mas o processo lhe deu o impulso para dizer com firmeza a si mesma: "Chega, não quero mais viver assim!" Depois, sentindo-se mais forte, ela se sentou calmamente, fechou os olhos e se imaginou enviando ondas de perdão ao pai e aos homens com quem se relacionou pelo papel que exerceram em sua vida. Finalmente, Janie assumiu a responsabilidade pelo próprio papel e fez a promessa de atrair um homem emocionalmente disponível e envolvido.

Recentemente, ela escreveu para dizer que vai se casar e que o noivo é um velho amigo que conhecia há anos, mas nunca havia considerado adequado. Com o sentimento de desvalorização jogado no lixo, podemos todos começar a atrair situações muito mais positivas para nossas vidas.

UM EXAME DA FORMA COMO CONDUZIMOS OS RELACIONAMENTOS

O tipo de relacionamento de seus pais exerce um impacto poderoso na forma como você lida com os seus relacionamentos. Eis um exercício que pode ajudá-lo a ver como herdamos de nossos pais esses padrões emocionais negativos.

EXERCÍCIO: identificar os padrões negativos de comportamento emocional

1. Anote pelo menos cinco dos seus padrões emocionais negativos — de preferência aqueles que causam ou causaram mais angústia emocional (você pode escrevê-los aqui ou em um diário pessoal). Eis alguns exemplos:

- Ter medo de ser abandonado (nos torna carentes e dependentes).
- Ter medo de ser sufocado em um relacionamento (nos leva a evitar compromisso).
- Sentir-se desprezado ou criticado (leva a não assumir riscos).
- Sentir que nunca está à altura (leva a necessidade de alcançar sempre mais, se provar ou procurar agradar).
- Sentir-se controlado (cria a necessidade de controlar os outros).
- Sentir vergonha ou culpa.
- Ter medo de errar (leva à necessidade de estar sempre certo).
- Ter medo do fracasso ou de não ter sucesso (leva a uma luta constante e à busca excessiva por perfeccionismo).

OS DEZ SEGREDOS DAS PESSOAS 100% SAUDÁVEIS

1 _____

2 _____

3 _____

4 _____

5 _____

2. Agora reserve alguns momentos para relaxar e leve a mente de volta à infância. Feche os olhos e se veja como uma criança de mais ou menos 8 anos. Você pode inclusive ter uma foto que o ajude a criar essa imagem. De pé ao lado de si mesmo como criança, imagine seus pais ou as pessoas que o criaram exatamente como eram quando você estava crescendo. Ao lado deles, como você se sente? Eles lhe davam a sensação de suficiência, de ser bastante bom? Você consegue começar a ter a sensação de como todo o seu temperamento ou a sua atitude para com terceiros, na verdade toda a sua perspectiva do mundo, podem ter sido afetados por essas figuras poderosas? Lembre-se de que você contava com eles para receber amor e aprovação.

3. Agora anote pelo menos cinco padrões negativos de sua mãe e de seu pai. Procure aqueles que causaram mais impacto sobre você; por exemplo: excessivamente crítico, indiferente, frio/distante, sufocante, superprotetor, irritado, passivo, derrotista...

Mãe

1 _____

2 _____

3 _____

4 _____

5 _____

Pai

1 _____

2 _____

3 _____

4 _____

5 _____

OS DEZ SEGREDOS

Algum dos padrões que você identificou em si mesmo está presente também em algum dos seus pais? Ou você tem o padrão de comportamento contrário? Em muitos casos, procuramos compensar adotando a atitude diametralmente oposta; por exemplo, seu pai é agressivo e você é passivo ou seus pais são críticos e você é sempre generoso.

CARREGANDO O PASSADO CONOSCO

O verdadeiro poder destrutivo do passado pode se manifestar porque, apesar de nossas boas intenções, continuamos a recriar a história estabelecendo subconscientemente situações que parecem familiares. É horrível, mas ao mesmo tempo estranhamente reconfortante. Por exemplo, se tivemos um pai crítico, podemos atrair um patrão ou um parceiro crítico. Se um dos pais estava sempre atribuindo ao outro a culpa pelos problemas, talvez você tenha herdado o papel de vítima. A culpa nunca é sua, você sempre tem alguém a quem culpar. Esse é o poder desses padrões negativos em nossas vidas. Os psicólogos chamam esse fenômeno de transferência, por meio da qual trazemos nossos pais internalizados para nossa vida presente, juntamente com a bagagem emocional deles e nossa, compartilhada no passado.

COMO PODEMOS SUPERAR?

Portanto, o que fazer quando percebemos como os padrões emocionais negativos aprendidos atrapalham nossa vida e saúde? Assim como precisamos aprender qual é a nutrição ideal e como escolher os alimentos e bebidas certos para ter saúde, também precisamos aprender como descarregar e abrir mão de emoções e padrões emocionais negativos. Embora seja vital, infelizmente essa capacidade não é ensinada na escola e não faz parte de nossa cultura aprender essas coisas. O primeiro passo é simplesmente admitir como você se sente no momento.

ESTÁ CERTO TER SENTIMENTOS

Tristeza, raiva, medo e todas as nuances desses sentimentos são reações perfeitamente normais quando os acontecimentos em nossas vidas não correspondem a nossa expectativa. Todos nós temos necessidade de exprimir, trazer

OS DEZ SEGREDOS DAS PESSOAS 100% SAUDÁVEIS

à luz e liberar os sentimentos de formas saudáveis, adequadas e conscientes, evitando assim ficar presos a padrões emocionais negativos.

A maneira como vivenciamos conscientemente as emoções faz toda a diferença. Eis uma forma simples de fazê-lo:

Quando sentir uma emoção e precisar expressá-la, respire fundo e diga com clareza: "Estou sentindo xyz [*por exemplo: raiva, frustração, tristeza*], e isso está certo."

Respire novamente e repita a frase mais duas vezes, até experimentar um sentimento diferente. Em algumas circunstâncias talvez seja melhor dizê-lo para si mesmo e não em voz alta. De uma maneira ou de outra, você estará permitindo que o sentimento e você mesmo "existam", sem crítica.

NOSSAS REAÇÕES PESSOAIS

Muitas vezes acontece de nossa mente racional ser sequestrada por uma reação emocional intensa porque "se liga" a alguma situação de nossa história passada. Você já percebeu como o que provoca em você uma reação extremada talvez não incomode outra pessoa? Por exemplo, se seu chefe não lhe diz "Bom dia" ao passar, você se sente ferido. No entanto, Jackie, que trabalha a seu lado, comenta: "Não tem importância. Provavelmente ele está com a cabeça nas nuvens." Isso é um bom indicador de que sua reação é apenas a ponta do iceberg de um padrão emocional negativo profundamente enraizado em você — neste caso, o fato de facilmente sentir-se rejeitado.

Embora talvez naquele momento você não consiga reconhecer como está se sentindo e o que gera esse sentimento, ou não seja capaz de expressá-lo de forma consciente e adequada, aqui está um exercício simples para ajudá-lo a identificar a relação entre seu sentimento de hoje e os padrões emocionais profundos da infância.

EXERCÍCIO: identificar padrões emocionais
Raiva
1. Como você manifesta raiva?
2. Quando foi a última vez que sentiu raiva?
3. Como se sentiu fisicamente?

4. Você ficou visivelmente irritado ou ocultou o sentimento?

5. Agora, volte à infância. Pense numa ocasião em que um de seus pais estava zangado com você. Como você reagiu?

6. Procure recordar a primeira ocasião em que sentiu raiva.

7. Como seus pais reagiram?

Sentir-se "insuficiente"

1. Quando foi a última vez que se sentiu desvalorizado?

2. Que sensação física isso provocou?

3. Como você reagiu?

4. Agora, volte a uma cena da infância em que se sentiu diminuído. Talvez estivesse sendo criticado.

5. Como você reagiu?

REORGANIZAR A VIDA AO SONHAR

As emoções que não manifestamos e deixamos de lado durante o dia podem surgir nos sonhos. Já está bastante estabelecido que o sonho é vital para a aprendizagem, mas ele também pode ser uma forma de lidar com os problemas emocionais que não elaboramos durante o dia. O sonho é a forma pela qual processamos e liberamos as emoções não manifestadas. Se isso não for feito, o cérebro acaba por viver num estado permanente de estresse. Na verdade, parece que o período do sono conhecido como movimento rápido dos olhos (REM) nos ajuda a liberar emoções reprimidas.[169]

Da próxima vez que acordar com a lembrança de um sonho, fique consciente do sentimento predominante. Em seguida, reveja o dia anterior e pense num momento em que teve esse sentimento, mas deixou de expressá-lo explicitamente. Você ficará surpreso com a frequência com que essas emoções não manifestadas emergem nos sonhos.

Se quiser saber mais sobre essa questão, recomendo a leitura do livro *Dreaming Reality*, de Joe Griffin e Ivan Tyrrell.

DESAPEGAR-SE E APRENDER COM O PASSADO

Portanto, como dar a si mesmo o equivalente a uma desintoxicação psicológica que libere os padrões armazenados de emoções negativas que nos mantêm

OS DEZ SEGREDOS DAS PESSOAS 100% SAUDÁVEIS

bloqueados, infelizes, reativos e geralmente deprimidos? Eis alguns exercícios e opções simples que podem ajudá-lo a desapegar-se de sua bagagem emocional. Se você teve uma pontuação alta no check-up emocional, recomendo explorar uma ou mais dessas opções.

EXERCÍCIO: exalar a emoção

1. Traga de volta à memória uma situação de alta carga emocional que ainda lhe cause infelicidade ou desconforto.
2. Identifique a região do corpo em que sente a emoção evocada pela lembrança. Coloque ali sua mão.
3. Enquanto inspira, imagine uma luz branca derramando-se sobre aquela área. Ao expirar, imagine que a dor antiga daquela lembrança está indo embora.
4. Inspire calor e luz e expire as emoções negativas. Com cada respiração, você se sentirá mais leve e mais limpo, até ter a sensação física de alívic naquela região do corpo.

EXERCÍCIO: o olho da câmera

Quem me ensinou essa técnica foi Oscar Ichazo. Você precisa que alguém faça o papel de "testemunha", ou seja, escute o que você vai descrever. Esse é um excelente exercício, se você puder contar com alguém capaz de escutar uma recordação traumática.

1. Pense em alguma lembrança emocionalmente carregada — talvez a morte de alguém próximo, o fim de um relacionamento ou a perda de um emprego ou oportunidade importante.
2. Agora descreva no tempo presente os fatos desse incidente para sua "testemunha", como se estivesse observando o incidente por meio de uma câmera. Não descreva seus sentimentos ou pensamentos sobre o que aconteceu. Apenas diga o que acontece (o que você vê, ouve e assim por diante); por exemplo: "Estou sentada no sofá da sala de estar. Meu marido entra na sala e diz..."
3. Durante a descrição, fique consciente do momento em que sente uma emoção. Inicialmente, talvez você tenha dificuldade para descrever exatamente o que aconteceu no momento traumático. Você pode começar a racionalizar ou dizer o que sente, a ficar com sono ou omitir o momento exato do trauma.

OS DEZ SEGREDOS

4. Portanto, repasse o incidente mais de uma vez e verá que a carga emocional começa a se dissipar. É importante que o ouvinte não faça comentários, não tente confortá-lo nem emita críticas. O papel dele é simplesmente escutar.

EXERCÍCIO: anotar a emoção 1

1. Pegue uma folha de papel e, sem qualquer censura, escreva o mais rápido possível uma das cenas emocionais do passado capturada pelo olho da câmera do exercício anterior, e que ainda cause impacto sobre o presente. Coloque na descrição seus verdadeiros sentimentos: como se sentiu quando criança, como se sente hoje. Faça uma descrição emocionada, específica e intensa.
2. Quando terminar, queime a folha de papel. Guarde na mente a ideia de que o poder daquele padrão negativo foi queimado e destruído — e se desfez em fumaça.

EXERCÍCIO: anotar a emoção 2

Esse tipo de escritura é bom para descarregar emoções negativas de relacionamentos não resolvidos — talvez com um ex-parceiro ou um dos pais. Ele nos ajuda a superar.

1. Faça uma lista das pessoas que ainda o incomodam ou que ainda não perdoou. Escolha uma delas. Em seguida, escreva uma carta expressando todos os seus sentimentos negativos sobre o comportamento ou a atitude dela. Não guarde nada, conte a ela que não vai aceitar suas projeções negativas. Lembre-se: *não* mande a carta!
2. Em seguida escreva uma carta expressando tudo o que aprecia nessa pessoa e tudo o que aprendeu na interação com ela. Abra de fato o coração para ela e perdoe-a.

Esse exercício simples tornará seus sentimentos mais claros e permitirá que você encontre essas pessoas, caso queira, ou que siga adiante sem carregar eternamente o peso do passado.

EXERCÍCIO: escrever um diário

Outro método de escritura é fazer um diário. A melhor hora para isso é no início da manhã, porque é o momento em que estamos menos sujeitos

OS DEZ SEGREDOS DAS PESSOAS 100% SAUDÁVEIS

a interferência de nosso próprio crítico interior (aquela voz dentro de nós que nos solapa e nos impede de fazer certas coisas ou experimentar algo novo).

1. Pegue algumas folhas de papel e escreva o que vier à cabeça. Não estamos falando de fazer literatura, mas da chance de "fazer uma faxina emocional", como descreveu com tanta criatividade um colega meu.

2. Talvez você se surpreenda repetindo frases, usando palavrões ou elogiando as belas árvores a seu redor. Por outro lado, você pode se perceber soltando o verbo sobre alguém ou alguma coisa — não importa o que surja, deixe-se levar.

3. Deixe sua mão escrever mais rápido que seus pensamentos; não se preocupe com a ortografia ou a gramática, nem em respeitar as margens.

4. Se estiver escrevendo sobre uma situação do passado e ficar sem palavras, comece cada sentença pela expressão "Eu me lembro... " e escreva o que vier. Não tem importância se a coisa parecer inventada — ela é a sua verdade emocional.

Esse método, chamado "Páginas Matinais", foi originalmente criado por Julia Cameron para ajudar artistas a superar bloqueios, mas é valioso para qualquer um. Afinal, todos somos criativos. Estamos criando nossas vidas e seremos cada vez mais criativos se nos livrarmos das cadeias do passado.

EXERCÍCIO: remover as emoções negativas

Uma maneira ótima de descarregar emoções negativas é por meio do próprio movimento. Como sabemos, ao fazer uma boa caminhada ou corrida nos sentimos renovados. O efeito será dobrado se você usar esse exercício para descarregar as emoções prejudiciais.

Se estiver emocionalmente perturbado, vá correr, nadar ou caminhar e a cada passo ou braçada imagine-se soltando a emoção que está sentindo.

Uma forma excelente e sistemática de fazer isso é participar de uma aula da meditação em movimento chamada Cinco Ritmos (ver Recursos). A fundadora, Gabrielle Roth, foi pioneira no método de usar música e movimento para alcançar emoções reprimidas e liberá-las. A técnica incorpora cinco ritmos específicos que vão de muito lento até frenético, o que faz emergir magicamente o espectro total dos sentimentos não manifestados.

LEIA ESTES LIVROS

O livro *Maps to Ecstasy: Healing Power of Movement*, de Gabrielle Roth, nos ajuda a deixar para trás as emoções negativas. Meu favorito é o livro *Você pode mudar sua vida*, de Tim Laurence. Também excelente para compreendermos o efeito do condicionamento familiar é *They F*** You Up*, de Oliver James. Se você gosta de manter um diário, um livro muito bom para isso é o *Guia prático para a criatividade*, de Julia Cameron.

TERAPIA EMOCIONAL

Muitas terapias só vão até o ponto de identificar o que está errado e não encontram formas de superar o passado e formar novos hábitos mais saudáveis. Um bom terapeuta pode ajudá-lo a abandonar padrões emocionais negativos e criar maneiras mais saudáveis de ser.

O PROCESSO HOFFMAN

Sem dúvida o curso mais abrangente e eficaz que já encontrei e que continua a receber excelentes críticas é um curso residencial de uma semana chamado Processo Hoffman. Ele "desfaz" completamente os padrões negativos de comportamento que herdamos da infância, o que resulta numa transformação profunda na maneira como nos relacionamos e em nossos próprios relacionamentos, assim como no sentimento de quem somos. O curso cruza a sutil fronteira entre a psicologia — curando a psique — e a espiritualidade — devolvendo-nos o contato com nosso "eu" maior ou alma. Desde 1967, mais de 70 mil pessoas em todo o mundo usaram as técnicas de Hoffman para obter força, clareza pessoal e para eliminar os padrões emocionais destrutivos. Os participantes relataram benefícios como uma grande melhora nos relacionamentos com membros da família e a capacidade de uma comunicação mais eficaz em casa e no trabalho. Sempre recebo cartas de pessoas que querem agradecer por tê-los encaminhado a esse excelente curso e pela transformação que receberam nele (ver mais detalhes em Recursos).

Segredo 10

ENCONTRE SEU PROPÓSITO — VEJA MAIS ALÉM

Quando lhe perguntaram como conseguia ter tanta energia aos 90 anos, Bertrand Russel respondeu: "À medida que envelhecemos, precisamos ter um propósito maior que nós mesmos. Isso é o que faz a vida ter sentido." O sentido de propósito, e também de plenitude, na vida é uma das qualidades que definem aqueles que alcançaram alta pontuação no Questionário da Saúde 100%. Outra qualidade é ter algum tipo de conexão com o espírito, a natureza ou um poder mais alto.

Esse é o décimo segredo: ter um sentido de propósito e uma conexão com o espírito. Essas duas qualidades nos oferecem um contexto mais amplo no qual viver com significado, objetivo e "conexão" com outros: nossa família, a comunidade e o meio ambiente.

UM SENTIMENTO DE PROPÓSITO E CONEXÃO COM O ESPÍRITO AFETA A SAÚDE

Naturalmente, essas qualidades não são fáceis de medir em estudos duplo-cegos, nem causam um efeito direto e mensurável sobre nossa biologia. No entanto, um número cada vez maior de pesquisas prova, por exemplo, os efeitos positivos da meditação para a saúde e a felicidade. Quanto mais aprendemos sobre o impacto do estado mental e das emoções sobre a saúde e o equilíbrio hormonal, mais fica evidente que ser feliz faz muita diferença, não somente para nossa experiência de vida, mas também para a saúde física. Diversos estudos mostraram que pessoas que praticam meditação obtiveram aumento no hormônio DHEA da suprarrenal, que retarda o envelhecimento, ou uma redução no cortisol, o hormônio do estresse. Esses indivíduos também relataram uma melhora na qualidade da vida. [170]

OS DEZ SEGREDOS

Antes de analisar como viver uma vida com propósito e realização, vamos ver onde você se situa com relação ao sentido de propósito e conexão, pelas respostas às seguintes perguntas:

Questionário: *verifique seu propósito e sua conexão*

	Sim	Não

1. Você é feliz? ☐ ☐

2. Sente-se realizado? ☐ ☐

3. Sente que sua vida tem um objetivo que vai além das coisas materiais? ☐ ☐

4. Você tem um sentido claro de propósito na vida? ☐ ☐

5. Com frequência sente uma ligação com o espírito ou um poder maior que você mesmo? ☐ ☐

6. Sente uma ligação com a natureza? ☐ ☐

7. Você se considera uma pessoa espiritualizada? ☐ ☐

8. Tem algum tipo de prática espiritual que o enriquece? ☐ ☐

9. Tem a sensação de amor em sua vida? ☐ ☐

10. Você sente compaixão pelos outros, inclusive por gente que não conhece? ☐ ☐

11. Você tem um sentimento de gratidão pela vida? ☐ ☐

12. Existe alguma coisa pela qual sinta paixão? ☐ ☐

13. Você sente que é guiado ou que cuidam de você? ☐ ☐

14. Já teve uma "experiência de pico", uma expansão do coração, uma experiência de unidade ou uma percepção de ser que transcende o pensamento? ☐ ☐

15. Com razoável frequência, sente uma ligação com o espírito, ou seja, uma conexão com um ser imutável, um sentimento de simplesmente ser, que existe para além da personalidade ou do ego? ☐ ☐

Conte um ponto para cada "sim". Pontuação total: ☐

A pontuação total é menos importante que a ponderação das próprias perguntas; embora elas possam ser respondidas com sim/não, é provável que

OS DEZ SEGREDOS DAS PESSOAS 100% SAUDÁVEIS

você tenha desejado elaborar as respostas. Contudo, em termos gerais, o total de suas respostas afirmativas indica:

Pontuação

11 ou mais: Nível A
É evidente que você tem um propósito e um sólido sentimento de conexão em sua vida. Muito bem!

7-10: Nível B
Percebe-se que você está consciente do sentido de propósito e conexão e pode aprofundá-lo se fizer os exercícios deste capítulo.

4-6: Nível C
Você tem alguma percepção da importância desse aspecto da vida para sua saúde e felicidade e ganhará muito se seguir as sugestões deste capítulo.

0-3: Nível D
Essa é uma área existencial da maior importância, que precisa de sua atenção para que sua vida seja saudável e feliz.

RESULTADO DA PESQUISA DA SAÚDE 100%

Uma análise dos 101 participantes com maior pontuação mostra que:

- 88% disseram que os fatores espirituais eram extrema ou moderadamente importantes para a saúde.
- 83% consideram importante estar em ambientes naturais.
- 81% consideram-se espiritualizados.
- 72% acreditam em Deus, em um poder mais alto ou numa consciência.
- 48% passaram por uma experiência de pico ou uma experiência de profunda unidade. 28% não estão seguros de terem tido essas experiências e 18% não tiveram.
- 59% têm algum tipo de prática espiritual.
- 96% têm um sentimento claro de propósito ou direção na vida.
- 61% sentem-se realizados e 29% sentem-se moderadamente realizados.
- 75% consideraram-se felizes.

OS DEZ SEGREDOS

ENCONTRAR UM PROPÓSITO

Sendo assim, o que nos confere um sentimento de propósito? É claro que esse sentimento pode mudar em diferentes ocasiões da vida. Por exemplo, cuidar de sua família pode lhe dar um sentimento de propósito. No entanto, quando seus filhos crescem ou saem de casa, ou o decepcionam, o que acontece ao seu senso de propósito? Muitas pessoas adquirem esse sentimento ao fazer um trabalho que pareça importante e significativo, como treinar-se numa profissão ou começar um negócio e fazê-lo funcionar. Contudo, muitas vezes, ao ser alcançado o objetivo, o sentimento de propósito começa a ser perdido.

No entanto, existem maneiras de encontrar um propósito que pode conduzir-nos pela vida. Para a maioria de nós, servir a outros gera esse sentimento. O gesto de servir pode adquirir muitas formas: podemos servir aos filhos ou aos netos, ou, ainda, à comunidade. Ele pode incluir ação política, apoio a causas meritórias pelas quais temos entusiasmo ou simplesmente ajudar pessoas que encontramos. Outro sentimento de propósito poderoso e contínuo pode vir de uma ligação com a natureza e do esforço possível para cuidar dela — cultivar o jardim, reciclar o lixo ou estar envolvido em questões ambientais. Para alguns, fazer tudo com amor ou com excelência traz um sentimento de propósito. O que faz surgir em você esse sentimento? Em seguida vou apresentar um exercício para ajudá-lo, se você não tiver clareza sobre a questão.

Outro propósito pode ser o autodesenvolvimento — tornar-se o melhor que puder. Às vezes, isso pode originalmente ser motivado pelo desejo de ser feliz e livre de dor emocional. No entanto, qualquer que tenha sido a forma como chegamos a ele, o próprio processo de modificar-se e aprender a abandonar conceitos limitados, padrões negativos, egoísmo e mesquinhez nos torna capazes de servir aos outros.

Para alguns, o propósito da vida é derivado do ato de servir a um bem maior. Algumas pessoas praticam isso por meio da identificação com uma figura que representa o que elas desejam ser — Jesus, o Dalai Lama etc. Este último uma vez declarou que todo ser humano tem um desejo de ser feliz e não sofrer. Ele revelou que sua prática diária consiste em lembrar que nosso desejo de ser feliz e não sofrer não tem uma importância maior ou menor que o mesmo desejo da parte das pessoas com quem interagimos. Semelhante prática ativa da compaixão também pode nos dar um sentido de propósito.

OS DEZ SEGREDOS DAS PESSOAS 100% SAUDÁVEIS

UMA JORNADA SEMPRE EM MUTAÇÃO

Naturalmente, o propósito muda em ocasiões diferentes da vida. Quando envelhecemos, podemos perceber que nosso propósito não é o trabalho, mas o motivo pelo qual estamos aqui — embora tudo isso possa ser uma coisa só. Aqueles que se ressentem com a aposentadoria em geral estão em dificuldade para redescobrir o próprio propósito. Uma vez ouvi declararem que maturidade crescente é apenas a expansão de nosso círculo de cuidados: de nós mesmos para a família e os amigos mais próximos e daí para a comunidade e para o mundo.

Como disse muito bem Bertrand Russel, ter um propósito maior que nós mesmos dá significado à vida. Aqui está um exercício simples para ajudá-lo a encontrar seu propósito. Você irá precisar de lápis e papel e de um lugar calmo e confortável.

EXERCÍCIO: encontrar o propósito 1

1. Sente-se confortavelmente em um lugar tranquilo. Relembre como se sentia aos 10 anos. Naquela época, o que lhe dava um sentimento de propósito?
2. Qual era o seu sentimento de propósito aos 15, 20, 26 e 35 anos? Escreva o que vier à mente, sem pensar muito, fazendo uma lista dos diferentes propósitos de que esteve consciente em momentos diferentes da vida.
3. Agora, pergunte a si mesmo: "O que me dá um sentimento de propósito agora?" Escreva tantos dos seus objetivos atuais quanto puder.
4. Agora fique quieto, talvez praticando a Respiração Diakath da página 213 ou alguma outra técnica de meditação, e pergunte à sua sabedoria inata, sua inteligência mais elevada: "Qual é o meu verdadeiro propósito?" Faça essa pergunta sem "pensar" na resposta, e escreva sem censura o que vier à sua mente, começando pelas palavras "Meu propósito na vida é...".

EXERCÍCIO: encontrar o propósito 2

Outra forma de ter clareza sobre seu propósito é responder às seguintes perguntas:

1. O que você adora fazer ou tem prazer em fazer?

2. O que faz você se sentir bem? O que lhe dá um sentimento de satisfação e realização?

3. O que você faz bem?

4. Todos temos habilidades e talentos. Em alguns pode ser a capacidade de ouvir; em outros, a clareza mental. Quais são os seus talentos?

5. De que o mundo precisa hoje? E sua comunidade? E sua família?

6. Como você pode usar seus talentos para ajudar ou ser útil?

Enquanto examina essas perguntas e elabora as respostas, você descobrirá algumas percepções poderosas quanto a seu propósito.

CADA UM DE NÓS É ESPECIAL

Você é único e tem os próprios talentos inigualáveis. O segredo é saber quais são eles, e doá-los. Um sentimento profundo de realização pode ser derivado de fazer as coisas com amor e de expandir o círculo de cuidados. Às vezes sentimos que temos habilidades, mas carecemos da oportunidade de doá-las, ou elas não são recebidas. Talvez você seja um excelente ouvinte, mas sua carreira lhe dá poucas oportunidades de ajudar dessa forma. Então, a questão é: como poderemos doar nossos talentos e cumprir nosso propósito em outro contexto?

Aqueles que têm um sentido de propósito ou de realização, em geral, têm mais conexão com a parte de si mesmos que é mais profunda que a mente consciente — e têm um círculo de cuidados mais abrangente.

COMO PODEMOS AMPLIAR NOSSA CAPACIDADE DE CONEXÃO?

É cada vez maior a comprovação de que podemos induzir um nível mais amplo de compaixão e dessa forma aumentar a função cerebral. Um dos primeiros estudos a revelar esse fato foi realizado na University of Wisconsin sob a direção do professor Richard Davison. A atividade cerebral de voluntários que estavam começando a praticar meditação foi comparada com a de monges budistas que haviam passado mais de 10 mil horas em meditação.[171] Eles receberam a tarefa de praticar a meditação da "compaixão" e gerar um sentimento de bondade amorosa para com todos os seres. O doutor em genética Matthieu Ricard, monge budista do monastério Shechen, em Katmandu, no Nepal, conta: "Nós tentamos gerar o estado mental em que a compaixão permeia toda a mente, sem outros pensamentos."

OS DEZ SEGREDOS DAS PESSOAS 100% SAUDÁVEIS

Havia uma grande diferença entre os iniciantes e os monges. Durante a meditação, esses últimos mostravam um grande aumento na atividade cerebral de alta frequência, que é associada com uma atividade mental superior como a consciência, com mais conexões nos circuitos cerebrais. A ressonância magnética do cérebro também mostrou um aumento da atividade no córtex pré-frontal esquerdo (a região de emoções positivas como a felicidade) e uma redução na atividade pré-frontal direita (a região das emoções negativas e da ansiedade). Os monges também mostraram resultados expressivos nos testes de empatia.

A CONEXÃO COM O ESPÍRITO

Tão importante quanto a realização que experimentamos com a doação de nossos talentos é a capacidade de conectar-se com a parte de nós mesmos que é mais profunda que a mente, e que vou chamar de espírito.

Acredito que ter uma conexão com o espírito é algo completamente natural que todos podemos fazer diariamente, o que não requer conversão a uma religião. No entanto, se todas essas menções a "espírito" lhe causam desconforto e você acredita que não existe nada além daquilo que pode ser diretamente experimentado, talvez você descubra que os exercícios simples que proponho a seguir podem lhe proporcionar essa experiência, se forem realizados com a mente aberta.

Em nossa pesquisa, 88% dos participantes de maior pontuação declararam considerar importantes para a saúde os fatores espirituais, enquanto 81% afirmaram que se consideravam espiritualizados e 83% disseram que uma conexão com a natureza é importante.

A EXPERIÊNCIA DE "PICO"

Um importante divisor de águas no debate sobre a existência de Deus acontece entre os que tiveram algum tipo de experiência "de pico" e os que não tiveram esse tipo de experiência, caracterizada por uma expansão do coração, uma experiência de unidade ou uma percepção de puro ser que transcende o pensamento. Em geral, juntamente com essas experiências ocorre um sentimento subjacente de que tudo é perfeito e também da existência de uma inteligência maior que nós mesmos, que nos guia.

> *Em nossa pesquisa com os 101 participantes de maior pontuação, 48% tiveram uma experiência de pico e 18% não tiveram, enquanto 28% não tinham certeza.*

Seja qual for o campo de atuação, o que parece claro é o fato de muitas pessoas descreverem experiências profundas ou corriqueiras similares de uma conexão com algo maior que eles mesmos; por exemplo, músicos relatam um estado em que eles são "tocados", no qual são menos os executores e mais o instrumento do qual surge a música. Atletas falam de estar "na zona" em que toda ação e movimento flui naturalmente. Tive uma experiência similar no ano passado, quando cheguei ao cume de uma montanha. À parte a vista espetacular, durante várias horas me senti totalmente presente. Tudo em minha vida parecia obviamente perfeito, exatamente como era. O diálogo negativo da minha mente desapareceu. Muitas pessoas se conectam com algo maior ao experimentarem as assombrosas forças da natureza.

COMO VOCÊ SE CONECTA COM O ESPÍRITO?

Você pratica meditação, faz orações ou tem algum tipo de prática espiritual? Você se conecta por meio da natureza, por meio do gosto de servir ou de um esporte quando alcança um estado em que flui? Como foi seu relacionamento com o espírito ou um poder mais alto em diferentes momentos de sua vida? Como tantas pessoas, esteve em perigo ou dificuldade, sentindo que esgotou seus recursos, e pediu ajuda a um poder mais alto? Ou talvez tenha sido nessa ocasião que formou a crença de que não existe esse poder — de que está sozinho.

Eu me lembro de ouvir a história de um explorador do Ártico que passou dias isolado por uma nevasca e cujos suprimentos estavam acabando. Ele rezou, implorando ajuda, mas nada aconteceu. Muitos dias depois, quando estava à beira do desastre, apareceram alguns esquimós e o socorreram. "Onde estava o Deus benevolente?", pensou ele. "Se não fossem esses esquimós, eu teria morrido."

Para muitos, a conexão com o espírito é percebida como uma ligação com um ser imutável, um forte sentimento de quem se é ou um sentimento de simplesmente "ser" que transcende a personalidade e o ego. Nas tradições

OS DEZ SEGREDOS DAS PESSOAS 100% SAUDÁVEIS

orientais, esse estado de ser imutável muitas vezes é descrito como um reconhecimento de nossa pura capacidade de estar conscientes ou despertos para a vida. Em seu excelente livro *The Heart of Meditation* Sally Kempton descreve da seguinte forma essa percepção:

"Acho que a forma mais simples de compreendê-lo é pensar em mim mesma como alguém que se compõe de dois diferentes aspectos: uma parte que muda, cresce e envelhece, e uma parte que não muda. A parte imutável tem diversas personalidades exteriores e muitos eus secretos. Existem aspectos de nós que parecem milenares e sábios e outras partes que parecem impulsivas, subdesenvolvidas e idiotas. Elas também assumem diferentes atitudes. Um grande desprendimento coexiste com uma imensa capacidade de perturbação emocional; existe frivolidade e profundidade, compaixão e egoísmo. Em suma, uma quantidade de caracteres interiores habita nossa consciência, cada um deles com seu próprio conjunto de padrões de pensamento e emoções, e cada um com sua própria voz.

No entanto, em meio a todos esses papéis exteriores e caracteres interiores, diversos e muitas vezes conflitantes, algo permanece constante: a consciência que os sustenta. A consciência da própria existência neste momento é a mesma de quando tínhamos 2 anos de idade. Essa consciência de ser é absolutamente impessoal. Ela não tem uma pauta. Ela não favorece um tipo de personalidade em detrimento de outro. Ela vê todas as personalidades como se as observasse por janelas diferentes, sem jamais ser limitada por elas. Às vezes experimentamos essa consciência como um observador não envolvido — a testemunha de nossos pensamentos e ações. Às vezes nós a experimentamos simplesmente como nosso sentimento de ser; nós existimos e sentimos que existimos."

CULTIVE SUA CONEXÃO

Assim como podemos fazer exercícios para manter e promover a saúde física, podemos fazer alguns exercícios simples de meditação para nutrir nossa conexão com aquela essência do "Eu sou", o espírito — aquilo que está além da mente ou do sentimento limitado do eu.

OS DEZ SEGREDOS

EXERCÍCIO: meditação "Eu sou"

Reserve 20 minutos para essa meditação e procure um lugar calmo.

1. Sente-se numa cadeira de espaldar reto ou em uma almofada no chão. As costas devem ficar eretas, mas relaxadas. Talvez você queira começar pela prática da Respiração Diakath (ver página 213) para situar-se numa condição de tranquilidade.
2. Estabeleça uma intenção; por exemplo: "Durante esses 20 minutos vou voltar minha atenção para dentro, em meditação."
3. Leve a atenção para a respiração.
4. Ao inspirar, pense "Eu sou".
5. Ao expirar, pense "Eu sou".
6. A cada respiração, deixe a atenção relaxar um pouco mais. Quando os pensamentos surgirem, observe-os e classifique-os como "pensamento". Com isso, você se desapega deles de modo que não os carrega mais. Leve a atenção de volta à respiração.

Uma variante dessa meditação é fazer a si mesmo a pergunta "Quem eu realmente sou?" para evocar o sentimento de uma presença mais profunda:

1. Comece a meditação, como no exercício anterior, focalizando a atenção na respiração e com consciência da sensação do ar que flui para dentro e para fora das narinas.
2. Depois de alguns minutos, pergunte "Quem eu realmente sou?".
3. Ao fazer a pergunta, podem surgir respostas verbais, mas você não está procurando por uma resposta em palavras. Você está procurando um sentimento de presença sutil. Talvez uma "resposta" possa começar com o sentimento de vazio. Isso não é uma experiência negativa, embora possa ser surpreendente. Esse sentimento de aparente vazio é uma das maneiras pelas quais tocamos a presença subjacente de nossa percepção não verbal. Quando relaxamos na presença desse sentimento, ele se revela como uma grande paz. Talvez surja uma emoção, como ternura ou anseio. Talvez surja uma imagem ou mesmo uma luz.
4. Continue a fazer a pergunta com curiosidade verdadeira, usando-a como gatilho para deixar a atenção repousar mais profundamente no ser que existe mais além da mente consciente e da personalidade.

OS DEZ SEGREDOS DAS PESSOAS 100% SAUDÁVEIS

EXERCÍCIO: sintonia com a natureza

Outra forma de se conectar com o espírito é abrir os sentidos e a mente para a natureza, o que também pode ser feito com uma meditação, seja quando se está num ambiente natural, seja em um belo ambiente natural.

1. Feche os olhos e imagine-se sentado em uma montanha, um vale ou campina verde, junto ao mar ou sob o céu estrelado. Sinta a beleza e a presença do mundo natural a seu redor na forma que considere mais poderosa e encantadora.

2. Agora fique consciente da força vital que percorre tudo na natureza. Pense nas formas pelas quais a terra nutre toda forma de vida; no crescimento das árvores e plantas que oferecem suas dádivas à terra e a nós; no fluxo das marés.

3. Pense na vastidão e magnificência do oceano, na espantosa amplidão do céu com suas estrelas, no poder vivificante do sol, nos ciclos das estações e na profusão de insetos e vida animal.

4. Fique consciente da inteligência divina que permeia a natureza. Traga à percepção você como parte dessa inteligência divina, o sofisticado projeto de seu corpo, os batimentos do coração, o subir e descer da respiração.

SENTIR GRATIDÃO, COMPAIXÃO E AMOR

Quanto mais nos conectamos com o espírito, mais amor sentimos. Em sua essência, o amor é um aspecto vital na equação da saúde. Quanto mais nos conectamos com a impressionante estrutura do próprio corpo, com o poder curativo dos alimentos naturais, mais cuidamos de nós mesmos. Tudo isso é manifestação de amor. Dizer uma prece e sentir gratidão pelo alimento que se vai receber também é amor. Ter um propósito maior que nós mesmos é um ato de amor.

Todos os seres humanos dependem do amor. Isso não é apenas uma ideia agradável; é um fato. Quando uma criança nasce, o cérebro e o sistema nervoso ainda são fluidos, ainda estão se desenvolvendo. Nosso "circuito" interno e nosso desenvolvimento dependem sutilmente do amor e da interação desinteressados, principalmente com a mãe. Em seu excelente livro *Love Really Matters* Sue Gerhardt explica o que as últimas descobertas da neurociência nos ensinam sobre o papel vital dos pais e sobre a forma como uma criação adequada

OS DEZ SEGREDOS

define o potencial para a felicidade, a inteligência emocional e a realização na vida adulta.

Mostramos aqui um exercício simples, extraído do livro *The Heart of Meditation*, de Sally Kempton, para ligá-lo na experiência do amor.

EXERCÍCIO: foco na experiência do amor

1. Feche os olhos. Concentre-se na respiração, observando-a durante alguns minutos para que a mente se acalme.

2. Pense em alguém por quem você sinta amor ou que tenha amado no passado. Imagine que está na presença dessa pessoa. Visualize-a à sua frente ou ao seu lado. Para fixar-se nessa lembrança, você pode observar o que ela está vestindo ou examinar o ambiente. Permita-se sentir amor por ela. Fique receptivo ao sentimento.

3. Quando estiver completamente presente com o sentimento de amor, abandone o pensamento daquela pessoa. Concentre-se completamente no sentimento de amor. Deixe-se ficar com esse sentimento. Sinta a energia do amor em seu corpo em seu coração.

Talvez você precise repetir esse exercício algumas vezes até pegar o jeito. Depois que observar como a sensação de amor e felicidade se mantém mesmo depois que abandonamos a ideia de quem a inspirou, você começará a perceber que seu amor na verdade é independente de qualquer coisa externa. Essa é uma daquelas percepções que podem mudar seu relacionamento com outras pessoas e, certamente, consigo mesmo.

BONDADE

A religião do Dalai Lama, em sua essência, é simplesmente bondade. A prática de ser bom para si mesmo e para os outros — aqueles de quem gostamos e aqueles de quem não gostamos — é outra forma de se conectar com o espírito. Os budistas têm uma meditação simples chamada "meditação da bondade amorosa" para despertar o sentimento de conexão com os outros. Essa foi a prática usada na pesquisa da University of Wisconsin. O objetivo dessa meditação é despertar o sentimento de compaixão e bondade para com nós mesmos, com aqueles que conhecemos bem, com aqueles de quem não gostamos e até mesmo com estranhos. Essa prática é uma maneira eficaz de ativar em

OS DEZ SEGREDOS DAS PESSOAS 100% SAUDÁVEIS

nós aquilo que é mais profundo que a personalidade e a mente: nossa natureza essencial.

EXERCÍCIO: meditação na bondade amorosa

1. Sente-se calmamente, com a coluna ereta, mas descontraída. Procure uma posição confortável numa cadeira ou sobre uma almofada no chão.

2. Preste atenção na respiração, quem sabe começando por alguns movimentos da Respiração Diakath (ver página 213).

3. Ao inspirar, pense: "Que eu possa ser feliz." Ao soltar o ar, pense: "Que eu possa ter saúde." Ao inspirar, pense: "Que eu possa ficar livre de sofrimento." Ao expirar, pense: "Que eu possa ter paz." Faça isso cinco vezes.

4. Agora traga à mente alguém a quem ame ou por quem sinta afeição. Inspirando, pense: "Que [nome] possa ser feliz." Soltando o ar, pense: "Que [nome] possa ter saúde." Ao inspirar, pense: "Que [nome] possa ficar livre de sofrimento." Ao expirar, pense: "Que [nome] possa ter paz."

5. Agora pense em alguém com relação a quem se sinta imparcial, como um colega de trabalho ou um vizinho. Repita a mesma sequência para essa pessoa.

6. Finalmente, pense em alguém de quem não goste, que o tenha ofendido ou ferido. Faça o mesmo procedimento para ele, ou ela.

7. Repita toda essa sequência pelo menos uma vez, mas de preferência duas ou três vezes.

Durante o dia, volte de vez em quando a esse pensamento de bondade amorosa, sempre começando por si mesmo. Essa meditação ajuda a expandir o coração e despertar o sentimento de bondade. Ao fazer isso, você perceberá que se sente mais conectado com seu próprio amor, assim como com o amor dos outros.

OUTRAS FORMAS DE MEDITAR

Se você quer meditar, mas acha difícil, talvez considere interessante trabalhar com uma prática de meditação por ondas sonoras. Um método que me agrada muito e que está gravado em um CD é o HoloSync®. Por meio de vibrações sonoras específicas, esse método nos ajuda a entrar em um estado meditativo associado com mudanças significativas no padrão de atividade das ondas cerebrais. Na verdade, deve-se seguir as instruções dos CDs por meio de um fone de ouvido. O praticante só precisa reservar o tempo necessário. Se quiser saber mais sobre o assunto, visite www.holosync.com.

NOVAS IDEIAS NA BIOLOGIA

A ideia de se conectar com um poder mais alto e de agir de acordo com um propósito maior que nós mesmos é completamente coerente com os novos conceitos que vêm do pensamento sistêmico na biologia, a biologia sistêmica, explorada com eloquência no livro de Bruce Lipton *A biologia da crença*. Lipton explica como podemos ter uma compreensão mais abrangente de nossa vida em todos os níveis quando compreendemos como somos conectados e interdependentes como indivíduos, como espécie e como parte da Terra. É uma abordagem ao estudo da vida muito menos autocentrada e muito mais emancipadora que a antiga biologia.

Por exemplo, segundo a biologia tradicional, os genes estão inseridos no núcleo da célula (em sua parte central) como o equivalente ao "cérebro" da célula, comandando nossa biologia. Temos pouca participação na questão: nossos genes são selecionados por um processo de "sobrevivência do mais apto" que retrata uma batalha pela sobrevivência na qual a voracidade e o egoísmo parecem ser qualidades benéficas. Porém isso está errado.

O núcleo que contém o material genético não é o "cérebro" da célula. Se fosse, as células morreriam imediatamente quando privadas do núcleo. Quando o núcleo da célula é extraído, ela sobrevive por vários meses. No entanto, perde a capacidade de se reproduzir. Pelo contrário, a interface entre os ambientes interno e externo da célula, a membrana celular, é o cérebro sem o qual a célula não sobrevive. Como diz Bruce Lipton: "O núcleo não é o cérebro da célula — ela é a gônada! Confundir a gônada com o cérebro é um erro compreensível, porque a ciência sempre foi e continua sendo um empreendimento patriarcal." O núcleo que contém os códigos genéticos se assemelha mais ao disco rígido do computador, que contém diversos programas.

Na verdade, o que controla a célula é o ambiente a que ela está exposta — nutrientes, hormônios, neurotransmissores e outros compostos químicos com os quais ela entra em contato. Da mesma forma que nossos olhos e ouvidos reagem ao que veem e ouvem, as células têm receptores embebidos na membrana que reagem ao meio ambiente circunvizinho, que é composto dos

OS DEZ SEGREDOS DAS PESSOAS 100% SAUDÁVEIS

nutrientes que comemos. Como vimos no Segredo 3, ao discutir a metilação, os nutrientes ingeridos, literalmente, ligam e desligam os genes, ativando ou desativando esses programas. Nossas células individuais são inteligentes: elas reagem ativamente ao ambiente, escolhendo absorver nutrientes e desfazer-se das toxinas; o corpo contém a inteligência combinada de todas as células. Quando nos expandimos para o exterior, para nossa espécie e todas as espécies que habitam a Terra, e para a própria Terra e o universo mais além, a ideia da existência de uma inteligência maior que nós torna-se extremamente lógica.

O QUE ISSO TEM A VER COM VOCÊ?

Tudo isso significa que podemos mudar nossa vida e saúde mudando o ambiente — cuja influência mais direta é a alimentação — e, também, nos afastando de pensamentos e sentimentos negativos e limitantes, que têm um efeito direto sobre nossa fisiologia. Tal como nos mostra a pesquisa sobre a meditação dos monges, podemos realmente mudar a estrutura do cérebro para ter mais conexão e compaixão. Os pensamentos constroem a mente, ao passo que os alimentos constroem o corpo. Ao se tornar senhor de seus pensamentos e sentimentos e ao comer uma boa alimentação, você pode, literalmente, estruturar-se para ter saúde e felicidade.

Quando encontramos um propósito e vivemos a vida de acordo com ele, nos conectamos com o espírito, reduzimos o impacto prejudicial dos pensamentos e sentimentos negativos sobre a saúde, e promovemos a felicidade. Eis algumas das ações que podem tornar isso uma realidade:

PLANO DE AÇÃO DE 30 DIAS PARA ENCONTRAR UM PROPÓSITO E SE CONECTAR COM O ESPÍRITO

- Explore realmente essas questões e os exercícios sobre o propósito. Reserve esse mês para explorar como viver melhor a vida de acordo com um propósito mais elevado. Talvez você precise fazer algumas mudanças. Você pode ler alguns livros; se tudo isso for novidade para você, uma boa forma de começar é pelo livro *A trilha menos percorrida* [Nova Era, 2006], de M. Scott Peck. Também existem muitos

continua

OS DEZ SEGREDOS

"técnicos de vida" que podem trabalhar com você individualmente para ajudá-lo a encontrar seu propósito (ver Recursos).

- Pratique meditação, talvez usando um dos exercícios deste capítulo ou o HoloSync® (ver detalhes na página 258). Sally Kempton também gravou em CD algumas excelentes meditações que podem ser baixadas da internet. Se quiser saber mais sobre elas e conhecer outras opções de meditação, visite www.patrickholford.com/meditation.

- Você pode ler alguns livros: *O poder do agora*, de Eckhart Tolle; *Heart of Meditation*, de Sally Kempton.

- Passe algum tempo consigo mesmo em silêncio e na natureza. Crie oportunidades de ficar em algum lugar que lhe faça bem, longe do ruído de sua vida. Pratique a meditação "Eu sou", da página 255, sente-se por algum tempo e fique consciente da inteligência divina que permeia a natureza. Outra forma de se conectar com o espírito é abrir os sentidos e a mente para a natureza (ver o exercício "sintonia com a natureza").

NOSSO CORPO, NOSSA MENTE, NOSSO MUNDO, NOSSO FUTURO

Como pensamento final sobre a questão da definição de saúde, principalmente diante dos crescentes desafios que a humanidade enfrenta, diríamos que precisamos mais que nunca ter mais cooperação e menos competição, ter uma unidade comum (comunidade) de boas intenções para resolver os problemas que se apresentam. Nós criamos ou promovemos tais problemas principalmente por nossa compreensão limitada: do aquecimento global à escassez de alimentos e à epidemia de doenças associadas com a riqueza e excessos.

A humanidade como espécie e o mundo que criamos estão longe de ter uma Saúde 100%. Como sugere Bruce Lipton: "Imagine uma população de 1 trilhão de indivíduos vivendo sob o mesmo teto num estado de perpétua felicidade. Essa comunidade existe e se chama corpo humano saudável."

Ao dar ao seu corpo, mente e espírito um ambiente protetor, você realmente pode transformar sua saúde. Quando se sentir mais íntegro e cheio de energia, você terá mais a doar aos outros. Acredito que se a humanidade agir como um só espírito, com um profundo respeito pela natureza e real compreensão do

OS DEZ SEGREDOS DAS PESSOAS 100% SAUDÁVEIS

que é a verdadeira saúde, poderemos enfrentar, e enfrentaremos, os desafios diante de nós. Podemos fazer deste mundo um paraíso, mas essa viagem, antes de qualquer coisa, começa dentro de cada um de nós.

Parte Três

SUAS METAS E ALVOS DE SAÚDE

Você está pronto para transformar sua dieta, sua saúde e sua vida? Nesta parte você descobrirá como criar seu próprio plano de ação para a Saúde 100%. Ao definir sua dieta perfeita, seu programa de suplementação e as mudanças mais importantes em seu estilo de vida você será capaz de dar um grande passo em direção à Saúde 100%.

Capítulo 1

A DIETA PERFEITA PARA VOCÊ

Há três maneiras de definir a dieta perfeita: (1) investigar o que as pessoas saudáveis comem; (2) compreender as dinâmicas dos alimentos e seu impacto sobre a saúde; (3) experimentar o que realmente funciona, tanto para restaurar quanto para manter a saúde. No Capítulo 3 da Parte Um vimos os resultados da Pesquisa da Saúde 100% que definiram claramente os tipos de alimentos mais consumidos e menos consumidos pelos que obtiveram pontuações de saúde mais altas. Legumes, verduras, peixes gordurosos, sementes, nozes, castanhas e frutas foram os alimentos preferidos, em comparação com doces, carne vermelha, trigo, laticínios e alimentos refinados, que eram ingeridos com menos frequência. Da mesma forma, a bebida mais consumida é a água, em vez de chá, café ou refrigerantes de cola.

A NUTRIÇÃO IDEAL

Nos Segredos 1 a 6 da Parte Dois estudamos como os alimentos atuam para aperfeiçoar a digestão e a absorção e também analisamos o papel do açúcar no sangue (conhecido como glicação), a metilação (que depende da ingestão de vitamina B), a oxidação (dependente de antioxidantes que combatem o envelhecimento) e a lipidação (dependente de gorduras essenciais). Estudamos, ainda, a importância de beber bastante água — a hidratação. Felizmente, esses dois ramos de informação — o que define a nutrição ideal com base nos alimentos associados com a saúde e o que a define com base nos nutrientes necessários para otimizar os seis processos vitais — são notavelmente coerentes, embora se diferenciem das orientações convencionais sobre uma "dieta equilibrada". Eles resumem a nutrição ideal às seguintes orientações básicas:

OS DEZ SEGREDOS DAS PESSOAS 100% SAUDÁVEIS

REGRAS DE OURO DA NUTRIÇÃO IDEAL

- **Comer alimentos que favoreçam a digestão** e comer menos trigo e laticínios. Limitar o consumo de trigo (pão, massas, pizzas etc.) a uma porção diária. Reduzir o consumo de laticínios a uma porção diária, no máximo.

- **Seguir uma dieta de baixa carga glicêmica (CG)** para equilibrar o açúcar no sangue, com carboidratos de liberação lenta e fibras insolúveis, ou seja, alimentos como feijão, lentilha, aveia, arroz integral e quinoa. Também acompanhar os carboidratos com proteínas; por exemplo: frutas com castanhas ou arroz com peixe.

- **Reduzir o consumo de alimentos refinados** (pão branco, farinha branca, arroz branco etc.) a no máximo uma porção diária.

- **Consumir muitos nutrientes antioxidantes**, comendo de oito a dez porções de frutas e hortaliças de cores variadas, inclusive muitas folhas verdes.

- **Comer peixes gordurosos** pelo menos três vezes por semana e/ou tomar cápsulas de óleo de peixe diariamente.

- **Comer três porções de nozes, castanhas ou sementes frescas e cruas** todo dia, com ênfase nas sementes de linhaça e abóbora.

- **Comer mais proteína vegetariana** encontrada em feijões, lentilha, quinoa, além de frutas oleaginosas ou sementes cruas.

- **Comer seis ovos caipiras ou orgânicos** por semana.

- **Reduzir o consumo de carne vermelha** a no máximo duas porções por semana, comendo apenas carne magra e orgânica.

- **Evitar açúcar e guloseimas açucaradas** ou limitar esses produtos a um uso muito raro.

- **Evitar adicionar sal à comida**, eliminar ou reduzir o consumo de salgadinhos e reduzira ingestão de alimentos processados e salgados.

- **Beber o equivalente a oito copos de água** por dia.

- **Evitar bebidas cafeinadas** ou pelo menos limitá-las a no máximo 100mg de cafeína por dia — o equivalente a uma porção única de bebida cafeinada.

- **Limitar a ingestão de álcool** a no máximo três drinques por semana.

SUAS METAS E ALVOS DE SAÚDE

CONFERINDO SUA DIETA

É provável que você alcance alguns, mas nem todos esses ideais. Portanto, onde você está situado agora em relação a esses critérios? Complete a avaliação de sua dieta nas páginas 268-269, para estimar em que posição sua alimentação se encontra no momento e que transformações farão diferença para você.

Nível A: pontuação entre 80 e 100 — saudável
Nível B: pontuação entre 60 e 79 — razoavelmente saudável
Nível C: pontuação entre 40 e 59 — medianamente saudável
Nível D: pontuação entre 20 e 39 — não está bem

A pontuação máxima para cada pergunta é 5. Isso é o ideal, o resultado que você está procurando atingir. As perguntas em que houver grande diferença entre o ideal e o que você consegue agora representam suas metas dietéticas mais importantes. No entanto, como Roma não foi feita em um dia, escolha as cinco perguntas com pior resultado para definir suas cinco metas para os próximos 30 dias. A sexta meta é tomar suplementos. Marque ou sublinhe essas seis metas na seção sobre as Regras de Ouro da Dieta, adiante, e anote-as no mapa do plano de ação para a Saúde 100%, na página 287. Seu plano de ação para a Saúde 100% também traz uma coluna para você acrescentar os alimentos cuja ingestão você deve *aumentar* e aqueles a *evitar* ou *reduzir*. Para cada meta selecionada a seguir você verá os "melhores alimentos" e os "piores alimentos". Acrescente-os às colunas apropriadas no Plano de Ação para a Saúde 100%.

Questionário da dieta

Pergunta		1 Ponto	2 Pontos	3 Pontos	4 Pontos	5 Pontos	Regra de ouro
1	Quantas vezes por dia você come castanhas, nozes e/ou sementes frescas e cruas (e não torradas/salgadas)?	nunca	raramente/ ocasionalmente	2-3 por semana	3-5 por semana	pelo menos 1 por dia	Comer mais frutas oleaginosas e sementes
2	Quantas vezes por dia você come uma proteína vegetal (feijão, lentilha, tofu, quinoa e sementes verdes como ervilha ou milho)?	nunca/ raramente	1 ou 2 por semana	a cada dois dias	1 vez por dia	2 ou + por dia	Aumentar o consumo de proteína vegetal
3	Quantas vezes por dia você come proteína animal magra (ovo, peixe, frango, carne vermelha magra)?	Nenhuma	1 por dia ou menos	1-2 por dia	2 por dia	3 por dia	Aumentar o consumo de proteína animal magra
4	Quantos pedaços de frutas frescas você come por dia?	nenhum	1 ou menos	2-3 por dia	3-5 por dia	5 ou + por dia	Comer mais frutas frescas
5	Quantas vezes por semana você come grãos integrais: arroz, aveia, pão ou macarrão integrais?	nenhuma	1 por semana ou menos	2-3 por semana	3-7 por semana	todo dia	Comer mais grãos integrais
6	Com que frequência você come verduras?	nunca/ raramente	1 vez por semana ou menos	2-3 vezes por semana	3-6 vezes por semana	quase todo dia	Comer mais hortaliças
7a	Quantos copos/xícaras de água pura você bebe por dia?	nenhum	1 por dia ou menos	2-4 por dia	4-7 por dia	7 ou + por dia	Beber mais água, suco de fruta diluído ou chá de ervas ou frutas
7b	Quantos copos/xícaras de chá de ervas ou frutas ou de suco diluído você bebe por dia?	nenhum	1 por dia ou menos	2-4 por dia	4-7 por dia	7 ou + por dia	Beber mais água, suco de fruta diluído ou chá de ervas ou frutas
8a	Quantas vezes por semana você come peixes gordurosos (p. ex., salmão, cavala, sardinha, arenque)?	nenhuma	menos que 1 por semana	1 por semana	2 por semana	3 ou + por semana	Comer mais peixes gordurosos ou tomar um suplemento de óleo de peixe
8b	Você toma suplemento de óleo de peixe?	não	de vez em quando	quase todo dia	todo diga	2 vezes ao dia	Comer mais peixes gordurosos ou tomar um suplemento de óleo de peixe

#	Pergunta						
9	Quantas vezes por um dia você come arroz branco, pão branco, farinha branca ou algum outro alimento refinado?	3 ou + por dia	3 por dia	2 por dia	1 por dia ou menos	nunca/ raramente	Evitar alimentos refinados, brancos ou processados
10	Quantas vezes por semana você come alimentos refogados, fritos ou tostados, inclusive batata frita ou comida pronta?	quase sempre	3-6 por semana	2-3 por semana	1 por semana ou menos	nunca/ raramente	Evitar frituras, comidas queimadas e tostadas e excesso de gordura animal
11	Quantas xícaras de chá, de café (excluindo o sem cafeína; um expresso duplo vale 2), refrigerantes de cola ou bebidas cafeinadas você consome por dia, no total?	6 ou + por dia	4-6 por dia	2-3 por dia	1 por dia ou menos	nada/ raramente	Reduzir a ingestão de bebidas cafeinadas
12	Quantos drinques ou unidades de álcool você bebe por semana?	20 ou + por semana	10-20 por semana	5-10 por semana	menos que 4	nunca/ raramente	Reduzir o consumo de bebida alcoólica
13	Quantas vezes por dia você come derivados de trigo (pão, macarrão ou flocos de cereais)?	3 ou + por dia	3 por dia	2 por dia	1 por dia ou menos	nunca/ raramente	Reduzir a ingestão de alimentos à base de trigo
14	Quantas vezes por dia ou você come laticínios (leite, queijo, manteiga ou iogurte)?	3 ou + por dia	3 por dia	2 por dia	1 por dia ou menos	nunca/ raramente	Reduzir o consumo de laticínios
15a	Quantos alimentos açucarados (barras de chocolate, bolos, doces) você come por dia?	3 ou + por dia	3 por dia	2 por dia	1 por dia ou menos	nunca/ raramente	Evitar alimentos e bebidas açucarados
15b	Quantas colheres de chá (ou o equivalente) de açúcar você adiciona à comida ou bebida por dia?	7 ou + por dia	4-7 por dia	2-4 por dia	1 por dia ou menos	nenhuma	Evitar alimentos e bebidas açucarados
16	Quantas vezes por dia você adiciona sal à comida ou come comidas salgadas no processamento/cozimento?	3 ou + por dia	3 por dia	2 por dia	1 por dia ou menos	nunca/ raramente	Evitar o sal
Score							

OS DEZ SEGREDOS DAS PESSOAS 100% SAUDÁVEIS

Regras de ouro da dieta

Regra de Ouro	Meta/alvo	Melhores alimentos	Piores alimentos/ evitar
1 Comer mais frutas oleaginosas ou sementes frescas (inteiras ou moídas)	Coma diariamente um punhado pequeno de sementes frescas ou nozes/ou uma colher de sopa da mistura essencial de sementes	Sementes (p. ex., de abóbora, girassol, linhaça)	
2 Aumentar a ingestão de proteína vegetal (p. ex., feijão e lentilha)	Coma feijão, lentilha, quinoa ou tofu duas vezes ao dia	Feijão (p. ex. feijão fradinho, feijão branco, feijão azuki)	
3 Aumentar a ingestão de proteína animal magra	Coma peixe, carne magra ou ovo caipira uma ou duas vezes por dia. Se for vegetariano, coma três porções de proteína vegetal por dia	Peixes gordurosos (salmão, cavala, sardinha); ovos, principalmente caipira, orgânicos ou com ômega 3; frango caipira/peru (sem pele)	Gorduras saturadas (p. ex., carne vermelha, laticínios)
4 Comer mais frutas frescas (procure comer cores variadas)	Coma frutas frescas três vezes ao dia; procure comer frutas de três cores diferentes	Frutas silvestres (p. ex., morango, framboesa, amora-preta), maçã ou pera, frutas com caroço (p. ex., ameixa, cereja, nectarina), concentrado de frutas CherryActive	Minimize seu consumo de frutas de alta CG (p. ex., bananas, passas de uva, tâmaras)
5 Comer mais grãos integrais como arroz, centeio, aveia, trigo integral ou quinoa	Coma grãos integrais (arroz integral, centeio, aveia/biscoitos de aveia, trigo integral, quinoa) 3 vezes ao dia, em vez de consumir carboidratos refinados(pão branco, macarrão de farinha branca)	Grãos integrais (p. ex., aveia/biscoitos de aveia, quinoa, centeio, painço, trigo sarraceno)	Carboidratos refinados (pão, macarrão, biscoitos e bolos de farinha branca)

SUAS METAS E ALVOS DE SAÚDE

Regra de Ouro	Meta/alvo	Melhores alimentos	Piores alimentos/evitar
6 Comer mais hortaliças de cores variadas, inclusive verde-escuro, e raízes cruas ou levemente cozidas	Coma pelo menos quatro porções de hortaliças frescas e cruas ou cozidas no vapor (inclusive duas porções de verduras). Isso significa encher pelo menos metade do prato no almoço e no jantar com 2 porções	Se a pontuação de verduras foi baixa: vegetais verdes (p. ex., ervilha, feijão verde, brócolis, aspargo). Se a pontuação de betacaroteno foi baixa: vegetais alaranjados e amarelos (batata doce, pimentão, cenoura)	
7 Beber mais água, suco de fruta diluído ou chá de ervas ou frutas	6-8 copos de água pura, chá de ervas ou chá de frutas por dia	Água e bebidas não cafeinadas (p. ex., chá de ervas, chá de rooibos (Aspalathus linearis), café de cevada, suco ou polpa de frutas diluídos, água quente com limão/gengibre/hortelã)	Cafeína (café, chá, bebidas energéticas), bebidas gaseificadas
8 Comer mais peixes gordurosos ou tomar um suplemento de óleo de peixe	Coma peixes gordurosos três vezes por semana ou, se não gostar de peixe ou for vegetariano/vegano*, tome diariamente um suplemento de óleo de peixe (que contenha EPA, DPA e DHA)	Peixes gordurosos (p. ex., salmão, cavala, sardinha)	
9 Não consuma refeições e molhos prontos e todos os alimentos brancos (pão, macarrão, biscoitos e bolos)	Evitar alimentos refinados, branqueados e processados	Grãos integrais (p. ex., aveia/biscoitos de aveia, quinoa, centeio, painço, trigo sarraceno, arroz integral de baixa CG)	Alimentos processados e prontos. Carboidratos refinados (p. ex., pão, macarrão, biscoitos e bolos de farinha branca)
10 Evitar alimentos fritos, queimados e tostados e excesso de gordura animal	Coma carne vermelha menos que três vezes por semana e não coma carne industrializada (embutidos, hambúrgueres, empadão industrial de carne de porco)		Gorduras saturadas (p. ex., carne vermelha, laticínios), alimentos processados e pratos prontos

* Conforme explicamos na página 146, se você for vegetariano e não quiser tomar suplemento de óleo de peixe, coma pelo menos uma colher de sopa cheia de sementes de linhaça moídas ou tome duas colheres de chá de óleo de linhaça por dia, mas isso não é tão eficaz. Se não for estritamente vegetariano ou vegano, é melhor tomar um suplemento de óleo de peixe.

OS DEZ SEGREDOS DAS PESSOAS 100% SAUDÁVEIS

Regra de Ouro	Meta/alvo	Melhores alimentos	Piores alimentos/ evitar
11 Substitua todas as bebidas cafeinadas (café, chá, refrigerantes de cola, chocolate quente) por bebidas não cafeinadas	Reduzir a ingestão de bebidas cafeinadas	Água e bebidas não cafeinadas (p. ex., chás de ervas, chá de Rooibos (Aspalathus linearis), chá de cevada, suco diluído ou polpa diluída, água quente com limão/ gengibre/ hortelã)	Cafeína (café, chá, refrigerantes de cola, bebidas energéticas)
12 Não tome mais que uma dose de bebida alcoólica por dia	Reduzir a ingestão de álcool		Não mais que cinco unidades de álcool por semana
13 Não coma mais do que um alimento à base de trigo a cada dois dias	Reduzir o consumo de alimentos à base de trigo	Flocos de cereais à base de aveia, crackers de aveia, pão de centeio, biscoitos de aveia. Nas refeições principais, arroz, quinoa ou macarrão sem glúten	
14 Limite-se a comer um alimento à base de leite a cada dois dias	Reduzir o consumo de laticínios (leite, queijo, iogurte)	Leite de arroz, leite de soja e outros leites de frutas oleaginosas. Manteiga de oleaginosas ou tahini (pasta de gergelim) acrescentada aos pratos para deixá-los cremosos	
15 Evite qualquer alimento ou bebida que contenha açúcar (glicose, sacarose, galactose, frutose). Troque o açúcar das bebidas por adoçantes naturais como o xilitol*.	Evitar alimentos e bebidas açucarados	Xilitol	Açúcar (ex. doces, biscoitos, bolos) refrigerantes
16 Evitar o sal	Não acrescente sal aos alimentos ou à preparação dos pratos. Evite alimentos processados com mais que 1,5g de sal/100g (0,6g de sódio/100g)	Ervas e temperos ex. pimenta, cúrcuma, cominho, alecrim, tomilho, coentro)	Salgadinhos (ex. biscoitos, comidas processadas e etc.)

* Xilitol — açúcar natural de baixa carga glicêmica (ver Recursos)

MISTURA ESSENCIAL DE SEMENTES

Os animais inteligentes — desde papagaios até pessoas — comem sementes. As sementes são incrivelmente ricas em gorduras essenciais, minerais, vitamina E, proteína e fibra. Para uma Saúde 100% é preciso comer uma colher de sopa de sementes por dia. Essa é a fórmula mágica:

1. Pegue um recipiente de vidro que possa ser fechado hermeticamente e encha-o até a metade com sementes de linhaça (ricas em ômega 3); em seguida, complete-o com uma mistura de sementes de gergelim, girassol e abóbora (ricas em ômega-6).
2. Mantenha o vidro bem fechado na geladeira para evitar os danos causados pela luz, pelo calor e pelo oxigênio.
3. Moa um punhado da mistura de sementes em um moinho de café/sementes e coloque uma colher de sopa das sementes moídas em seus flocos de cereais. Guarde o restante na geladeira e use-o nos próximos dias.

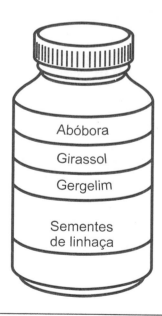

Agora que você definiu as ações para melhorar a alimentação, o próximo capítulo vai ajudá-lo a programar que suplementos tomar.

Capítulo 2

SEU PROGRAMA PESSOAL DE SUPLEMENTOS

Os melhores resultados para alcançar uma Saúde 100% acontecem quando combinamos uma dieta ideal com os suplementos nutricionais adequados. Não dá para tomar uma providência sem a outra e esperar obter os mesmos resultados. Além disso, não faz sentido tomar menos ou mais do que o necessário. Sua "necessidade" depende do seu nível de saúde no momento; por exemplo, se você está saudável, basta tomar um suplemento de 30mcg de cromo. Porém, se tiver problemas com o açúcar no sangue, você precisará de dez vezes mais cromo. Se tiver diabetes, existem provas claras de que uma dose vinte vezes maior — 600 mcg — ajuda a normalizar o nível de açúcar no sangue, ao passo que 30mcg não darão o mesmo resultado. Neste capítulo mostrarei como elaborar seu programa pessoal de suplementos com base nas respostas aos questionários de cada segredo da Parte Dois.

ASPECTOS BÁSICOS

Há três suplementos básicos que recomendo a todos e que constituem o alicerce de qualquer bom programa de suplementação:

1. Uma multivitamina do tipo "nutrição ideal".
2. Um suplemento essencial de ômega 3 e ômega-6.
3. Vitamina C adicional e outros nutrientes que fortaleçam o sistema imunológico.

Eu tomo esses suplementos diariamente e recomendo que você faça o mesmo. No entanto, como saber qual formulação escolher?

SUAS METAS E ALVOS DE SAÚDE

AS MELHORES MULTIVITAMINAS

As instruções de qualquer complexo de multivitaminas e minerais de boa qualidade aconselharão a tomar dois comprimidos por dia, de preferência no café da manhã e no almoço. Há duas razões para isso: primeiro, não é possível conseguir as quantidades suficientes de todos os nutrientes com um único comprimido; segundo, as vitaminas B e C, solúveis em água, entram e saem do corpo em um período de quatro a seis horas, portanto, você terá o dobro do benefício se tomá-las duas vezes ao dia. Muitas multivitaminas são pobres em minerais. O que distingue um produto de qualidade é trazer pelo menos 100mg de magnésio, 10mg de zinco, além de 25mcg de selênio e cromo. Outra característica de um bom multivitamínico é o conteúdo de vitamina D. É preciso um mínimo de 10mcg, mas o ideal é tomar 15mcg por dia.

OS MELHORES SUPLEMENTOS DE GORDURAS ESSENCIAIS

As formas mais potentes de ômega 3 são os ácidos graxos EPA, DPA e DHA, encontrados nos óleos de peixe. O ômega 6 mais potente é o GLA, encontrado nos óleos de borago e prímula. Como precisamos de mais ômega 3, do qual temos mais deficiência, é preciso tomar dez vezes mais ômega 3 que ômega 6. (Calcule o total de EPA, DPA e DHA no suplemento e divida esse valor pelo total de GLA. O resultado deve ser maior que 10.) Para a manutenção geral, você deve procurar tomar pelo menos 600mg no total diário de EPA, DPA e DHA.

OS MELHORES SUPLEMENTOS DE VITAMINA C

A forma da vitamina C que tomamos não faz tanta diferença quanto gostariam que acreditássemos. Ácido ascórbico, ascorbato, éster de vitamina C — todos eles funcionam. Porém existem outros nutrientes de ervas que contribuem para a saúde e a imunidade: zinco, extrato de sabugueiro, antocianidinas (por exemplo, do mirtilo), gengibre, equinácea e unha-de-gato (*Uncaria tormentosa*) — no Reino Unido, as duas últimas são classificadas como ervas medicinais e não podem ser adicionadas aos suplementos, mas podem ser tomadas isoladamente. Portanto, um suplemento de vitamina C que também contenha

OS DEZ SEGREDOS DAS PESSOAS 100% SAUDÁVEIS

esses ingredientes sinérgicos oferece mais benefício pelo mesmo custo. O ideal é tomar um total de 2.000mg de vitamina C por dia. No entanto, se você comeu seis porções ou mais das frutas e legumes corretos no dia, terá absorvido 200mg. Dessa forma, restam a suplementar 1.800mg por dia (ou 900mg duas vezes ao dia). Esse é um bom nível para uma manutenção geral da saúde.

ELABORAÇÃO DO SEU PROGRAMA PESSOAL DE SUPLEMENTOS

De acordo com seu nível de saúde e com o funcionamento dos seis processos-chave discutidos nos Segredos 1 a 5, você irá ganhar se tomar alguns suplementos para trazer mais rapidamente sua pontuação de saúde para perto de 100%. Para isso precisamos conhecer sua pontuação nos questionários de cada capítulo. Veja seus resultados nas páginas especificadas e assinale o nível em que se enquadrou.

Digestão (ver página 76)	Nível A	Nível B	Nível C	Nível D
Açúcar no sangue — glicação (ver página 97)	Nível A	Nível B	Nível C	Nível D
Metilação (ver página 126)	Nível A	Nível B	Nível C	Nível D
Antioxidantes antienvelhecimento — oxidação (ver página 147)	Nível A	Nível B	Nível C	Nível D
Gorduras essenciais — lipidação (ver página 170)	Nível A	Nível B	Nível C	Nível D

Sua meta é ter todas as pontuações no nível A, caso em que os suplementos básicos relacionados anteriormente serão suficientes para mantê-lo 100% saudável. Verifique os processos em que apresentou algum sintoma; em seguida, veja adiante os suplementos que se relacionam com o processo em questão e durante um mês acrescente esses suplementos a seu Plano de Ação.

DIGESTÃO (Segredo 1)

Nível A — não acrescentar nada.

Nível B — acrescentar enzimas digestivas duas vezes ao dia, com as principais refeições, juntamente com uma dose diária de probióticos.

SUAS METAS E ALVOS DE SAÚDE

Nível C — acrescentar enzimas digestivas às refeições três vezes ao dia, juntamente com uma dose diária de probióticos.

Nível D — acrescentar enzimas digestivas às refeições três vezes ao dia, juntamente com uma dose diária de probióticos. Também tomar à noite uma colher de chá (5 g) de glutamina em pó misturada com água.

(Ver os detalhes no Segredo 1.)

GLICAÇÃO (Segredo 2)

Nível A — não acrescentar nada.

Nível B — acrescentar cromo e canela, na refeição da manhã.

Nível C — acrescentar cromo e canela, um pela manhã e um à tarde, com a refeição.

Nível D — acrescentar cromo e canela, dois pela manhã e um à tarde, com a refeição.

(Ver os detalhes no Segredo 2.)

METILAÇÃO (Segredo 3)

Nível A — não acrescentar nada.

Nível B — acrescentar um complexo de nutrientes pró-metilação na refeição da manhã.

Nível C — acrescentar às refeições um complexo de nutrientes pró-metilação pela manhã e um à tarde.

Nível D — acrescentar às refeições um complexo de nutrientes pró-metilação pela manhã e um à tarde.

(Ver os detalhes no Segredo 3.)

OXIDAÇÃO (Segredo 4)

Nível A — não acrescentar nada. Seu programa básico de suplementos deve conter um multivitamínico e vitamina C adicional, fornecendo-lhe um nível básico de antioxidantes.

Nível B — acrescentar um complexo antioxidante na refeição da manhã.

Nível C — acrescentar às refeições um complexo antioxidante pela manhã e um à tarde.

Nível D — acrescentar às refeições um complexo antioxidante pela manhã e um à tarde.

(Ver detalhes no Segredo 4.)

OS DEZ SEGREDOS DAS PESSOAS 100% SAUDÁVEIS

LIPIDAÇÃO (Segredo 5)

Nível A — não acrescentar nada. Seu programa básico de suplementos deve conter um suplemento de ômega 3 e ômega 6.

Nível B — acrescentar um suplemento essencial de ômega 3, que forneça 500mg de EPA/DPA/DHA combinados, na refeição principal.

Nível C — acrescentar dois suplementos essenciais de ômega 3, que forneçam 500mg de EPA/DPA/DHA combinados. Tomar um pela manhã e um à tarde, às refeições.

Nível D — acrescentar três suplementos essenciais de ômega 3, que forneçam 500mg de EPA/DPA/DHA combinados. Tomar um em cada refeição. Depois de um mês, reduzir para duas vezes ao dia.

(Ver mais detalhes no Segredo 5.)

Para não ser obrigado a tomar dúzias de comprimidos — embora isso não seja problema, se você quiser — meu segredo é focalizar os dois piores processos e só acrescentar os suplementos extras a eles relacionados.

No final de um mês, reavalie sua pontuação de cada processo; se estiver no Nível A, pare de tomar o suplemento extra. Se não estiver, mantenha o suplemento. Às vezes precisamos de 2 ou 3 meses para obter um bom resultado.

NOTAS SOBRE OS SUPLEMENTOS

Se precisar tomar suplementos adicionais, veja o que procurar em uma loja de produtos naturais ou na Internet (ver Recursos).

Digestão

Uma boa enzima digestiva deve conter protease, amilase e lipase, que digerem respectivamente proteínas, carboidratos e gorduras. Algumas das melhores formulações também contêm alfagalactosidase, que ajuda o corpo a digerir feijão e muitas hortaliças; glicoamilase, que ajuda a digerir verduras e legumes; e lactase, que ajuda a digerir os açúcares do leite. Caso você tenha problemas como distensão abdominal com qualquer um desses alimentos, essas enzimas são essenciais. Você pode comprar

continua

SUAS METAS E ALVOS DE SAÚDE

enzimas digestivas com probióticos. Se estiver comprando probióticos em separado, siga as instruções para as doses diárias recomendadas.

Glicação

Procure um produto que contenha 200 mcg de cromo, seja na forma de polinicotinato, seja como picolinato, e de preferência com canela. O Cinnulin PF é um extrato concentrado de canela com um teor bastante alto de MCHP, o principal ingrediente.

Metilação

Um bom complexo de nutrientes para a metilação deve conter pelo menos as vitaminas B6 (20mg), B12 (200 + mcg) e ácido fólico (200 + mcg). As fórmulas mais eficazes também contêm vitamina B2, trimetil-glicina (TMG), zinco e N-acetilcisteína. (ver as fórmulas apropriadas em Recursos).

Oxidação

Um bom complexo antioxidante deve conter pelo menos algum dos seguintes nutrientes, nos níveis indicados: 85mg de vitamina E; 50 mg de glutationa; 20 mg de resveratrol; 10 mg do ácido alfalipoico; 10 mg da coenzima Q10; 7 mg de betacaroteno; 50mcg de selênio. Essas quantidades, juntamente com o que já está contido na multivitamina básica e vitamina C, irão fornecer a ingestão ideal de antioxidantes (ver as fórmulas apropriadas em Recursos).

Lipidação

Óleo de peixe ômega 3: 1.000mg de óleo de peixe concentrado, fornecendo pelo menos 300mg de EPA e 200 mg de DHA, ou um total de 500 mg de EPA + DPA + DHA. Isso deve ser tomado juntamente com um suplemento básico de gorduras essenciais que forneça as gorduras ômega 3 e ômega 6 num nível de "manutenção" (ver as fórmulas apropriadas em Recursos).

QUANDO TOMAR OS SUPLEMENTOS

Agora que você já sabe quais suplementos deve tomar, é preciso saber quando tomá-los. Isso dependerá não somente do que é tecnicamente melhor, mas também do seu estilo de vida. O ideal é tomá-los duas vezes por dia, com as principais refeições, de preferência no café da manhã e no almoço, para ter o máximo de nutrientes disponíveis durante o dia. No entanto, se preferir, também pode tomá-los no almoço e no jantar.

OS "DEZ MANDAMENTOS" DA SUPLEMENTAÇÃO

1. Tomar as vitaminas e os minerais 15 minutos antes ou depois de uma refeição, ou durante.
2. Tomar a maior parte dos suplementos com a primeira refeição do dia.
3. Não tomar vitaminas B tarde da noite se tiver dificuldade para dormir.
4. Se estiver tomando reforço de minerais, principalmente cálcio e magnésio, é melhor tomá-los à noite — eles ajudam o sono.
5. Se estiver tomando duas ou mais doses de multivitaminas, complexo B ou comprimidos de vitamina C, tomar um em cada refeição para maximizar a utilização.
6. Não tomar vitaminas B isoladas a não ser que esteja tomando um complexo B geral, provavelmente como parte de uma multivitamina.
7. Não tomar minerais isolados se não estiver tomando também um multimineral.
8. Sempre tomar pelo menos dez vezes mais ômega 3 do que ômega 6.
9. Se souber que tem deficiência de cobre, tomar esse mineral, mas ter o cuidado de acompanhá-lo com dez vezes mais zinco — por exemplo, 0,5mg de cobre para 5mg de zinco —, porque o excesso de cobre irá competir com o zinco.
10. Tomar suplementos de aminoácidos com o estômago vazio ou com um alimento rico em carboidratos, com um pedaço de fruta.

O mais importante é sempre tomar os suplementos. Uma suplementação irregular não funciona. Descobri que existem duas estratégias eficientes para a maioria das pessoas: tomar a maioria dos suplementos pela manhã e alguns à noite, de modo que não será necessário levar nenhum deles para o trabalho; ou comprar suplementos fornecidos em pacotes, o que facilita tomá-los duas

SUAS METAS E ALVOS DE SAÚDE

vezes ao dia. Esse método é bom para viagens, quando se está fora de casa. (Ver Recursos, página 317.)

PODE HAVER EFEITOS COLATERAIS?

O efeito colateral de uma nutrição ideal é mais energia, vivacidade mental e resistência a doenças. Na verdade, uma das primeiras pesquisas que realizamos no Institute for Optimum Nutrition com os consumidores de suplementos descobriu que 79% perceberam uma melhora na energia, 66% sentiram mais equilíbrio emocional, 60% tinham uma memória melhor e mais acuidade mental, 55% perceberam melhora na pele e, em geral, 61% perceberam uma melhora clara no bem-estar.[172] Nossos estudos também relataram que quem toma suplementos — pelo menos quem toma o nível ideal, e não a IDR — tem mais saúde.[173] Desde que você obedeça aos níveis indicados neste livro, os únicos efeitos colaterais experimentados, provavelmente, serão benéficos.

No entanto, um número pequeno de indivíduos experimenta sintomas leves quando começa o programa de suplementação. Isso pode ocorrer porque eles tomam muitos suplementos com pouco alimento ou talvez porque o suplemento contenha algo que não lhes faz bem, como levedo. Esses problemas geralmente são solucionados quando se interrompe a ingestão dos suplementos, para passar a tomar somente um a cada 4 dias; em seguida, acrescenta-se outro, durante mais 4 dias e assim por diante, até tomar todos os suplementos. Isso geralmente revela se algum suplemento está causando problemas. O mais comum é o problema simplesmente desaparecer.

Às vezes as pessoas se sentem mal antes de se sentirem bem. Imagine que seu corpo luta contra a poluição, a alimentação, as toxinas e os estimulantes e, de repente, recebe uma dieta maravilhosa e todos os suplementos de que precisa. Isso pode acelerar a desintoxicação, o que não é uma coisa ruim, e os sintomas geralmente diminuem em uma semana. Contudo, se tiver reações inexplicáveis, procure um especialista em nutrição (ver Recursos).

QUE MELHORAS ESPERAR EM SUA SAÚDE

As vitaminas e os minerais não são remédios, portanto, você não deve esperar melhorar da noite para o dia. A maioria experimenta uma melhora na saúde

OS DEZ SEGREDOS DAS PESSOAS 100% SAUDÁVEIS

de um a três meses — o menor período que se deve dedicar a um programa de suplementação. As primeiras alterações perceptíveis devem ser aumento de energia, alerta mental, estabilidade emocional e melhora da pele. A maioria percebe esses efeitos nos primeiros 30 dias. Sua saúde continuará a melhorar enquanto estiver seguindo o programa correto. Caso não haja melhora em 3 meses, o ideal é ver um especialista em nutrição.

QUANDO DEVEMOS REAVALIAR AS NECESSIDADES?

Com certeza, no início suas necessidades irão mudar, e é sensato fazer uma reavaliação a cada 3 meses. A necessidade de nutrientes deve diminuir à medida que a saúde melhora. Lembre-se: a nutrição ideal é mais importante quando estamos sob estresse. Portanto, quando surgirem emergências ou quando estiver trabalhando muito, tenha o cuidado de alimentar-se bem e tomar os suplementos todo dia.

Capítulo 3

SEU PLANO DE AÇÃO PARA UMA SAÚDE 100%

Como disse George Bernard Shaw: "Todo mundo reclama do clima, mas ninguém faz nada a respeito." Após ler meu livro, tomar conhecimento das pesquisas científicas e ter respondido aos questionários, agora é a sua oportunidade de realizar as ações necessárias para mudar sua saúde e se tornar uma daquelas pessoas 100% saudáveis.

Toda mudança pede disciplina, mas o lado bom é que, quando paramos de comer determinados alimentos e passamos a comer outros, em 30 dias começam a ser formados novos hábitos alimentares. Por se sentir muito melhor, você passará a preferir aqueles novos alimentos. Portanto, em vez de pensar que essas mudanças são para toda a vida, assuma um compromisso somente para os próximos 30 dias. Depois disso você poderá avaliar se está se sentindo melhor e se quer continuar.

Na página 286, você verá um exemplo de um Plano de Ação para a Saúde 100% devidamente preenchido.

- As metas foram escolhidas por meio das "Regras de Ouro da Dieta" encontradas no Capítulo 1 desta parte. Complete o questionário naquele capítulo para encontrar suas metas. Você poderá escolher as metas. Se alguma delas se destacar, talvez em função de sua nova compreensão sobre algum dos dez segredos, você deve selecioná-la. Você também pode adaptar as metas para torná-las mais específicas a seu caso.
- Em seguida, você deve definir os alvos. (Falaremos mais sobre isso adiante.)
- Os "Alimentos a Serem Aumentados" também estão no Capítulo 1 da Parte Três. Cada meta selecionada está associada a alimentos a aumentar ou evitar. Você precisará anotá-los.
- Os suplementos vêm do Capítulo 2 da Parte Três; também é preciso anotar o que foi calculado naquele capítulo.

OS DEZ SEGREDOS DAS PESSOAS 100% SAUDÁVEIS

A página 287 traz um Plano de Ação em branco para suas anotações ou, se preferir, para ser copiado. Se você tiver acesso à internet, também é possível baixar um arquivo pdf do Plano de Ação para a Saúde 100% no endereço www.patrickholford.com/actionplan [site em inglês]. Se você respondeu ao questionário do programa da Saúde 100%" tudo isso terá sido calculado, portanto, você já terá seu Plano de Ação.

COMO DEFINIR METAS E ALVOS

O Capítulo 1 desta parte já lhe forneceu metas claras e atingíveis. No entanto, é possível que você tenha feito adaptações para torná-las diretamente aplicáveis a seu caso. É importante que as metas escolhidas sejam muito claras; por exemplo, a meta "tentar comer menos açúcar" é muito ambígua, ao passo que a meta "comer frutas frescas três vezes ao dia" tem uma condição explícita a satisfazer. Qualquer um consegue avaliar se a condição foi cumprida.

Uma vez escolhido e anotado suas metas no Plano de Ação, é hora de estabelecer os alvos para cada meta. O exemplo da página 285 mostra como isso deve ser feito. Os alvos precisam ser realistas e factíveis. Por exemplo, se você hoje toma café cinco vezes por dia, definir como alvo "nenhum café" pode não ser realista no tempo de uma ou duas semanas. Além disso, se você come fora quando está trabalhando, talvez nem sempre seja possível cumprir algumas metas. Por exemplo, lembro-me de que durante um circuito de palestras no Texas tentei ficar fiel a uma alimentação vegana num lugar onde só se encontrava carne e queijo. Acabei sobrevivendo com uma dieta de amendoins e suco de laranja de cortesia dos hotéis!

Portanto, você pode estabelecer na primeira semana um alvo a ser obedecido em cinco dos 7 dias da semana, permitindo-se tomar dois cafés por dia.

Antes de anotar seus alvos, faça uma cópia do Plano de Ação para cada uma das quatro semanas de sua estratégia de um mês de transformação da saúde.

Agora estabeleça os alvos de cada meta selecionada. Verifique se eles são realistas: você tem uma confiança razoável de poder concretizá-los?

SUAS METAS E ALVOS DE SAÚDE

Meu Plano de Ação
Para a Saúde 100%

Semana 1

META

	SEG	TER	QUA	QUI	SEX	SAB	DOM	Alvo da semana	Resultado
Comer diariamente um punhado pequeno de nozes e sementes cruas	○	○	○	○	○	○	○	6	
Comer frutas frescas 2 vezes por dia ou mais	○	○	○	○	○	○	○	6	
Encher a metade do prato do almoço e jantar com legumes e verduras	○	○	○	○	○	○	○	6	
Comer peixes gordurosos 3 vezes por semana	○	○	○	○	○	○	○	3	
Evitar bebidas cafeinadas	○	○	○	○	○	○	○	6	
Tomar suplementos todo dias	○	○	○	○	○	○	○	7	

Principais Alimentos

Aumentar	Evitar
Sementes	Banana
Frutas silvestres	Uva/passas
Maçãs	Cafeinadas
Peras	Bebidas alcoólicas
Verduras	
Veg laranja	

Programa de Suplementação

Suplemento	MANHÃ	TARDE
Multivitamina concentrada	1	1
Vitamina C 1.000 mg	1	1
Ômega 3&6	1	1
Cromo 200 mcg & canela	1	

SEMANA 1		SEMANA 1		SEMANA 1		SEMANA 1	
RESULTADO	ALVO	RESULTADO	ALVO	RESULTADO	ALVO	RESULTADO	ALVO
/		/		/		/	

OS DEZ SEGREDOS DAS PESSOAS 100% SAUDÁVEIS

Meu Plano de Ação
Para a Saúde 100%

Semana ☐

META

	SEG	TER	QUA	QUI	SEX	SAB	DOM	Alvo da semana	Resultado
Comer diariamente um punhado pequeno de nozes e sementes cruas	✓	✓	✓	✓	✓	✓	✓	6	6
Comer frutas frescas 2 vezes por dia ou mais	✓	✓	✓	✓	✓	✓	✓	6	5
Encher a metade do prato do almoço e jantar com legumes e verduras	✓	✓	✓	✓	✓	✓	✓	6	7
Comer peixes gordurosos 3 vezes por semana	○	✓	✓	○	✓	○	✓	3	3
Evitar bebidas cafeinadas	✓	✓	✓	✓	✓	✓	✓	6	6
Tomar suplementos todos dias	✓	✓	✓	✓	✓	✓	✓	7	7

Principais Alimentos

Aumentar	Evitar
Sementes	Banana
Frutas silvestres	Uva/passas
Maçãs	Cafeinadas
Peras	Bebidas alcoólicas
Verduras	
Veg laranja	

Programa de Suplementação

Suplemento	MANHÃ	TARDE
Multivitamina concentrada	1	1
Vitamina C 1.000 mg	1	1
Ômega 3&6	1	1
Cromo 200 mcg & canela	1	

SEMANA 1	
RESULTADO	ALVO
34	34

SEMANA 1	
RESULTADO	ALVO
	/

SEMANA 1	
RESULTADO	ALVO
	/

SEMANA 1	
RESULTADO	ALVO
	/

SUAS METAS E ALVOS DE SAÚDE

Meu Plano de Ação
Para a Saúde 100%

Semana

META

	SEG	TER	QUA	QUI	SEX	SAB	DOM	Alvo da semana	Resultado

Principais Alimentos

Aumentar

Evitar

Programa de Suplementação

Suplemento

MANHÃ TARDE

SEMANA 1		SEMANA 1		SEMANA 1		SEMANA 1	
RESULTADO	ALVO	RESULTADO	ALVO	RESULTADO	ALVO	RESULTADO	ALVO

OS DEZ SEGREDOS DAS PESSOAS 100% SAUDÁVEIS

DOCUMENTE SEU PROGRESSO

Coloque seu Plano de Ação para a Saúde 100% em um lugar de destaque. Recomendo prendê-lo na geladeira com ímãs. No final de cada dia, ou no início do dia seguinte, faça uma marca no lugar correspondente ao alvo que foi realizado.

No final da semana, calcule os totais e escreva-os no Plano de Ação da semana seguinte, na coluna intitulada "Semana 1". Seu Plano de Ação deve ficar parecido com o exemplo da página 286. Então, defina os alvos para a Semana 2. Procure melhorar os resultados. Dessa forma será possível acompanhar seu progresso a cada semana.

ARRANJE UM PARCEIRO

Uma excelente forma de se manter motivado e no caminho certo é arranjar um parceiro. O ideal é ser alguém que também queira melhorar a saúde, que tenha lido este livro e definido as próprias metas e alvos. (O bom dessa ideia é que você pode ser o parceiro dele também.) Contudo, não precisa ser assim; pode ser alguém que já tenha uma nutrição ideal e que possa ajudá-lo a fazer essas transformações.

As atribuições do parceiro são muito simples:

- Verificar se as metas e os alvos que você se propôs são: (a) claras; (b) factíveis, no sentido de ter uma intenção clara; e (c) realistas, dentro de sua capacidade de mudar.
- Ao final de cada semana (recomendo que seja na manhã de domingo) seu parceiro confere com você seu desempenho na semana anterior e as metas e os alvos para a próxima semana.

QUAL É SUA RECOMPENSA?

Mudar não é fácil. Se você realizou as metas do mês, mudou a alimentação, tomou suplementos e melhorou a saúde —, parabéns! Como você vai se premiar? Pense na recompensa como uma forma de reconhecer suas realizações. Pode ser uma massagem, um pouco de terapia de consumo (é possível que você

SUAS METAS E ALVOS DE SAÚDE

precise de roupas menores), um fim de semana fora ou uma noite em seu restaurante favorito (um lugar saudável, é claro). É melhor não se premiar com o que esteve evitando ou reduzindo — como uma garrafa de vinho. Pense numa recompensa que não seja comida ou, pelo menos que, seja algo que não entre em conflito com seus novos hábitos saudáveis.

PASSOU-SE UM MÊS — E AGORA?

Este livro e o Programa da Saúde 100% permitem elaborar um Plano de Ação para a Saúde 100% que abrange um mês. É provável que sua saúde mude notavelmente durante esse período. Se você optar pelo Programa da Saúde 100% completo, encontrado em minha página da internet, terá a opção de reavaliar a saúde no final de cada mês e receber um plano de ação revisado.

Se sua saúde e sua alimentação mudaram perceptivelmente, é melhor recalcular as metas alimentares (Capítulo 1 da Parte Três) e os suplementos ideais (Capítulo 2 da Parte Três) com base em sua condição no final do mês. É provável que as áreas da dieta que precisam mudar e os suplementos ideais sofram alteração. Simplesmente repita o mesmo procedimento. A partir do segundo mês, é provável que você prefira manter metas mensais, em vez de reavaliá-las toda semana.

REVISÃO DA PONTUAÇÃO DE SAÚDE APÓS 3 MESES

Nem todos os problemas de saúde são resolvidos em 30 dias, já que a bioquímica do corpo precisa de tempo para se restaurar e as novas células saudáveis levam tempo para se regenerar. A cartilagem, por exemplo, precisa de vários meses para ser significativamente renovada, enquanto a pele leva menos de um mês.

No entanto, quase todo mundo apresenta uma melhora significativa depois de 3 meses.

Minha meta é levá-lo para a área verde, correspondente a uma pontuação de saúde de 85% ou mais. Uma vez tendo alcançado esse resultado, você será convidado para entrar em meu exclusivo "Clube verde da Saúde 100%", criado para mantê-lo 100% saudável e orientá-lo a ajudar outras pessoas a darem os primeiros passos em direção à saúde ideal.

Capítulo 4

TER CONTROLE SOBRE A SAÚDE

A maioria dos problemas de saúde pode ser resolvida, ou melhorada, quando fazemos o que é certo. Quase todos os tratamentos convencionais procuram enganar o corpo, fazendo com que ele não gere dor, colesterol, ácidos estomacais, histamina ou qualquer outra substância natural que o corpo produz por alguma razão. Até as células cancerosas são células normais que não conseguem sobreviver nas condições em que se encontram e, consequentemente, mudam para um estado diferente e mais primitivo. Cortar, queimar ou drogar não vai mudar essas condições. O diabetes é a única opção do corpo quando está num determinado conjunto de circunstâncias. Seu corpo é muito inteligente, refinado por milhões e milhões de anos de evolução. Ele está preocupado com seus interesses. Não é possível enganar a evolução.

OUVIR O CORPO

E **você**, está preocupado com os interesses do seu corpo? Você escuta os sinais (como a dor) que ele manda para informá-lo de que o conjunto de circunstâncias que você lhe proporciona está além da capacidade dele?

Se você escutar os sinais do corpo, ele o recompensará muitas vezes. Você será capaz de experimentar todas as alegrias deste mundo com energia e um conjunto de sentidos intactos, que lhe permitirão apreciar com uma mente aguçada os prazeres da vida. Você será capaz de deleitar-se com o sexo, escutar boa música, curtir a natureza e a arte — e não perder a visão, a audição, a mente, a motivação ou a mobilidade. Se você não escutar a voz do corpo, a velhice não vai ser tão agradável. A verdadeira liberdade não resulta de resistir ao projeto do seu corpo, mas de compreender seu funcionamento e cooperar com ele.

SUAS METAS E ALVOS DE SAÚDE

O PREÇO DA SAÚDE

Neste livro você aprendeu os segredos fundamentais da saúde — quais processos básicos devem funcionar bem para garantir que o indivíduo permanecerá tão saudável quanto possível. Esses processos não são difíceis, complicados ou dispendiosos. A maioria dos alimentos saudáveis custa menos do que os alimentos prejudiciais. Afinal, como a transformação de um alimento simples e saudável como uma batata em dez sacos de batatas fritas cheias de aditivos poderia ser econômica? Um bom programa de suplementos — por exemplo, uma multivitamina concentrada com uma vitamina C adicional e ácidos graxos essenciais custa mais ou menos 3 reais por dia. Quanto você gasta diariamente em alimentos ou bebidas que fazem saques em sua conta-corrente de saúde — doces, cigarros e bebidas cafeinadas ou alcoólicas? O problema quase nunca está nos recursos, mas na alocação dos recursos, como demonstra o fato de que as populações de alguns dos países mais ricos são as que têm pior saúde. Será que é realmente um grande problema fazer 15 minutos diários de exercícios para manter a força, a agilidade e a energia? Não é verdade que todos gastamos mais dinheiro corrigindo problemas que já surgiram do que evitando que eles apareçam? Não seria melhor adotar um estilo de vida que nos mantenha saudáveis e nos dê resiliência suficiente para fazer algumas extravagâncias de vez em quando sem incorrer em graves consequências?

O tempo, dinheiro e energia que você despender agora para ficar 100% saudável é uma fração do que terá que gastar se não fizer esse investimento. Em termos práticos, isso significa:

- Prestar atenção ao que come.
- Tomar suplementos adequados todo dia.
- Reconhecer e processar as reações emocionais quando elas acontecerem; procurar manter honestas e diretas as relações com terceiros.
- Reservar tempo para si, manter o contato com sua verdadeira essência, que está acima da interferência da vida diária.

POR QUE IGNORAMOS O QUE FAZ BEM À SAÚDE?

A boa saúde é uma bênção que tendemos a ignorar quando temos e pela qual rezamos quando não temos. Não é preciso muito para mantê-la, portanto, por que não fazemos o que é certo? Por cinco razões principais:

1. Ignorância — Não sabemos o que deve ser feito. Espero que este livro, meus outros livros e minha página na internet proporcionem a orientação necessária para a maior parte dos problemas de saúde que possam ocorrer. Existe muita informação à disposição, se você souber onde procurar e a quem perguntar.

2. O prazer dos sentidos — Aquela comida (prejudicial) tem um cheiro e um sabor tão bons! *Queremos* a alteração da mente provocada por aquela bebida ou aquela droga. Algumas substâncias, embora não todas, causam uma dependência cada vez maior — açúcar, cafeína e álcool — e por essa razão é preciso ter alguma disciplina e não criar o hábito diário de consumi-las. Naturalmente, os marqueteiros sabem muito bem como nos atrair, portanto, é preciso alguma disciplina para resistir às tentações.

3. Esforço — Às vezes não fazemos o que é certo — preparar um jantar saudável ou fazer exercícios — porque é um esforço muito grande. Naturalmente, o irônico é que um pouco de energia aplicada na direção correta acaba por aumentar nossa energia.

4. Sobrecarga — Com frequência, a força interna das tensões — coisas que nos perturbaram ou excitaram — cria uma espécie de "pressão" interna que é preciso extravasar. Portanto, escolhemos exatamente um alimento, uma bebida ou um comportamento que dissipe nossa energia. Um exemplo clássico são as bebidas alcoólicas, consumidas quando precisamos aliviar as tensões ou quando nos sentimos deprimidos ou entediados. O álcool reduz nossa energia até o ponto em que não sentimos mais aquele desconforto interno. Ocorre uma espécie de "entorpecimento".

Oscar Ichazo, que criou a psicocalistenia, dá a essas formas de dissipar energia o nome de "portas da compensação" — maneiras de aliviar a pressão psicológica. Podemos chegar a esse resultado comendo ou bebendo em excesso, usando substâncias tóxicas como o álcool e, ainda, por outros recursos, como o pânico, a hiperatividade (p. ex., trabalhando em excesso) ou a crueldade (descontando a pressão nos outros). Usar a comida ou a bebida dessa forma é algo que todos fazemos. Quando temos consciência disso e não adotamos esse recurso com frequência ou exagero, não há problema. Mas se continuamos a fazê-lo, a porta fica permanentemente aberta e começamos a criar um hábito ou uma dependência de comida, açúcar, álcool ou qualquer substância que tenhamos escolhido. Se quiser saber mais sobre as portas da compensação ou como livrar o cérebro de dependências,

SUAS METAS E ALVOS DE SAÚDE

leia meu livro *How to Quit Without Feeling S**t*, escrito em coautoria com os doutores David Miller e James Braly.

5. Hábito — Define-se insanidade como o ato de continuar a fazer as mesmas coisas esperando obter resultados diferentes. Portanto, para que sua saúde dê um salto, você precisa fazer algo diferente. No entanto, a triste verdade é que se você não fizer nada não permanecerá na mesma condição, ficará pior. O rio da vida dirige-se naturalmente para a decrepitude e, no fim de tudo, para a morte. A maioria de nós flui inconscientemente em direção à decrepitude progressiva. Se não quiser ser uma dessas pessoas, você precisa nadar contra a corrente — precisa fazer um esforço consciente e agir da forma necessária para ficar saudável.

COMO CONSEGUIR AJUDA

Às vezes é bom contar com a ajuda e o estímulo de outras pessoas. Para isso criei o Clube da Saúde 100%. Milhares de pessoas de todo o mundo já se associaram. Temos um blog na internet para que os participantes discutam o que dá certo e o que não dá, façam perguntas e compartilhem respostas. Também realizamos oficinas e cursos regulares e o clube publica matérias especiais sobre novos tópicos importantes, para ajudar a manter os membros bem-informados e motivados. Procuramos, ainda, novos alimentos saudáveis, receitas e produtos para a saúde que possam ajudá-lo a permanecer saudável. Se quiser se reunir a nós, por favor, visite o site www.patrickholford.com.

A vida é muito boa quando temos saúde, e você será saudável se escutar seu corpo e compreender como ele funciona. Portanto, da próxima vez que fizer uma refeição, além de desfrutar dos sabores e da satisfação que o alimento oferece, traga à consciência todos os prazeres que seu corpo e seus sentidos lhe proporcionaram ao longo dos anos e, por um ato de simples respeito, dê ao corpo o que ele precisa para manter-se saudável.

Desejando a você o melhor da saúde,
Patrick Holford

REFERÊNCIAS

PARTE UM

1 *Dementia UK*, relatório publicado pela Alzheimer's Society, 2007 (ver http//www. alzheimers.org.uk/site/scripts/press-article.php?articleID=90)

2 J. Ferlay, F. Bray, P. Pisani e D. M. Parkin. GLOBOCAN 2002: "Cancer Incidence, Mortality and Prevalence Worldwide", IARC CancerBase No. 5. versão 2.0. IARCPress, Lyon, 2004, www-dep.iarc.fr/

3 J. Ferlay, F. Bray, P. Pisani e D. M. Parkin. GLOBOCAN 2002: "Cancer Incidence, Mortality and Prevalence Worldwide", IARC CancerBase No. 5. versão 2.0. IARCPress, Lyon, 2004, www-dep.iarc.fr/

4 *Dementia UK*, relatório publicado pela Alzheimer's Society, 2007 (ver http//www. alzheimers.org.uk/site/scripts/press-article.php?articleID=90)

5 P. Lichtenstein e outros, "Environmental and heritable factors in the causation of cancer: Analyses of cohorts of twins from Sweden, Denmark, and Finland", *New England Journal of Medicine*, 13 de julho de 2000; 343(2):78-85

6 N. J. Marini e outros, "The prevalence of folate-remedial MTHFR enzyme variants in humans", *Proceedings of the National Academy of Sciences*, 10 de junho de 2008; 105(23):8055-60

7 O Reino Unido tem mais benefício do investimento que Israel, Finlândia, Islândia e Alemanha, cujos dispêndios variam de 1.402 dólares a 2.365; nós não mantemos a saúde por tanto tempo quanto os franceses (73.1), mas eles gastam quase o dobro, enquanto os australianos vivem 73,2 anos gastando 500 dólares a mais que o Reino Unido. Os dados são da Organização Mundial de Saúde em 2000 e foram analisados em C. Medawar e A. Hardon, *Medicines Out of Control? Antidepressants and the Conspiracy of Goodwill*, Aksant Academic Publishers, 2004:217

8 A. Oswald, "Will hiring more doctors make you live longer? " *The Times*, 24 de abril de 2002. Ver também o site de A. Oswald: www2.warwick.ac.uk/fac/soc/economics/staff/faculty/oswald/

9 A. Barclay e outros, "Glycemic index, glycemic load, and chronic disease risk: A meta-analysis of observational studies", *American Journal of Clinical Nutrition*, março de 2008; 87(3):627-37

PARTE DOIS

10 C. S. Hourigan, "The molecular basis of coeliac disease", *Clinical and Experimental Medicine*, junho de 2006; 6(2):53-9

REFERÊNCIAS

11 S. Strorsrud e outros, "Adult coeliac patients do tolerate large amounts of oats", *European Journal of Clinical Nutrition*, janeiro de 2003; 57(1):l63-9 e L. Hogberg e outros, "Oats to children with newly diagnosed coeliac disease: A randomized double blind study", *Gut*, maio de 2004; 53(5):649-54

12 G. Hardman e G. Hart, "Dietary advice based on food specific IgG results", *Nutrition and Food science*, 2007; 37:16-23

13 W. Atkinson e outros, "Food elimination based on IgG antibodies in irritable bowel syndrome: A randomized controlled trial", *Gut*, outubro de 2004; 53(10):1459-64

14 M. C. Barc e outros, "Effect of amoxicillin-clavulanic acid on human fecal flora in a gnotobiotic mouse model assessed with fluorescence hybridization using group-specific 16S rRNA probes in combination with flow cytometry", *Antimicrobial Agents and Chemotherapy*, abril de 2004; 48(4):1365-8; M. W. Pletz e outros, "Ertapenem pharmacokinetics and impact on intestinal microflora, in comparison to those of ceftriaxone, after multiple dosing in male and female volunteers", *Antimicrobial Agents and Chemotherapy*, outubro de 2004; 48(10):3765-72

15 M. Hickson e outros, "Use of probiotic Lactobacillus preparation to prevent diarrhoea associated with antibiotics: randomized double blind placebo controlled trial", *British Medical Journal*, 14 de julho de 2007; 335(7610):80

16 E. B. Canche-Pool e outros, "Probiotics and autoimmunity: An evolutionary perspective", *Medical Hypotheses*, 2008; 70(3):657-60

17 G. S. Kelly, "Nutritional and botanical interventions to assist with the adaptation to stress", *Alternative Medicine Review*, agosto de 1999; 4(4):249-65

18 F. P. Martin, "Probiotic modulation of symbiotic gut microbial-host metabolic interactions in a humanized microbiome mouse model", *Molecular Systems Biology*, 2008; 4:157

19 G. T. Macfarlane, "Bacterial metabolism and health-related effects of galacto-oligosaccharides and other prebiotics", *Journal of Applied Microbiology*, fevereiro de 2008; 104(2):305-44

20 M. S. Donaldson, "Nutrition and cancer: A review of the evidence for an anti-cancer diet", *Nutrition Journal*, outubro de 2004; 20;3(1):19

21 K. Yaffe e outros, "The metabolic syndrome and development of cognitive impairment among older women", *Archives of Neurology*, 2009; 66(3):324-8

22 A. Kanaya e outros, "Total and regional adiposity and cognitive change in older adults", *Archives of Neurology*, 2009; 66(3):329-35

23 S. Craft, "The role of metabolic disorders in Alzheimer disease and vascular dementia", *Archives of Neurology*, 2009; 66(3):300-5; ver também J. A. Luchsinger e outros, "Hyperinsulinemia and risk of Alzheimer disease", *Neurology*, 2004; 63:1187-92

24 Dr. W. C. Willett, Harvard School of Public Health, Symposium on Cancer Prevention, Encontro Anual da American Association for the Advancement of Science, fevereiro de 2008

OS DEZ SEGREDOS DAS PESSOAS 100% SAUDÁVEIS

25 E. Cheraskin, "The Breakfast / Lunch / Dinner Ritual", *Journal of Orthomolecular Medicine*, Volume 8, 1o. trimestre de 1993

26 E. M. Balk e outros, "Effect of chromium supplementation on glucose metabolism and lipids: a systematic review of randomized controlled trials", *Diabetes Care*, agosto de 2007; 30(8):2154-63

27 S. D. Anton e outros, "Effects of chromium picolinate on food intake and satiety", *Diabetes Technology and Therapeutics*, outubro de 2008; 10(5):405-12

28 A. H. Harding e outros, "Plasma vitamin C level, fruit and vegetable consumption, and the risk of new-onset type 2 diabetes mellitus: The European prospective investigation of cancer — Norfolk prospective study", *Archives of Internal Medicine*, 28 de julho de 2008; 168(14):1493-9

29 A. Sachdeva e outros, "Lipid levels in patients hospitalized with coronary artery disease: An analysis of 136,905 hospitalizations in Get With The Guidelines", *American Heart Journal*, janeiro de 2009; 157(1):111-17

30 W. de Ruijter e outros, "Use of Framingham risk score and new biomarkers to predict cardiovascular mortality in older people: population based observational cohort study", *British Medical Journal*, 8 de janeiro de 2009; 338:a3083

31 A. Borjel e outros, relatório de palestra a ser publicado

32 H. Refsum e outros, "The Hordaland Homocysteine Study: A community-based study of homocysteine, its determinants, and associations with disease", *Journal of Nutrition*, Junho de 2006; 136(6 Supl):1731S-1740S

33 N. J. Marini e outros, "The prevalence of folate-remedial MTHFR enzyme variants in humans", *Proceedings of the National Academy of Sciences*, 10 de junho de 2008; 105(23):8055-60

34 R. Lea e outros, "The effects of vitamin supplementation and MTHFR (C677T) genotype on homocysteine-lowering and migraine disability", *Pharmacogenetics and Genomics*, 20 de abril de 2009 [Versão eletrônica publicada antes da impressa]

35 C. Boehnke e outros, "High-dose riboflavin treatment is efficacious in migraine prophylaxis: An open study in a tertiary care centre", *European Journal of Neurology*, julho de 2004; 11(7):475-7

36 L. Brattstrom e outros, "Homocysteine and cysteine: Determinants of plasma levels in middle-aged and elderly subjects", *Journal of Internal Medicine*, dezembro de 1994; 236(6):633-41

37 H. Refsum e outros, "The Hordaland Homocysteine Study: A community-based study of homocysteine, its determinants, and associations with disease", *Journal of Nutrition*, junho de 2006; 136(6 Supl):1731S-1740S

38 L. Wu e J. Wu, "Hyperhomocysteinemia is a risk factor for cancer and a new potential tumor marker", *Clinica chimica acta; International Journal of Clinical Chemistry*, agosto de 2002; 322(1-2):21-8

39 P. H. Black e L. D. Garbutt, "Stress, inflammation and cardiovascular disease", *Journal of Psychosomatic Research*, janeiro de 2002; 52(1):1-23

REFERÊNCIAS

40 H. Refsum e outros, "The Hordaland Homocysteine Study: A community-based study of homocysteine, its determinants, and associations with disease", *Journal of Nutrition*, junho de 2006; 136(6 Supl):1731S-1740S

41 Ver a ref. 31; ver também A. Sobczak e outros, "The influence of smoking on plasma homocysteine and cysteine levels in passive and active smokers", *Clinical Chemistry and Laboratory Medicine*, abril de 2004; 42(4):408-14

42 J. H. Stein e outros, "Smoking cessation, but not smoking reduction, reduces plasma homocysteine levels", *Clinical Cardiology*, jan. de 2002; 25(1):23-6

43 P. Verhoef e outros, "Contribution of caffeine to the homocysteine-raising effect of coffee: A randomized controlled trial in humans", *American Journal of Clinical Nutrition*, dez. de 2002; 76(6):1244-8

44 J. Durga e outros, "Effect of 3-year folic acid supplementation on cognitive function in older adults in the FACIT trial: A randomized, double blind, controlled trial", *Lancet*, 20 de janeiro de 2007; 369(9557):208-16

45 X. Wang e outros, "Efficacy of folic acid supplementation in stroke prevention: A meta-analysis", *Lancet*, 2 de junho de 2007; 369(9576):1876-82; H. Refsum e A. D. Smith, "Homocysteine, B vitamins, and cardiovascular disease", *New England Journal of Medicine*, 13 de julho de 2006; 355(2):207; J. D. Spence, "Homocysteine-lowering therapy: A role in stroke prevention?", *Lancet neurology*, setembro de 2007; 6(9):830-8

46 J. Durga e outros, "Effect of 3-year folic acid supplementation on cognitive function in older adults in the FACIT trial: A randomised, double blinds controlled trial", *Lancet*, 20 de janeiro de 2007; 369(9557):208-16

47 Q. Yang e outros, "Improvement in stroke mortality in Canada and the United States, 1990 to 2002", *Circulation*, 14 de março de 2006;113(10): 1335-43

48 J. B. Mason e outros, "A temporal association between folic acid fortification and an increase in colorectal cancer rates may be illuminating important biological principles: A hypothesis", *Cancer Epidemiology Biomarkers & Prevention*, julho de 2007; 16(7):1325-9

49 M. S. Morris e outros, "Folate and vitamin B12 status in relation to anemia, macrocytosis, and cognitive impairment in older Americans in the age of folic acid fortification", *American Journal of Clinical Nutrition*, janeiro de 2007; 85(1):193-200

50 S. J. Eussen e outros, "Oral cyanocobalamin supplementation in older people with vitamin B12 deficiency: A dose-finding trial", *Archives of Internal Medicine*, 23 de maio de 2005; 165(10):1167-72

51 H. Foster, "Halting the AIDS Pandemic", in D. Janelle, B. Warf e K. Hansen (eds.), *World Minds: Geographic Perspectives on 100 Problems*, Kluwer Academic Publishers, 2004: 69-73; E. Namulemia e outros, "Nutritional supplements can delay the progression of AIDS in HIV-Infected patients: Results from a double-blind, clinical trial at Mengo Hospital, Kampala, Uganda", *Journal of Orthomolecular Medicine*, 2007; 22(3):129-36

52 B. N. Ames, "Low micronutrient intake may accelerate the degenerative diseases of aging through allocation of scarce micronutrients by triage", *Proceedings of the National Academy of Sciences*, 21 de novembro de 2006; 103(47):17589-94

OS DEZ SEGREDOS DAS PESSOAS 100% SAUDÁVEIS

53 Q. Xu e outros, "Multivitamin use and telomere length in women", *American Journal of Clinical Nutrition*, junho de 2009; 89(6):1857-63

54 *The 2003 UK National Diet and Nutrition Survey*

55 K. Lee e outros, "Cocoa has more phenolic phytochemicals and a higher antioxidant capacity than teas and red wine", *J Agric Food Chem*, 3 de dezembro de 2003; 51(25):7292-5

56 M. Serafini e outros, "Plasma antioxidants from chocolate", *Nature*, 28 de agosto de 2003; 424(6952):1013

57 S. Chanvitayapongs e outros, "Amelioration of oxidative stress by antioxidants and resveratrol in PC12 cells", *Neuroreport*, 14 de abril de 1997; 8(6):1499-502: L. Belguendouz e outros, "Interaction of transresveratrol with plasma lipoproteins", *Biochemical Pharmacology*, 15 de março de 1998; 55(6):811-16

58 W. Leifert e M. Abeywardena, "Cardioprotective actions of grape polyphenols", *Nutrition Research*, novembro de 2008; 28(11):1729-37

59 D. Bagchi e outros, "Benefits of resveratrol in women's health", *Drugs under Experimental and Clinical Research*, 2001;27(5-6): 233-48

60 M. Jang e J. M. Pezzuto, "Cancer chemopreventive activity of resveratrol", *Drugs under Experimental and Clinical Research*, 1999; 25(2-3):65-77; M. Jang e outros, "Cancer chemopreventive activity of resveratrol, a natural product derived from grapes", *Science*, 10 de janeiro de 1997; 275(5297):218-20

61 Y. Schneider e outros, "Anti-proliferative effect of resveratrol, a natural component of grapes and wine, on human colonic cancer cells", *Cancer Letters*, 29 de setembro de 2000; 158(1):85-91

62 K. Bove e outros, "Effect of resveratrol on growth of 4Tl breast cancer cells in vitro and in vivo", *Biochemical and Biophysical Research Communications*, 8 de março de 2002; 291(4):1001-5

63 K. T. Howitz e outros, "Small molecule activators of sirtuins extend Saccharomyces cerevisiae lifespan", *Nature*, 11 de setembro de 2003; 425(6954):191-6

64 P. Signorelli e R. Ghidoni, "Resveratrol as an anticancer nutrient: Molecular basis, open questions and promises", *Journal of Nutritional Biochemistry*, agosto de 2005; 16(8):449-66

65 J. M. Pezzuto, "Resveratrol: a whiff that induces a biologically specific tsunami", *Cancer Biology Therapy*, setembro de 2004; 3(9):889-90

66 W. X. Tian, "Inhibition of fatty acid synthase by polyphenols", *Current Medicinal Chemistry*, 2006; 13(8):967-77

67 N. Kalra e outros, "Resveratrol induces apoptosis involving mitochondrial pathways in mouse skin tumorigenesis", *Life Sciences*, 13 de fevereiro de 2008; 82(7-8):348-58

68 P. J. Elliott e M. Jirousek, "Sirtuins: novel targets for metabolic disease", *Current Opinion in Investigational Drugs*, abril de 2008; 9(4):371-8; ver também S. V. Penumathsa e outros, "Statin and resveratrol in combination induces cardioprotection against myocardial infarction in hypercholesterolemic rat", *Journal of Molecular and Cellular Cardiology*, março de 2007; 42(3):508-16

REFERÊNCIAS

69 B. Buijsse e outros, "Plasma carotene and alpha-tocopherol in relation to 10-y all-cause and cause-specific mortality in European elderly: The Survey in Europe on Nutrition and the Elderly, a Concerted Action (SENECA)", *American Journal of Clinical Nutrition*, outubro de 2005; 82(4):879-86

70 M. J. Stampfer e outros, "Vitamin E consumption and the risk of coronary disease in women", *New England Journal of Medicine*, 20 de maio de 1993; 328(20):1444-9

71 E. B. Rimm e outros, "Vitamin E consumption and the risk of coronary heart disease in men", *New England Journal of Medicine*, 20 de maio de 1993; 328(20):1450-6

72 B. Manuel-Y-Keenoy e outros, "Impact of Vitamin E supplementation on lipoprotein peroxidation and composition in Type 1 diabetic patients treated with Atorvastatin", *Atherosclerosis*, agosto de 2004; 175(2):369-76

73 M. A. Kawashiri e outros, "Comparison of effects of pitavastatin and atorvastatin on plasma coenzyme Q10 in heterozygous familial hypercholesterolemia: Results from a crossover study", *Clinical Pharmacology and Therapeutics*, maio de 2008; 83(5):731-9

74 M. A. Silver e outros, "Effect of atorvastatin on left ventricular diastolic function and ability of coenzyme Q10 to reverse that dysfunction", *American Journal of Cardiology*, 15 de novembro de 2004; 94(10):1306-10

75 G. Block, "Vitamin C and cancer prevention: The epidemiologic evidence", *American Journal of Clinical Nutrition*, jan. de 1991; 53(Supl 1):270S-282S; G. Block, "Epidemiologic evidence regarding vitamin C and cancer", *American Journal of Clinical Nutrition*, e dezembro de 1991; 54(Supl 6):1310S-1314S; G. Block, "Vitamin C status and cancer. Epidemiologic evidence of reduced risk", *Annals of the New York Academy of Sciences*, 30 de setembro de 1992; 669:280-90, discussão 290-2; B. Frei e S. Lawson, "Vitamin C and cancer revisited", *Commentary in Proceedings of the National Academy of Sciences*, 12 de agosto de 2008; 105(32):11037-8

76 S. Hickey, "Ascorbate: The science of vitamin C", 2004, publicado por lulu.com

77 M. Afkhami-Ardekani e A. Shojaoddiny-Ardekani, "Effect of vitamin C on blood glucose, serum lipids & serum insulin in type 2 diabetes patients", *Indian Journal of Medical Research*, novembro de 2007; 126(5):471-4; e A. H. Harding e outros, "Plasma vitamin C level, fruit and vegetable consumption, and the risk of new-onset type 2 diabetes mellitus: The European prospective investigation of cancer — Norfolk prospective study", *Archives of Internal Medicine*, 28 de julho de 2008; 168(14):1493-9

78 H. Hemilä e outros, "Vitamin C for preventing and treating the common cold", *Cochrane Database of Systematic Reviews 2007*, No. 3. Art. No.: CD000980. DOI: 10.1002/14651858.CD000980.pub3

79 Q. Chen e outros, "Pharmacologic ascorbic acid concentrations selectively kill cancer cells: Action as a pro-drug to deliver hydrogen peroxide to tissues", *Proceedings of the National Academy of Sciences*, 20 de setembro de 2005; 102(38):13604-9

80 S. Singhal e outros, "Comparison of antioxidant efficacy of vitamin E, vitamin C, vitamin A and fruits in coronary heart disease: A controlled trial", *The Journal of the Association of Physicians of India*, março de 2001; 49:327-31; ver também M. Meydani, "Vitamin

OS DEZ SEGREDOS DAS PESSOAS 100% SAUDÁVEIS

E modulation of cardiovascular disease", *Annals of the New York Academy of Sciences*, março de 2001;49:327-31

81 J. Higdon e B. Frei, "Vitamin C, vitamin E, and b-carotene in cancer chemoprevention", in D. Bagchi e H. G. Preuss (eds.), *Phytopharmaceuticals in Cancer Chemoprevention*, CRC Press, Boca Raton, FL, 2005; 271-309

82 P. M. Kidd, "Glutathione: Systemic protectant against oxidative and free radical damage", *Alternative Medicine Review*, 1997; 2(3):155-75

83 A. R. Palaniappan e A. Dai, "Mitochondrial ageing and the beneficial role of alpha-lipoic acid", *Neurochemical Research*, setembro de 2007; 32(9):1552-8

84 B. Donnerstag e outros, "Reduced glutathione and S-acetylglutathione as selective apoptosis-inducing agents in cancer therapy", *Cancer Letters*, 20 de dezembro de 1996; 110(1-2):63-70

85 S. Chanvitayapongs e outros, "Amelioration of oxidative stress by antioxidants and resveratrol in PC12 cells", *Neuroreport*, 14 de abril de 1997; 8(6):1499-502

86 M. Jang e outros, "Cancer chemopreventive activity of resveratrol, a natural product derived from grapes", *Science*, 10 de janeiro de 1997; 275(5297):218-20; M. Jang e J. M. Pezzuto, "Cancer chemopreventive activity of resveratrol", *Drugs under Experimental and Clinical Research*, 1999; 25(2-3):65-77

87 Artigo do prof. Treusch — número da patente 5925620: data de depósito: 12 de março de 1997, data de concessão: 20 de julho de 1999; Inventores: Gerhard Ohlenschlager, Gernot Treusch, Principal avaliador: C. Delacroix-Muirheid, Classificação atual nos EUA: 514/18; 530/331, Classificação Internacional: A61K 3800

88 K. Folkers, "Relevance of the biosynthesis of coenzyme Q10 and of the four bases of DNA as a rationale for the molecular causes of cancer and a therapy", *Biochemical and Biophysical Research Communications*, 16 de julho de 1996; 224(2):358-61; K. Folkers e outros, "Activities of vitamin Q10 in animal models and a serious deficiency in patients with cancer", *Biochemical and Biophysical Research Communications*, 1997; 234(2):296-9; K. Lockwood e outros, "Progress on therapy of breast cancer with vitamin Q10 and the regression of metastases", *Biochemical and Biophysical Research Communications*, 6 de julho de 1995; 212(1):172-7; K. Lockwood e outros, "Apparent partial remission of breast cancer in 'high risks' patients supplemented with nutritional antioxidants, essential fatty acids and coenzyme Q10", *Molecular Aspects of Medicine*, 1994; Supl 15:S231-40

89 K. A. Weant e K. M. Smith, "The role of coenzyme Q10 in heart failure", *The Annals of Pharmacotherapy*, setembro de 2005; 39(9):1522-6; F. Rosenfeldt e outros, "Coenzyme Q10 therapy before cardiac surgery improves mitochondrial function and in vitro contractility of myocardial tissue", *Journal of Thoracic and Cardiovascular Surgery*, janeiro de 2005; 129(1):25-32; F. Rosenfeldt e outros, "Response of the senescent heart to stress: Clinical therapeutic strategies and quest for mitochondrial predictors of biological age", *Annals of the New York Academy of Sciences*, junho de 2004; 1019:78-84; K. Folkers e Y. Yamamura (eds.), Biomedical and clinical aspects of coenzyme Q10: 5th International Symposium Proceedings, Elsevier Science Ltd, 1986

REFERÊNCIAS

90 B. Burke e outros, "Randomized, double blind, placebo-controlled trial of coenzyme Q10 in isolated systolic hypertension", *Southern Medical Journal*, novembro de 2001; 94(11):1112-17

91 P. H. Langsjoen e A. M. Langsjoen, "Overview of the use of CoQ10 in Cardiovascular disease", *Biofactors*, 1999; 9(2-4):273-84

92 M. A. Silver e outros, "Effect of Atorvastatin on left ventricular diastolic function and ability of coenzyme Q10 to reverse that dysfunction", *American Journal of Cardiology*, 15 de novembro de 2004; 94(10):1306-10

93 G. Bjelakovic e outros, "Antioxidant supplements for prevention of gastrointestinal cancers: A systematic review and meta-analysis", *Lancet*, 2-8 de outubro de 2004; 364(9441):1219-28

94 M. Romanowska e outros, "Effects of selenium supplementation on expression of glutathione peroxidase isoforms in cultured human lung adenocarcinoma cell lines", *Lung Cancer*, janeiro de 2007; 55(1):35-42

95 S. S. Navarro e T. Rohan, "Trace elements and cancer risk: A review of the epidemiologic evidence", *Cancer Causes Control*, fevereiro de 2007; 18(1):7-27

96 M. Myriam e outros, "Skin bioavailability of dietary vitamin E, carotenoids, polyphenols, vitamin C, zinc and selenium", *British Journal of Nutrition*, 2006; 96(2):227-38

97 R. Kafi e outros, "Improvement of naturally aged skin with vitamin A (retinol)", *Archives of Dermatology*, maio de 2007; 143(5):606-12

98 J. R. Hibbeln e outros, "Increasing homicide rates and linoleic acid consumption among five Western countries, 1961-2000", *Lipids*, dezembro de 2004; 39(12):1207-l3; J. R. Hibbeln, "Seafood consumption and homicide mortality: A cross-national ecological analysis", *World Review of Nutrition and Dietetics*, 2001; 88:41-6; J. R. Hibbeln, "From homicide to happiness: A commentary on omega-3 fatty acids in human society. Cleave Award Lecture", *Nutrition and Health*, 2007; 19(1-2):9-19

99 J. R. Hibbeln, "Seafood consumption and homicide mortality: A cross-national ecological analysis", *World Review of Nutrition and Dietetics*, 2001; 88:41-6

100 J. R. Hibbeln e outros, "Increasing homicide rates and linoleic acid consumption among five Western countries, 1961-2000", *Lipids*, dezembro de 2004; 39(12):1207-l3

101 J. R. Hibbeln, "Depression, suicide and deficiencies of omega-3 essential fatty acids in modern diets", *World Review of Nutrition and Dietetics*, 2009; 99:17-30; ver também J. R. Hibbeln, "From homicide to happiness: A commentary on omega-3 fatty acids in human society. Cleave Award Lecture", *Nutrition and Health*, 2007; 19(1-2):9-19

102 J. Golding e outros, "High levels of depressive symptoms in pregnancy with low omega-3 fatty acid intake from fish", *Epidemiology*, 10 de março de 2009 [publicação eletrônica anterior à impressa]

103 M. E. Virkkunen e outros, "Plasma phospholipid essential fatty acids and prostaglandins in alcoholic, habitually violent, and impulsive offenders", *Biological Psychiatry*, setembro de 1987; 22(9):1087-96; também C. Iribarren e outros, "Dietary intake of n-3, n-6 fatty acids and fish; Relationship with hostility in young adults — the CARDIA

OS DEZ SEGREDOS DAS PESSOAS 100% SAUDÁVEIS

study", *European Journal of Clinical Nutrition*, janeiro de 2004; 58(1):24-31; também L. Buydens-Branchey e outros, "Polyunsaturated fatty acid status and relapse vulnerability in cocaine addicts", *Psychiatry Research*, 30 de agosto de 2003; 120(1):29-35; e L. Buydens-Branchey e outros, "Polyunsaturated fatty acid status and aggression in cocaine addicts", *Drug and Alcohol Dependence*, 10 de setembro de 2003; 71(3):319-23; ainda T. Hamazaki e outros, "The effect of docosahexaenoic acid on aggression in elderly Thai subjects: A placebo-controlled double-blind study", *Nutritional Neuroscience*, fevereiro de 2002; 5(l):37-41; também M. Zanarini e F. Frankenburg, "Omega-3 fatty acid treatment of women with borderline personality disorder: A double-blind, placebo-controlled pilot study", *American Journal of Psychiatry*, janeiro de 2003; 160(1):167-9; também T. Hamazaki e S. Hirayama, "The effect of docosahexaenoic acid-containing food administration on symptoms of attention-deficit/hyperactivity disorder: A placebo-controlled double-blind study", *European Journal of Clinical Nutrition*, maio de 2004; 58(5):838; também M. Itomura e outros, "The effect of fish oil on physical aggression in schoolchildren: A randomized, double-blind, placebo-controlled trial", *Journal of Nutritional Biochemistry*, março de 2005; 16(3):163-71

104 B. Hallahan e outros, "Omega-3 fatty acid supplementation in patients with recurrent self-harm: Single-centre double-blind randomised controlled trial", *British Journal of Psychiatry*, fevereiro de 2007; 190:118-22

105 A. Margioris, "Fatty acids and postprandial inflammation", *Current Opinion in Clinical Nutrition and Metabolic Care*, março de 2009; 12(2):129-37; P. Lin e K. Su, "A meta-analytic review of double-blind, placebo-controlled trials of antidepressant efficacy of omega-3 fatty acids", *Journal of Clinical Psychiatry*, julho de 2007; 68(7):1056-61

106 R. J. Goldberg e J. Katz, "A meta-analysis of the analgesic effects of omega-3 polyunsaturated fatty acid supplementation for inflammatory joint pain", *Pain*, maio de 2007; 129(1-2):210-23

107 P. Lin e K. Su, "A meta-analytic review of double-blind, placebo-controlled trials of antidepressant efficacy of omega-3 fatty acids", *Journal of Clinical Psychiatry*, julho de 2007; 68(7):1056-61

108 D. Fergusson e outros, "Association between suicide attempts and selective serotonin reuptake inhibitors: Systematic review of randomized controlled trials", *British Medical Journal*, 19 de fevereiro de 2005; 330(7488):396

109 Sem menção a autores, "Dietary supplementation with n-3 polyunsaturated fatty acids and vitamin E after myocardial infarction: Results of the GISSI-Prevenzione trial", *Lancet*, 7 de agosto de 1999; 354(9177):447-55

110 P. Lin e K. Su, "A meta-analytic review of double-blind, placebo-controlled trials of antidepressant efficacy of omega-3 fatty acids", *Journal of Clinical Psychiatry*, julho de 2007; 68(7):1056-61

111 A. Stoll, "Omega 3 fatty acids in bipolar disorder", *Archives of General Psychiatry*, 1999; 56:407-12; B. Nemets, Z. Stahl e R. H. Belmaker, "Addition of omega-3 fatty acid to maintenance medication treatment for recurrent unipolar depressive disorder",

REFERÊNCIAS

American Journal of Psychiatry, 2002; 159:477-9; Y. Osher e outros, "Omega-3 eicosapentaenoic acid in bipolar depression: report of a small open-label study", *Journal of Clinical Psychiatry*, junho de 2005; 66(6):726-9

112 M. Micallef e outros, "An inverse relationship between plasma n-3 fatty acids and C-reactive protein in healthy individuals", *European Journal of Clinical Nutrition*, 8 de abril de 2009

113 A. Margioris, "Fatty acids and postprandial inflammation", *Current Opinion in Clinical Nutrition and Metabolic Care*, março de 2009; 12(2):129-37

114 R. J. Goldberg e J. Katz, "A meta-analysis of the analgesic effects of omega-3 polyunsaturated fatty acid supplementation for inflammatory joint pain", *Pain*, maio de 2007; 129(1-2):210-23

115 Sem referência a autores, "Dietary supplementation with n-3 polyunsaturated fatty acids and vitamin E after myocardial infarction: Results of the GISSI-Prevenzione trial", *Lancet*, 7 de agosto de 1999; 354(9177):447-55; P. M. Kris-Etherton e outros, "Fish consumption, fish oil, omega-3 fatty acids and cardiovascular disease", *Circulation*, 19 de novembro de 2002; 106(21):2747-57; American Heart Association Nutrition Committee e outros, "Diet and lifestyle recommendations revision 2006: A scientific statement from the American Heart Association Nutrition Committee", *Circulation*, 4 de julho de 2006; 114(1):82-96

116 J. A. Simon e outros, "Serum fatty acids and the risk of coronary heart disease", *American Journal of Epidemiology*, 1º de setembro de 1995; 142(5):469-76

117 N. Mann e outros, "The effectiveness of DPA rich seal oil compared with fish oil in lowering platelet activation in healthy human objects", ISSFAL, julho de 2006

118 S. Akiba e outros, "Involvement of lipooxygenase pathway in docosapentaenoic acid-induced inhibition of platelet aggregation", *Biological and Pharmaceutical Bulletin*, novembro de 2000; 23(11):1293-7

119 M. Tsuji e outros, "Docosapentaenoic acid (22:5, n-3) suppressed tube-forming activity in endothelial cells induced by vascular endothelial growth factor", *Prostaglandins, Leukotrienes and Essential Fatty Acids*, maio de 2003; 68(5):337-42. Ver também T. Kanayasu-Toyoda e outros, "Docosapentaenoic acid (22:5, n-3), an elongation metabolite of eicosapentaenoic acid (20:5, n-3), is a potent stimulator of endothelial cell migration on pretreatment in vitro", *Prostaglandins, Leukotrienes and Essential Fatty Acids*, maio de 1996; 54(5):319-25

120 W. E. Hardman, "n-3 Fatty Acids and Cancer Therapy", *Journal of Nutrition*, Dezembro de 2004; 134(Supl. 12):3427S-3430S. Ver também D. P. Rose e J. M. Connolly, "Regulation of tumor angiogenesis by dietary fatty acids and eicosanoids", *Nutrition and Cancer*, 2000; 37(2):119-27

121 J. T. Brenna e outros, "Alpha-Linolenic acid supplementation and conversion to n-3 long-chain polyunsaturated fatty acids in humans", *Prostaglandins, Leukotrienes and Essential Fatty Acids*, fev-mar de 2009; 80(2-3):85-91; N. M. Attar-Bashi e outros, "Failure of conjugated linoleic acid supplementation to enhance biosynthesis of docosahexaenoic acid

OS DEZ SEGREDOS DAS PESSOAS 100% SAUDÁVEIS

from alpha-linolenic acid in healthy human volunteers", *Prostaglandins, Leukotrienes and Essential Fatty Acids*, março de 2007; 76(3):121-30; G. Barceló-Coblijn e outros, "Flaxseed oil and fish-oil capsule consumption alters human red blood cell n-3 fatty acid composition: A multiple-dosing trial comparing 2 sources of n-3 fatty acid", *American Journal of Clinical Nutrition*, setembro de 2008; 88(3):801-91

122 G. Pyapali e outros, "Prenatal dietary choline supplementation decreases the threshold for induction of long-term potentiation in young adult rats", *Journal of Neurophysiology*, abril de 1998; e 79(4):1790-6

123 W. H. Meck C. L. Williams, "Characterization of the facilitative effects of perinatal choline supplementation on timing and temporal memory", *Neuroreport*, 8 de setembro de 1997; 8(13):2831-5; S. H. Zeisel, "Choline: needed for normal development of memory", *Journal of the American College of Nutrition*, outubro de 2000; 19(Supl. 5):528S-531S; M. C. Hung e outros, "Learning behaviour and cerebral protein kinase C, antioxidant status, lipid composition in senescence-accelerated mouse; Influence of a phosphatidylcholine-vitamin B12 diet", *British Journal of Nutrition*, agosto de 2001; 86(2):163-71; N. Jacob e outros, "Cysteine is a cardiovascular risk factor in hyperlipidemic patients", *Atherosclerosis*, setembro de 1999; 146(1):53-9

124 S. L. Ladd e outros, "Effect of phosphatidylcholine on explicit memory", *Clinical Neuropharmacology*, dezembro de 1993; 16(6):540-9

125 R. J. Wurtman e S. H. Zeisel, "Brain choline: Its sources and effects on the synthesis and release of acetylcholine", *Aging*, 1982; 19:303-13

126 P. M. Kidd, "Phosphatidylserine; membrane nutrient for memory. A clinical and mechanistic assessment", *Alternative Medicine Review*, 1996; 1(2):70-84

127 W. Dimpfel e outros, "Source density analysis of functional topographical EEG: Monitoring of cognitive drug action 1996", *European Journal of Medical Research*, 19 de março de 1996; 1(6):283-90

128 N. L. Harmam e outros, "Increased dietary cholesterol does not increase plasma low density lipoprotein when accompanied by an energy-restricted diet and weight loss", *European Journal of Nutrition*, setembro de 2008; 47(6):287-93

129 W. de Ruijter e outros, "Use of Framingham risk score and new biomarkers to predict cardiovascular mortality in older people: Population based observational cohort study", *British Medical Journal*, 8 de janeiro de 2009; 338:a3083

130 K. M. Johnson e outros, "Traditional clinical risk assessment tools do not accurately predict coronary atherosclerotic plaque burden: A CT angiography study", *American Journal of Roentgenology*, janeiro de 2009; 192(1):235-43

131 M. Yokohama e outros, "Effects of eicosapentanoic acid on major coronary events in hypercholesterolaemic patients (JELIS): a randomized open-label, blinded endpoint analysis", *Lancet*, 31 de março de 2007; 369(9567):1090-8

132 A. Ginde e outros, "Association between serum 25-hydroxyvitamin d level and upper respiratory tract infection in the third national health and nutrition examination survey", *Archives of Internal Medicine*, 2009; 169(4):384-90

REFERÊNCIAS

133 S. Ramagopalan e outros, "Expression of the multiple sclerosis-associated MHC class II Allele HLA-DRBI*1501 is regulated by vitamin D", *PLoS genetics*, fevereiro de 2009; 5(2):el000369. Publ. eletrônica em 6 de fevereiro de 2009

134 "Vitamin D Backed For Cancer Prevention In Two New Studies", *Science Daily*, 8 de fevereiro de 2007. Disponível na internet em www.sciencedaily.com; ver também o Relatório Especial "Vitamin D — Are You Getting enough?" em www.patrickholford.com

135 R. Lappalainen e outros, "Drinking water with a meal: A simple method of coping with feelings of hunger, satiety and desire to eat", *European Journal of Clinical Nutrition*, novembro de 1993; 47(11):815-19

136 B. J. Rolls e outros, "Volume of food consumed affects satiety in men", *American Journal of Clinical Nutrition*, 1998; 67:1170-7

137 M. Boschmann e outros, "Water-induced thermogenesis", *Journal of Clinical Endocrinology and Metabolism*, dezembro de 2003; 88(12):6015-19; M. Boschmann e outros, "Water drinking induces thermogenesis through oversensitive mechanisms", *Journal of Clinical Endocrinology and Metabolism*, agosto de 2007; 92(8):3334-7

138 M. A. Shafiee e outros, "Defining conditions that lead to the retention of water: The importance of the arterial sodium concentration", *Kidney International*, fevereiro de 2005; 67(2):613-21

139 J. R. Claybaugh e outros, "Effects of time of day, gender, and menstrual cycle phase on the human response to a water load", *American Journal of Physiology. Regulatory, Integrative and Comparative Physiology*, setembro de 2000; 279(3):R966-73

140 J. Myers e outros, "Fitness versus physical activity patterns in predicting mortality in men", *American Journal of Medicine*, 15 de dezembro de 2004; 117(12):912-18

141 F. B. Hu e outros, "Adiposity as compared with physical activity in predicting mortality among women", *New England Journal of Medicine*, 23 de dezembro de 2004; 351(26):2694-703

142 M. I. Trenell e outros, "Increased daily walking improves lipid oxidation without changes in mitochondrial function in Type 2 diabetes", *Diabetes Care*, agosto de 2008; 31(8):1644-9

143 J. H. Wang, "Effects of Tai Chi exercise on patients with type 2 diabetes", *Medicine and Sport Science*, 2008; 52:230-8

144 A. Sanchez-Villegas e outros, "Physical activity: sedentary index, and mental disorders in the SUN cohort study", *Medicine and Science in Sports and Exercise*, maio de 2008; 40(5):827-34

145 D. Lobstein e outros, "Beta-endorphin and components of depression as powerful discriminators between joggers and sedentary middle-aged men", *Journal of Psychosomatic Research*, 1989; 33(3):293-305

146 M. Dritsa e outros, "Effects of a home-based exercise intervention on fatigue in postpartum depressed women: Results of a randomized controlled trial", *Annals of Behavioral Medicine*, abril de 2008; 35(2):179-87; S. S. Heh e outros, "Effectiveness of an exercise

OS DEZ SEGREDOS DAS PESSOAS 100% SAUDÁVEIS

support program in reducing the severity of postnatal depression in Taiwanese women", *Birth*, março de 2008; 35(l):60-5

147 D. Nelson e outros, "Effect of physical activity on menopausal symptoms among urban women", *Medicine and Science in Sports and Exercise*, janeiro de 2008; 40(1):50-8

148 C. Li e outros, "Menopause-related symptoms: What are the background factors? A prospective population-based cohort study of Swedish women (The Women's Health in Lund Area study)", *American Journal of Obstetrics and Gynecology*, dezembro de 2003; 189(6):1646-53

149 J. A. Blumenthal e outros, "Exercise and pharmacotherapy in the treatment of major depressive disorder", *Psychosomatic Medicine*, set.-out. de 2007; 69(7):587-96

150 J. Verghese e outros, "Leisure activities and the risk of dementia in the elderly", *The New England Journal of Medicine*, 10 de junho de 2003; 348(25):2508-16

151 A. Osawa e outros, "Relationship between cognitive function and regional cerebral flow in different types of dementia", *Disability and Rehabilitation*, 17 de junho de 2004; 26(12):739-45

152 T. Satoh e outros, "Walking exercise and improved neuropsychological functioning in elderly patients with cardiac disease", *Journal of Internal Medicine*, novembro de 1995; 238(5):423-8

153 S. J. Colcombe e outros, "Aerobic fitness reduces brain tissue loss in aging humans", *The Journals of Gerontology: Series A, Biological Sciences And Medical Sciences*, fevereiro de 2003; 58(2):176-80

154 C. Hollenbeck e outros, "Effect of habitual physical activity on regulation of insulin-stimulated glucose disposal in older males", *Journal of the American Geriatrics Society*, abril de 1985; 33(4):273-7

155 J. Mayer e outros, "Relation between caloric intake, body weight, and physical work: studies in an industrial male population in West Bengal", *American Journal of Clinical Nutrition*, mar.-abr. de 1956; 4(2):169-75

156 J. Woo e outros, "A randomized controlled trial of Tai Chi and resistance exercise on bone health, muscle strength and balance in community-living elderly people", *Age and Ageing*, maio de 2007; 36(3):262-8

157 K. Khan e outros, "Does childhood and adolescence provide a unique opportunity for exercise to strengthen the skeleton?", *Journal of Science and Medicine in Sport*, junho de 2000; 3(2):150-64

158 E. L. Smith e outros, "Physical activity and calcium modalities for bone mineral increase in aged women", *Medicine and Science in Sports and Exercise*, 1981; 13(1):604

159 K. Karmisholt e outros, "Physical activity for primary prevention of disease. Systematic reviews of randomised clinical trials", *Danish Medical Bulletin*, maio de 2005; 52(2):86-9

160 S. Quan e outros, "Association of physical activity with sleep-disordered breathing", *Sleep Breathing*, setembro de 2007; 11(3):149-57; P. Montgomery e J. Dennis, "Physical Exercise for sleep problems in adults aged 60+", *Cochrane Database of Systematic Reviews*, 2002, No. 4, CD003404

REFERÊNCIAS

161 R. J. Shephard e P. N. Shek, "Exercise, immunity, and susceptibility to infection a J-shaped relationship?", *The Physician and Sportsmedicine*, 1999; 27(6):47-71

162 P. Clayton e J. Rowbotham, "An unsuitable and degraded diet? Part one: Public health lessons from the mid-Victorian working class diet", *Journal of the Royal Society of Medicine*, 2008; 101:282-9. DOI 10.1258/jrsm.2008.080112; ver também P. Clayton e J. Rowbotham, "An unsuitable and degraded diet? Part two: Realities of the mid-victorian diet", *Journal of the Royal Society of Medicine*, 2008; 101:350-7. DOI 10.1258/jrsm.2008.080113

163 J. H. Wang, "Effects of Tai Chi exercise on patients with type 2 diabetes", *Medicine and Sport Science*, 2008; 52:230-8

164 J. Woo e outros, "A randomised controlled trial of Tai Chi and resistance exercise on bone health, muscle strength and balance in community-living elderly people", *Age and Ageing*, maio de 2007; 36(3):262-8

165 C. Streeter e outros, "Yoga Asana sessions increase brain GABA levels: A pilot study", *Journal of Alternative and Complementary Medicine*, maio de 2007; 13(4):419-26; A. Kjellgren e outros, "Wellness through a comprehensive yogic breathing program; a controlled pilot trial", *BMC complementary and alternative medicine*, 19 de dezembro de 2007; 7:43

166 C. Hart e outros, "Effect of conjugal bereavement on mortality of the bereaved spouse in participants of the Renfrew/Paisley Study", *Journal of Epidemiology and Community Health*, maio de 2007; 61(5):455-60; ver também N. Christakis e P. Allison, "Mortality after the hospitalization of a spouse", *New England Journal of Medicine*, 16 de fevereiro de 2006; 354(7):719-30

167 H. Tindle e outros, Encontro Anual da American Psychosomatic Society, 5 de março (ver http://www.reuters.com/article/lifestyleMolt/idUSTRE5247NO20090305)

168 D. Goleman, *Emotional intelligence*, Bloomsbury paperbacks, 1996 [*Inteligência emocional*. Objetiva, 1996]

169 J. Griffin e I. Tyrrell, *Dreaming Reality: How Dreaming Keeps Us Sane, or Can Drive Us Mad*, HG Publishing, 2006

170 J. Glaser e outros, "Elevated serum dehydroepiandrosterone sulfate levels in practitioners of the Transcendental Meditation (TM) and TM-sidhi programs", *Journal of Behavioral Medicine*, agosto de 1992; 15(4):327-41; ver também L. Carlson e outros, "Mindfulness-based stress reduction in relation to quality of life, mood, symptoms of stress and levels of cortisol, dehydroepiandrosterone sulfate (DHEAS) and melatonin in breast and prostate cancer outpatients", *Psychoneuroendocrinology*, maio de 2004; 29(4):448-74; H. Wahbeh e outros, "Binaural beat technology in humans: A pilot study to assess psychologic and physiologic effects", *Journal of Alternative and Complementary Medicine*, jan-fev de 2007; 13(1):25-32; ver também V. Giampapa, *New England Journal of Medicine*, 11 de dezembro de 1986

171 A. Lutz e outros, "Long-term meditators self-induce high-amplitude gamma synchrony during mental practice", *Proceedings of the National Academy of Science*, 16 de novembro de 2004; 101(46):16369-73

OS DEZ SEGREDOS DAS PESSOAS 100% SAUDÁVEIS

PARTE TRÊS

172 *The Vitamin Controversy*, ION Press, 1987

173 G. Block e outros, "Usage patterns, health, and nutritional status of long-term multiple dietary supplement users: A cross-sectional study", *Nutrition Journal*, 2007; 6:30

LEITURAS RECOMENDADAS

EM GERAL

Patrick Holford, *The Optimum Nutrition Bible*, Piatkus (2009)
Patrick Holford e Jerome Burne, *Food Is Better Medicine Than Drugs*, Piatkus (2006)

PARTE DOIS: OS DEZ SEGREDOS

Patrick Holford, *Improve Your Digestion*, Piatkus (2009)
Patrick Holford e Dr. James Braly, *Hidden Food Allergies*, Piatkus (2005)
Patrick Holford e Fiona McDonald Joyce, *The Holford 9-Day Liver Detox*, Piatkus (2007)
Patrick Holford, David Miller e Dr. James Braly, *How To Quit Without Feeling S**t*, Piatkus (2008)
Patrick Holford, *The Holford Low-GL Diet Bible*, Piatkus (2009)
Patrick Holford, *The Holford Low-GL Diet Made Easy*, Piatkus (2007)
Patrick Holford e Fiona McDonald Joyce, *Food GLorious Food*, Piatkus (2008)
Patrick Holford e Fiona McDonald Joyce, *The Holford Low-GL Diet Cookbook*, Piatkus (2005)
Patrick Holford e Dr. James Braly, *The H Factor*, Piatkus (2003)
Oscar Ichazo, *Master Level Exercise: Psychocalisthenics*, Sequoia Press (1993)
Gabrielle Roth, *Maps to Ecstasy: Healing Power of Movement*, New World Library (2003)
Bruce Frant[z, *The Chi Revolution*, Blue Snake Books (2008)
Tim Laurence, *You Can Change Your Life*, Hodder Mobius (2004) [*Você pode mudar sua vida*. Nova Era, 2007]
Oliver James, *They F*** You Up: How to Survive Family Life*, Bloomsbury Publishing PLC (2008)
Harville Hendrix, *Getting The Love You Want: A Guide for Couples*, Pocket Books (1993) [*Todo o amor do mundo*. Cultrix, 2003]
Julia Cameron, *The Artist's Way*, Jeremy R Tarcher (2006) [*Guia prático para a criatividade*. Ediouro, 1996]
Joe Griffin e Ivan Tyrrell, *Dreaming Reality: How Dreaming Keeps Us Sane, or Can Drive Us Mad*, HG Publishing (2006)
Sally Kempton (antes chamada Swami Durgananda), *The Heart of Meditation*, SYDA Foundation (2002)
Eckhart Tolle, *The Power of Now*, Hodder & Stoughton (1999) [*O poder do agora*. Sextante, 2002]

OS DEZ SEGREDOS DAS PESSOAS 100% SAUDÁVEIS

M. Scott Peck, *The Road Less Travelled*, Arrow New Age (1990) [*A trilha menos percorrida*. Nova Era, 2006]

Sue Gerhardt, *Why Love Matters*, Routledge (2004)

Bruce Lipton, *The Biology of Belief*, Hay House (2005) [*A biologia da crença*. Crenças, 2007]

RECURSOS

O **Institute for Optimum Nutrition** (ION) oferece um curso de grau tecnológico com três anos de duração em terapia nutricional, que inclui um treinamento na abordagem da nutrição ideal para a saúde mental. Conta com uma clínica, uma relação de profissionais de nutrição no Reino Unido, um serviço de informações e um periódico trimestral, o *Optimum Nutrition.* Visite www. ion.ac.uk. Endereço: Avalon House, 72 Lower Mortlake Road, Richmond, TW9 2JY. Tel. +44(0)870 979 1122.

Consultas e Terapia Nutricional — Para encontrar perto de sua casa um terapeuta nutricional que eu recomendo, visite www.patrickholford.com. Esse serviço fornece detalhes sobre profissionais a procurar no Reino Unido e também internacionalmente. Se não encontrar alguém próximo a você, sempre é possível fazer a avaliação pela internet (ver adiante).

Programa da Saúde 100% Online — Como está sua saúde? Descubra com nosso check-up gratuito e com o **Programa da Saúde 100%,** abrangente e personalizado, que lhe fornece um plano de ação pessoal com indicação de dieta e suplementos. Visite www.patrickholford.com.

Zest4life é um clube de nutrição e saúde que se baseia nos princípios da baixa carga glicêmica. Em uma série de reuniões semanais, o clube oferece aconselhamento, instruções pessoais e apoio para quem deseja perder peso e ganhar saúde. Para mais informações visite www.zest4life.eu.

Psicocalistenia — é um excelente sistema de exercícios que demanda menos que 20 minutos diários e desenvolve força, agilidade e disposição, além de gerar energia vital. A melhor maneira de aprender é fazer o treinamento em psicocalistenia. Ver detalhes no site www.patrickholford.com (events). Também podem ser encontrados o livro *Master Level Exercise: Psychocalisthenics,* o CD e o DVD dessa técnica em www.patrickholford.com (shop). Para mais informações, por favor visite www.pcals.com.

OS DEZ SEGREDOS DAS PESSOAS 100% SAUDÁVEIS

Yoga — A British Wheel of Yoga pode colocá-lo em contato com uma academia ou um professor de yoga em sua região. Visite www.bwy.org.uk/. Tel. +44(0)1529 306851; email office@bwy.org.uk.

Tai chi e qigong — A organização Tai Chi Union for Great Britain fornece detalhes sobre professores em sua região, eventos e notícias. Visite www.taichiunion.com. Entre em contato também com a London School of Tai Chi Chuan and Traditional Health Resources em http://taichi.gn.apc.org/. Tel. +44(0)20 8566 1677.

Kath State — O manual *Kath State: The Energy of Inner Fire* pode ser encontrado em www.arica.org/products/books.cfm. Tel. +1-860-927-1006 (EUA). No Reino Unido, esse manual está disponível em www.patrickholford.com (shop).

Os Cinco Ritmos — Para mais informações sobre Gabrielle Roth e os 5Rhythms visite www.gabrielleroth.com. Para encontrar um professor ou uma aula dos cinco ritmos em Londres, visite www.acalltodance.com.

Psicoterapia — Para encontrar um analista ou psicoterapeuta em sua região, entre em contato com o United Kingdom Council for Psychotherapy (UKCP). Visite www.psychotherapy.org.uk. Tel. +44(0)20 7014 9955; email info@ukcp. org.uk.

Fiquei especialmente impressionado com psicoterapeutas e terapeutas treinados pelo Psychosynthesis and Education Trust, 92-94 Tooley Street, London Bridge, Londres SE1 2TH. A organização também promove excelente oficina chamada The Essentials, que permite ao participante examinar como é sua vida, como gostaria que ela fosse e o que precisa mudar. Essa oficina é promovida como um programa intensivo de cinco dias ou em dois fins de semana longos. Visite http://www.psychosynthesis.edu/. Tel. +44(0)20 7403 2100; email enquiries@petrust.org.uk.

Hoffman Institute UK — O Processo Hoffman é um curso residencial intensivo, realizado em oito dias, no qual se mostra como deixar de lado o passado, liberar estresse acumulado, livrar-se de comportamentos e ressentimentos limitantes e criar o futuro almejado. Visite www.hoffmaninstitute.co.uk. Endereço:

RECURSOS

Box 72, Quay House, River Road, Arundel, West Sussex, BN18 9DF. Tels. 0800068 7114 ou +44(0) 1903 88 99 90; email info@hoffmaninstitute.co.uk.

Também são oferecidos cursos em centros na África do Sul, na Austrália, em Cingapura e em outras partes do mundo. Para conhecer mais detalhes desses e de outros centros internacionais, visite www.hoffmaninstitute.com.

Treinamento para a Vida — O treinamento certo para a vida pode ajudá-lo a identificar o que é realmente importante para você e como alcançar seus objetivos. O Life Coach Directory permite encontrar um treinador em sua região e também fornece conselhos úteis sobre o que esperar das sessões de treinamento e sobre as qualificações e experiência que um bom treinador deve ter. Para mais detalhes ver www.lifecoach-directory.org.uk.

EXAMES LABORATORIAIS

Alergias Alimentares — Os exames (IgG ELISA), Homocysteine, GLCheck (mede o nível de hemoglobina glicosilada, também chamada HbA1C) e Livercheck podem ser solicitados ao YorkTest Laboratories. Usando um kit de exame doméstico você pode colher uma amostra de sangue com uma espetadela no dedo. A amostra deve ser enviada ao laboratório para análise. Visite www.yorktest.com. Tel. gratuito no Reino Unido (UK) 0800 074 6185. Esses kits de teste também podem ser solicitados ao site www.totallynourish.com.

Teste de permeabilidade intestinal — Esse teste pode ser encontrado nos seguintes laboratórios, por intermédio de médicos e consultores de nutrição qualificados:

- Biolab Medical Unit (somente por pedido médico): www.biolab.co.uk. Tel. +44(0)20 7636 5959/5905.
- Genova Diagnostics : www.gdx.uk.net. Tel. +44(0)20 8336 7750.

PRODUTOS NATURAIS

Xilitol — O xilitol, substituto natural do açúcar com baixa carga glicêmica, pode ser encontrado em lojas de produtos naturais e no site www.totallynourish.com.

OS DEZ SEGREDOS DAS PESSOAS 100% SAUDAVEIS

CherryActive — é vendido sob a forma de um suco altamente concentrado. Misture uma porção de 30ml (2 colheres de sopa) com 250ml de água para fazer um suco de cereja deliciosamente saudável e de baixa CG. Cada recipiente de 946ml contém o suco de 3 mil cerejas — a metade da carga de uma cerejeira — e é suficiente para um mês. O CherryActive também é fornecido em cápsulas ou na forma de passas de cereja. Encontrado em todas as boas casas de produtos naturais e no site www.totallynourish.com

Filtros para água — Existem muitos tipos de filtros para água no mercado. Um dos melhores é oferecido pela The Fresh Water Filter Company, que produz unidades de filtração de água instalados no cano e que usam a gravidade, em vez de usar a osmose reversa, que pode remover também alguns minerais úteis. É possível comprar um filtro para toda a casa ou uma versão a ser instalada sob a pia. Visite www.totallynourish.com ou www.freshwaterfilter.com.

SUPLEMENTOS E FORNECEDORES DE SUPLEMENTOS

Encontrar seu próprio programa perfeito de suplementos pode ser confuso, mas meu site www.patrickholford.com oferece uma orientação útil.

A base de um bom programa de suplementos é:

- Uma multivitamina concentrada
- Vitamina C adicional
- Um suplemento de gorduras essenciais contendo os óleos ômega 3 e ômega 6

Nesta seção vemos exemplos de suplementos que fornecem as vitaminas e nutrientes nos níveis recomendados neste livro. Os endereços das empresas cujos produtos mencionamos aparecem no final.

ANTIOXIDANTES

Um bom complexo antioxidante deve conter vitamina A (betacaroteno e/ou retinol), vitamina C, vitamina E, zinco, selênio, glutationa ou cisteína, antocianidinas de extratos de frutas silvestres, ácido lipoico e coenzima Q10. Dois produtos que atendem a esses critérios são os antioxidantes AGE da BioCare e o Advanced Antioxidant Nutrients, da Solgar. As duas empresas também fornecem complexos de bioflavonoides, em geral associados com vitamina C.

RECURSOS

ENZIMAS DIGESTIVAS E SUPORTE

Uma boa combinação de enzimas digestivas deve conter protease, amilase e lipase, que digerem respectivamente proteínas, carboidratos e gorduras. Algumas também contêm amiloglucosidase (ajuda a digerir glicosídeos, presentes em algumas leguminosas e legumes) e lactase (ajuda a digerir os açúcares do leite). Se você tem distensão abdominal depois de comer lentilha ou feijões como os derivados de soja, escolha uma combinação de enzimas que contenha alfagalactosidase. Experimente o produto Vegan Digestive Enzymes da Solgar. Você também pode comprar enzimas digestivas com probióticos: o DigestPro da BioCare contém todas essas enzimas e probióticos.

GORDURAS ESSENCIAIS E SUPLEMENTOS DE ÓLEO DE PEIXE

Os ácidos graxos ômega 3 mais importantes são DHA, DPA e EPA, encontrados tanto no óleo de peixe quanto no óleo de fígado de bacalhau. A gordura ômega 6 mais importante é o GLA, cuja principal fonte é o óleo de borago (também conhecido como borragem ou flor-estrela). Experimente o Essential Omegas da BioCare, que fornece uma mistura altamente concentrada de DHA, DPA, EPA e GLA. Esse laboratório também produz um suplemento de óleo de peixe com alta potência de ômega 3, o Mega-EPA. A empresa Seven Seas produz o óleo de fígado de bacalhau Extra High Strength Cod Liver Oil.

COMPLEXOS DE NUTRIENTES METILA

Um bom complexo de nutrientes para a metilação deve conter pelo menos as vitaminas B6, B12 e ácido fólico. Algumas fórmulas também contêm vitamina B2, trimetilglicina (TMG), zinco e n-acetilcisteína. Três produtos que atendem a esses critérios são o Connect da BioCare, que contém todos eles; o Gold Specifics Homocysteine Modulators, da Solgar, que contém TMG, vitamina B6, vitamina B12 e ácido fólico; e o H Factors da Higher Nature, que contém as vitaminas B2, B6, B12 e ácido fólico, além de zinco e TMG (veja www.higher-nature.co.uk).

SUPLEMENTOS DE MULTIVITAMINAS E MINERAIS

A escolha mais importante que você precisa fazer é do suplemento de multivitaminas. Muitas multivitaminas trazem níveis de nutrientes de acordo com a

OS DEZ SEGREDOS DAS PESSOAS 100% SAUDÁVEIS

IDR, que não são os ideais. Uma boa vitamina, dosada de acordo com os níveis ideais de nutrição, é a Advanced Optimum Nutrition Formula, da BioCare. Outra é a VM200, da Solgar. Nos dois produtos é recomendado que se tome dois comprimidos por dia. O Advanced Optimum Nutrition Formula tem um teor mais alto de minerais, principalmente cálcio e magnésio. O ideal é tomar uma multivitamina e mineral com 1g extra de vitamina C.

PROBIÓTICOS

Os probióticos são suplementos de bactérias benéficas, sendo as cepas mais importantes o *Lactobacillus acidophilus* e a *Bifidobacterium bifidus*. Há uma variedade de cepas desses dois micro-organismos, algumas mais importantes para crianças e outras para adultos. A quantidade e a qualidade das bactérias é muito variável — os rótulos de alguns produtos fazem afirmações como "um bilhão de organismos viáveis por cápsula". Um bom produto é o Bio-acidophilus da BioCare e também o DigestPro, que também contém enzimas digestivas.

EQUILÍBRIO DO AÇÚCAR

Procure um produto que contenha 200mcg de cromo, seja na forma de polinicotinato, seja como picolinato, de preferência com canela com alto teor de MCHP (Cinnulin PF® é o nome de um extrato concentrado de canela especialmente rico em MCHP).

PRODUTOS PARA A PELE

Os produtos da Environ foram desenvolvidos pelo Dr. Des Fernandes, especialista em cirurgia cosmética, para evitar o câncer de pele e tratar os efeitos prejudiciais do meio ambiente sobre a pele. Formulados com ingredientes de atividade cientificamente comprovada, entre eles a vitamina A e os antioxidantes vitamina C, E e betacaroteno, usados em concentrações crescentes, os produtos da Environ são eficazes para manter uma pele saudável ou tratar e evitar os sinais de envelhecimento, a pigmentação, os problemas dermatológicos e a formação de cicatrizes. Eles também têm um excelente filtro solar chamado RAD. Esses produtos podem ser encontrados em www.totallynourish.com ou diretamente com um consultor da Environ. Veja o site www.vitaminskincare.eu para encontrar um profissional em algum lugar da Europa. Para pesquisas

RECURSOS

internacionais, o telefone é +27 21 782 2315; email environ@africa.com. Ou visite www.environ.co.za.

FORNECEDORES DE SUPLEMENTOS

As seguintes empresas produzem suplementos de boa qualidade facilmente encontrados no Reino Unido:

BioCare — oferece uma ampla gama de suplementos nutricionais e herbais, inclusive "pacotes" diários, bons para levar em viagem ou quando se está fora de casa. Os produtos podem ser encontrados na maioria das boas lojas de produtos naturais. Endereço eletrônico: www.biocare.co.uk. Tel.: +44 (0)121 433 3727. Também é possível fazer pedidos pelo correio à Totally Nourish (www. totallynourish.com) — ver abaixo.

Totally Nourish — é uma loja virtual de produtos naturais que revende muitos produtos de alta qualidade para a saúde, inclusive suplementos e kits para exames domésticos. Endereço eletrônico: www.totallynourish.com. Tel.: 0800 085 7749 (gratuito dentro do Reino Unido).

Solgar — suplementos disponíveis na maioria das lojas de produtos naturais independentes ou pelo site www.solgar-vitamins.co.uk. Tel.: +44 (0)1442 890355.

Em outras regiões:

ÁFRICA DO SUL

Bioharmony fabrica muitos produtos na África do Sul e outros países africanos. Para detalhes sobre o fornecedor mais próximo, visite www.bioharmony. co.za. Tel.: 0860 888 339

AUSTRÁLIA

Os suplementos da **Solgar** são encontrados na Austrália. Visite www.solgar. com.au. Tel.: 1800 029 871 (chamada gratuita) para encontrar um fornecedor mais próximo. Outra marca de qualidade é a Blackmores.

OS DEZ SEGREDOS DAS PESSOAS 100% SAUDÁVEIS

NOVA ZELÂNDIA

Os produtos **BioCare** (ver referência anterior) são distribuídos na Nova Zelândia pela empresa Aurora Natural Therapies. Endereço eletrônico: www. aurora.org.nz. Endereço: 12a Battys Road, Springlands, Blenheim 7201, Nova Zelândia.

CINGAPURA

Os produtos **BioCare** e **Solgar** (ver página 281) são distribuídos em Cingapura pela empresa Essential Living. Endereço eletrônico: www.essliv.com. Tel.: 6276 1380.

EMIRADOS ÁRABES

Suplementos **BioCare** (ver página 281) são distribuídos em Dubai pela Nutripharm FZCO. Endereço: Post Box (caixa postal) 71246, Dubai, United Arab Emirates. Tel.: +971-4-3410008; Fax: +971-4-3410009.

Este livro foi composto na tipologia Minion Pro,
em corpo 10,5/15, e impresso em papel off-white,
no Sistema Cameron da Divisão Gráfica
da Distribuidora Record.